ITALIA

이탈리아

CHALET Travel Book

CONTENTS

샬레트래블북 이탈리아의 내용은 2023년 8월까지 수집한 정보와 자료로 만들었습니다. 단, 책에 소개되어 있는 관광지와 숍, 레스토랑의 오픈 시간 및 요금, 교통편과 관련된 내용은 현지 사정에 따라 변경될 수 있습니다. 샬레트래블북은 6개월 또는 1년마다 가장 최신 정보가 업데이트된 개정판을 발행합니다.

GETTING STARTED ITALIA

ROMA 로마 & 근교

MEZZOGIORNO 남부 이탈리아

이 책을 보는 방법

본문 정보

- 찾아가는 방법
- 주소
- 전화번호
- 오픈 시간
- 요금
- 홈페이지

지도

- 관광 명소
- 레스토랑
- 카페
- 젤라테리아
- 숍
- 슈퍼마켓
- 호텔, 호스텔
- 매표소
- 분수
- 해변
- 바포레토 승선장
- 트라게토
- 관광 안내소
- 전망 포인트
- 기차역
- 공항버스 정류장
- 시내버스 정류장
- 택시 정류장
- 페리 선착장
- 유람선
- 푸니콜라레
- 체어리프트
- 계단
- 엘리베이터

FIRENZE 피렌체 & 토스카나

TRAVEL INFO

VENEZIA 베네치아 & 베로나

MILANO 밀라노 & 친퀘테레

GETTING STARTED

ITALIA

이탈리아 커피

이탈리아 카페에서는 사람들이 바에서 바리스타에게 작은 잔을 받아 한두 모금 마시고 가는 모습을 자주 보게 된다. 이 작은 잔에 담긴 것이 이탈리아 사람들이 가장 사랑하는 커피인 에스프레소이며 이탈리아에서 커피Caffè라고 하면 곧 에스프레소를 의미한다. 커피가 맛있기로 유명한 카페에 간다면 이탤리언처럼 운 카페Un Caffè(에스프레소)를 주문해 커피 맛을 음미해보자. 에스프레소의 진하고 쓴맛이 부담스럽다면 설탕을 넣거나 생크림을 얹은 카페 콘 판나Caffè con Panna 등을 주문해도 된다. 아침에는 에스프레소에 우유와 우유 거품을 넣은 카푸치노를 마시는 경우도 많은데 여기에 크루아상처럼 생긴 코르네또Cornetto라는 빵을 곁들인 것이 이탈리아식 아침 식사이다.

카페Caffè
에스프레소 솔로(싱글 샷)를 의미한다.
취향에 따라 설탕을 넣어 먹기도 한다.

카페 도피오 Caffè Doppio
에스프레소 더블 샷,
즉 양이 2배인 에스프레소이다.

카페 콘 판나 Caffè con Panna
에스프레소에
생크림을 올린 커피이다.

카푸치노Cappuccino

에스프레소에 우유와 우유 거품을 넣은 것으로 이탈리아에서는 우유 거품 위에 시나몬 가루를 뿌리지 않는다.

카페 라테 Caffè Latte

에스프레소에 우유를 넣은 것으로 카푸치노에 비해 우유의 양이 2배 정도이며 우유 거품은 거의 넣지 않는다.

카페 마키아토 Caffè Macchiato

마키아토는 '얼룩진' 또는 '점을 찍은'이라는 뜻으로 에스프레소에 소량의 우유 또는 우유 거품을 넣은 커피이다.

라테 마키아토 Latte Macchiato

카페 마키아토와는 반대로 우유 위에 소량의 에스프레소를 부어 만든 커피로 섞지 않고 그대로 마신다.

카페 마로키노 Caffè Marocchino

유리잔에 초콜릿 시럽과 에스프레소를 넣고 거품 낸 우유를 얹은 후 그 위에 다시 초콜릿 가루나 코코아 가루로 장식한 커피이다.

카페 프레도 Caffè Freddo

에스프레소에 설탕과 몇 개의 얼음을 넣어 차게 마시는 이탈리아식 아이스커피로, 우리나라에서 마시는 아이스커피처럼 얼음이 많이 들어 있지는 않다.

카페 샤케라토 Caffè Shakerato

에스프레소와 얼음, 약간의 시럽을 셰이커에 함께 넣고 흔들어 만드는 커피로, 흔드는 과정에서 만들어지는 풍성한 거품을 즐길 수 있다.

그라니타 디 카페 Granita di Caffè

커피 셔벗으로 아이스커피가 없는 이탈리아에서 여름에 즐기기 가장 좋은 커피이다. 생크림을 얹어 마시기도 한다.

이탈리아 와인

이탈리아는 세계에서 가장 역사가 깊은 와인 생산지이며 프랑스와 세계 최대 와인 생산국 자리를 놓고 매년 엎치락뒤치락할 정도로 많은 양의 와인을 생산하는 나라이다. 북부와 남부의 위도가 10도나 차이 날 정도로 긴 국토를 가지고 있는 덕분에 지역에 따라 다양한 종류의 개성 강한 와인이 생산되며 각 지역의 와인은 그 지방의 음식들과 최고의 마리아주(와인과 음식의 조화)를 이룬다.

• 이탈리아 와인 등급 •

이탈리아 와인 등급은 1963년 정해진 법률에 따라 하위 등급부터 VdT(Vino da Tavola), IGT(Indicazione Geografica Tipica), DOC(Denominazione di Origine Controllata), DOCG(Denominazione di Origine Controllata e Garantita)의 4개 등급으로 체계가 갖추어졌다. 2010년 유럽연합의 규정에 따라 등급 명칭이 새롭게 변경되었는데, 기존의 DOCG와 DOC가 DOP로, IGT는 IGP로, VdT 등급은 Vini Varletali, Vini 등급으로 세분화됐다. 대체적으로 DOP 등급의 와인이 품질이 좋으나 IGP 등급 중에서도 슈퍼 투스칸 와인을 비롯하여 뛰어난 품질을 자랑하는 와인들이 있으니 고를 때 참고하자.

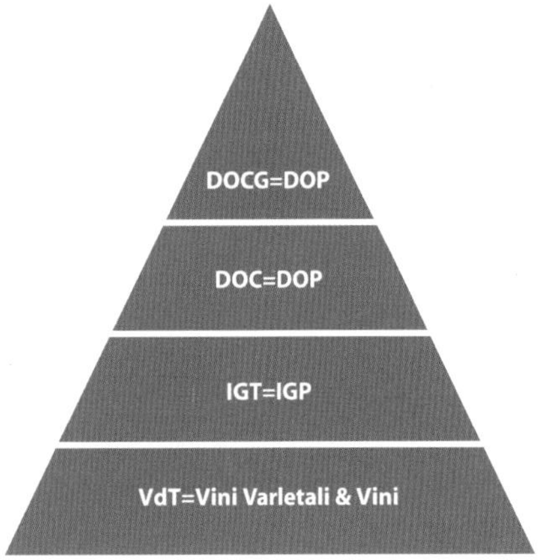

DOP
엄격한 생산 규정을 준수하는 DOC 와인과 정부가 품질을 보증하는 최고 등급의 DOCG 와인이 속하는 등급으로 10년 이상 DOC 등급을 유지하면 DOCG 와인으로 승격될 수 있는 자격이 주어진다.

IGP
이탈리아 내의 특정 지역에서 생산되는 와인으로 레이블에 지역, 컬러, 품종 표기 가능

Vini Varletali
유럽연합 영토 내에서 생산되며 승인된 단일 품종이 85% 이상이거나 그 중 둘 이상으로 만들어진 와인. 레이블에 품종과 빈티지 표기 가능

Vini
유럽연합 영토 내에서 생산된 와인으로 레이블에 품종, 지역, 빈티지 표기 불가. 컬러만 표기 가능

HOT TIP

알아두면 유용한 이탈리아 와인 용어

비노 로쏘 Vino Rosso : 레드 와인
비노 비안코 Vino Bianco : 화이트 와인
스푸만테Spumante : 강 발포성 스파클링 와인
프리잔테Frizzante : 약 발포성 스파클링 와인
안나타Annata/ **벤뎀미아**Vendemmia : 빈티지(포도 수확 연도)
칸티나Cantina / **테누타**Tenuta : 와이너리
클라시코Classico : 해당 DOC 내에서 역사적으로 가장 오래된 지역에서 생산되는 와인
수페리오레Superiore : 보통의 DOC 와인보다 알코올 도수가 더 높은 와인
리제르바Riserva : DOC나 DOCG 와인 중 최저 숙성 기간을 초과하여 더 오랫동안 숙성된 와인

• 이탈리아 주요 와인 산지와 대표 와인 •

■ 레드 □ 화이트 ▒ 화이트 스파클링 ■ 레드 스파클링

피에몬테 Piemonte (주도 : 토리노 Torino)

주요 품종 | 네비올로, 바르베라, 돌체토, 모스카토

바롤로Barolo DOCG ■
'와인의 왕'이라는 별명을 가진 남성적이고 묵직한 레드 와인

바르바레스코Barbaresco DOCG ■
'와인의 여왕'이라 불리는 여성적이고 우아한 레드 와인

모스카토 다스티 Moscato d'Asti DOCG ▒
아스티 마을에서 생산되는 가볍고 부드러운 약 발포성 프리잔테 와인

토스카나 Toscana (주도 : 피렌체 Firenze)

주요 품종 | 산지오베제

키안티 클라시코

Chianti Classico DOCG ■

토스카나의 전통 와인 생산지인 키안티 중에서도 가장 우수한 품질의 레드 와인

브루넬로 디 몬탈치노

Brunello di Montalcino DOCG ■

묵직한 풀 보디의 장기 숙성 와인으로 세계적으로도 유명한 최고급 명품 레드 와인

비노 노빌레 디 몬테풀치아노

Vino Nobile di Montepulciano DOCG ■

몬테풀치아노의 귀족 와인이라는 이름만큼 우아하고 품격 있는 맛을 지닌 고급 레드 와인

슈퍼 투스칸(슈퍼 토스카나)

Super Tuscan(Super Toscana) ■

외국 품종의 블렌딩, 새로운 양조 방식으로 세계시장에서 먼저 인정받은 신 명품 와인

롬바르디아 Lombardia (주도 : 밀라노 Milano)

주요 품종 | 네비올로, 바르베라, 샤르도네, 피노 누아

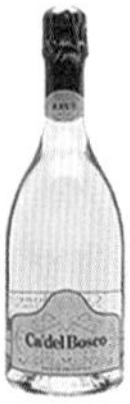

프란치아코르타

Franciacorta DOCG ▒

샴페인처럼 2차 병 숙성 방식으로 만드는 이탈리아 최정상의 스파클링 와인

발텔리나 슈페리오레

Valtellina Superiore DOCG ■

네비올로 품종 90% 이상으로 만드는 롬바르디아의 수준 높은 레드 와인

에밀리아 로마냐 Emilia Romagna (주도 : 볼로냐 Bologna)

주요 품종 | 람브루스코, 산지오베제, 그레케토, 알바나

람브루스코 디 소르바라

Lambrusco di Sorbara DOC ▒

람브루스코 품종으로 만드는 가벼운 탄산을 포함한 레드 프리잔테 와인

알바나 디 로마냐

Albana di Romagna DOCG □

알바나 단일 품종으로 만드는 이탈리아 최초의 화이트 DOCG 와인

베네토 Veneto (주도 : 베네치아 Venezia)

주요 품종 | 가르가네가, 코르비나

소아베

Soave DOC / DOCG

약간의 산도가 있는 깔끔한 맛이 일품인 세계적으로 가장 인기 있는 드라이한 화이트 와인

아마로네 델라 발폴리첼라

Amarone della Valpolicella DOCG

바롤로, 브루넬로 디 몬탈치노와 함께 이탈리아의 3대 레드 와인 중 하나로 꼽히는 풀 보디 레드 와인

프로세코

Prosecco DOC / DOCG

샴페인보다 신선하고 상큼한 과일 맛으로 부담 없이 마실 수 있는 화이트 스파클링 와인

이탈리아 맥주

와인의 나라로 유명한 이탈리아이지만 피자와 같이 편하게 마시기에는 역시 시원한 맥주가 제일이다. 이탈리아 맥주는 대부분 황금색의 탄산이 풍부한 페일 라거이며 가장 오래되고 유명한 맥주 브랜드는 페로니와 비라 모레티이다. 여름철에는 레몬이 들어간 상큼한 맥주도 많이 마신다. 슈퍼마켓에서 다양한 이탈리아 맥주를 판매하며 레스토랑이나 바에서는 수제 맥주를 주문해 마실 수도 있다.

페로니 Peroni

이탈리아 대표 맥주. 톡 쏘는 지중해의 시원함을 담아 뛰어난 청량함 자랑

페로니
Peroni
4.7% vol.

페로니 나스트로 아주로
Peroni Nastro Azzurro
5.1% vol.

페로니 칠 레몬
Peroni Chill Lemon
2% vol.

비라 모레티 Birra Moretti

부드러운 홉의 느낌이 살아 있는 맥주. 청량감 있으며 가벼운 편

비라 모레티
Birra Moretti
4.6% vol.

비라 모레티 라 로사
Birra Moretti La Rossa
7.6% vol.

비라 모레티 리모네
Birra Moretti Limone
2% vol.

비라 메나브레아 Birra Menabrea

이탈리아를 넘어 세계 최고의 프리미엄 맥주로 인정받는 맥주

메나브레아 1846
Menabrea 1846
4.8% vol.

메나브레아 암브라타
Menabrea La 150°
Ambrata
5% vol.

메나브레아 스트롱
Menabrea La 150° Strong
8% vol.

발라딘 Baladin

이탈리아 북부의 유명 양조장에서 만드는 크래프트 맥주
향신료가 들어간 맥주인 아이작Isaac과 노라Nora 등이 유명

아이작
Isaac
5% vol.

노라
Nora
6.8% vol.

레온
Leön
9% vol.

이탈리아 젤라토

신선한 천연 재료를 사용하여 만드는 이탈리아의 수제 아이스크림 젤라토는 더위에 지친 여행자들에게 활기를 되찾아주는 마법 같은 힘을 가지고 있다. 젤라토의 상큼하면서도 부드러운 맛과 쫀득한 식감에 중독되어 여행 중 매일 젤라토를 사 먹는다 해도 다른 아이스크림에 비해 유지방 함량이 절반 정도도 안 되니 살찔 걱정은 잠시 접어두어도 된다. 막상 젤라토를 사려고 하면 수십 가지가 넘는 종류에 이탈리아어로만 이름이 쓰여 있어 어떤 것을 주문해야 할지 난감한 경우가 많은데, 그럴 때는 아래 정리한 젤라토 맛의 종류를 참고하자.

젤라토 맛의 종류

과일

프라골라Fragola : 딸기

리모네Limone : 레몬

뻬스카Pesca : 복숭아

앙구리아Anguria : 수박

망고Mango : 망고

아나나스Ananas : 파인애플

멜로네Melone : 멜론

뻬라Pera : 배

피코Fico : 무화과

아마레나Amarena : 체리

견과류 및 기타

리소Riso : 쌀

피스타키오Pistachio : 피스타치오

카스타냐Castagna : 밤

노촐라Nocciola : 헤이즐넛

바닐라Vaniglia : 바닐라

크레마Crema : 크림

카페Caffè : 커피

초콜라토Cioccolato : 초콜릿

스트라차텔라Stracciatella : 초콜릿 칩

스트라차텔라 디 멘타 Stracciatella di Menta : 민트 초콜릿 칩

이탈리아 주요 도시별 대표 요리

세계적인 미식의 나라로 손꼽히는 이탈리아를 여행할 때 만나는 다양하고 맛있는 음식들은 여행의 즐거움을 더해주는 중요한 요소이다. 이탈리아 음식의 특징을 크게 북부와 남부로 구분한다면 쌀이 많이 생산되는 북부에서는 리소토같이 쌀을 이용한 요리가 많고 밀, 올리브, 토마토가 잘 자라고 해산물이 풍부한 남부에서는 파스타와 해산물을 활용한 요리가 많다는 점이다. 이탈리아 각 지역의 특색 있는 음식을 제대로 즐기고 싶다면 주요 도시에서 맛볼 수 있는 대표 요리를 알아두면 많은 도움이 된다.

• 로마 •

피오리 디 주카 프리티 Fiori di Zucca Fritti
호박꽃 봉오리 안에 모차렐라 치즈나 앤초비를 넣고 튀김옷을 입혀 튀겨낸 요리. 안티파스토로 즐긴다.

카르쵸피 알라 쥬디아 Carciofi alla Giudia
아티초크를 올리브 오일에 바삭하게 튀겨낸 요리. 로마의 유대인 사회에서 유래한 음식으로 대표적인 안티파스토이다.

카르보나라Carbonara
이탈리아식 베이컨인 구안치 알레나 판체타와 달걀, 치즈, 후추 등을 넣어 만든 파스타. 1950년대 이후 로마에서 만들어 먹기 시작한 것으로 추정된다.

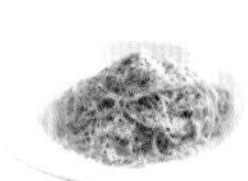

카쵸 에 페페 Cacio e Pepe
페코리노 치즈와 후추만으로 맛을 낸 라치오 지역의 전통 파스타. 강한 치즈 향과 후추의 매운맛이 자극적일 수 있다.

코다 알라 바치나라 Coda alla Vaccinara
쇠꼬리를 셀러리, 토마토, 양파, 당근, 와인 등을 넣어 고기가 푹 익을 때까지 익힌 요리. 우리나라의 갈비찜과 비슷하다.

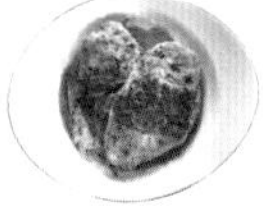

살팀보카 알라 로마나 Saltimbocca alla Romana
송아지 고기에 프로슈토와 샐비어 잎을 얹어 버터와 백포도주로 구워낸 요리. 동글게 말아 굽기도 한다.

• 피렌체 •

비스테카 알라 피오렌티나

Bistecca alla Fiorentina

이탈리아식 티본스테이크로 피렌체의 유명한 전통 요리. 무게가 1㎏ 이상 나갈 정도로 고기가 크고 두툼해 2명 정도가 함께 나눠 먹는 것이 일반적이다.

페포소 알라 피오렌티나

Peposo alla Fiorentina

쇠고기에 후추와 마늘 등을 넣고 와인에 최소 3시간 이상 조리한 토스카나식 쇠고기 스튜. 우리 입맛에도 잘 맞는다.

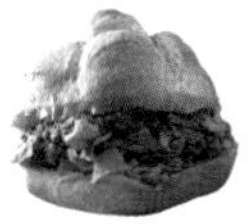

람프레도토

Lampredotto

소의 막창을 여러 가지 허브를 넣고 삶아 빵 가운데 넣은 샌드위치. 피렌체의 대표적인 길거리 음식으로 전통 시장이나 포장마차에서 판매한다.

• 베네치아 •

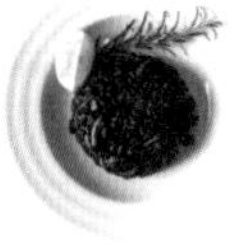

리소토 알 네로 디 세피아

Risotto al Nero di Seppia

오징어 먹물로 맛을 낸 검은색 리소토. 베네치아의 여러 해산물 요리 중에서 가장 유명하며 리소토가 더 유명하지만 스파게티도 맛있다.

비골리 인 살사

Bigoli in Salsa

통밀가루로 만든 통통한 비골리 파스타를 양파와 염장 정어리나 앤초비가 들어간 소스로 조리한 요리. 베네치아의 시그너처 요리 중 하나이다.

치케티

Cicchetti

스페인의 타파스와 비슷한 이탈리아의 전통 스낵. 바게트 위에 말린 대구 살 페이스트를 올린 바칼라 만테카토Baccalà Mantecato와 샌드위치인 파니노 Panino, 해산물이나 채소를 튀긴 프리토Fritto가 대표적이다.

• 밀라노 •

리소토 알라 밀라네제

Risotto alla Milanese

사프란을 넣은 밀라노의 전통 리소토. 예쁜 노란색에 사프란 특유의 향과 맛이 살아 있으며 오소부코에 곁들여 먹기도 한다.

오소부코

Ossobuco

송아지 뒷다리 정강이 부위에 화이트 와인을 부어 푹 끓여낸 스튜. 오랜 시간 조리하기 때문에 진한 육수 맛을 즐길 수 있으며 입안에서 살살 녹는 부드러운 육질이 특징이다.

코톨레타 알라 밀라네제

Cotoletta alla Milanese

뼈 있는 송아지 어깨 살을 얇게 저며 만든 밀라노식 쇠고기 커틀릿. 우리가 즐겨 먹는 돈가스의 원형으로 추정되며 별도의 소스 없이 먹기 직전에 레몬 즙을 뿌려 먹는다.

이탈리아 식당의 종류

리스토란테Ristorante
격식을 갖춘 런치나 디너를 즐기는 고급 식당을 말한다. 리스토란테에서는 전채 요리부터 디저트까지 이탈리아 코스 요리를 먹는 것이 일반적이며 음식에 맞는 와인을 곁들이는 경우가 많으므로 식사 가격이 꽤 비싼 편이다.

트라토리아Trattoria
리스토란테보다 격식을 갖추지 않아도 되는 편안하고 친근한 분위기의 전통 식당을 말하며 가족이 운영하는 경우가 많다. 각 지방의 특산 요리뿐만 아니라 이탈리아 코스 요리도 저렴한 가격에 즐길 수 있어 부담 없이 정통 이탈리아 요리를 즐기기에 가장 좋은 곳이다.

오스테리아Osteria
트라토리아보다 조금 더 캐주얼한 분위기의 식당으로 이탈리아 서민들이 가장 많이 이용하는 곳이다. 원래 숙박과 함께 간단한 요리를 제공하는 곳이었으나 지금은 이탈리아 가정식 요리를 즐길 수 있는 다양한 식당이 모두 포함되어 트라토리아보다 가격이 비싼 곳도 있다.

에노테카Enoteca
본래 와인을 판매하는 상점을 뜻하는 말이었지만 와인 바나 와인을 전문적으로 제공하는 식당까지 통틀어 일컫는 말이 되었다. 이탈리아의 유명 와인 산지에서 많이 발견할 수 있으며 각 마을의 로컬 와인을 맛보고 구매도 할 수 있다.

피자리아Pizzeria
리스토란테 등 이탈리아 전통 식당 중에는 피자를 팔지 않는 곳이 많기 때문에 피자를 먹기 위해서는 일부러 피자리아에 찾아가야 하는 경우가 있다. 간편하게 서서 먹거나 포장을 해가는 조각 피자를 파는 Bar 형식의 피자리아와 테이블에 앉아 화덕에서 구워낸 원형 피자를 주문해 먹는 정통 피자리아, 두 종류가 있다.

이탈리아 코스 요리의 구성

1

2

3

4

5

6

1 안티파스토 Antipasto

'식사 전'이라는 뜻으로 식전에 입맛을 돋우기 위해 먹는 전채 요리를 말한다. 차가운 요리로는 연어나 참치, 새우 등으로 만든 해산물 요리, 따뜻한 요리로는 이탈리아 햄인 살라미, 바게트 위에 다양한 토핑을 얹은 브루스게타 등을 많이 먹는다.

2 프리모 피아토 Primo Piatto

'첫 번째 접시'라는 뜻으로 전채 요리와 메인 요리 사이에 먹는 요리로 생각하면 된다. 파스타, 리소토, 폴렌타, 뇨키, 수프 등 일반적으로 밀가루나 쌀로 만든 요리가 이에 해당된다.

3 세콘도 피아토 Secondo Piatto

'두 번째 접시'라는 뜻으로 메인 요리에 해당된다. 크게 고기 요리와 생선 요리로 나뉘는데 고기 요리로는 쇠고기, 돼지고기, 닭고기가 가장 많이 쓰이며 남부와 해안 지방에서는 생선과 해산물 요리를 많이 먹는다.

4 콘토르노 Contorno

세콘도 피아토에 곁들여 먹는 요리를 말한다. 가지, 시금치, 아티초크, 호박, 양파, 아스파라거스, 브로콜리 등을 재료로 한 다양한 채소 요리가 해당되며 감자튀김이나 샐러드 등도 여기에 속한다.

5 돌체 Dolce

'디저트'를 뜻하며 케이크, 과일, 젤라토, 셔벗 등 달콤한 음식을 먹는다. 이탈리아의 유명한 돌체로는 커피와 마스카르포네 치즈로 만든 부드러운 케이크 티라미수, 달콤한 이탈리아식 푸딩 판나코타 그리고 시칠리아의 대표 돌체인 카놀리와 그라니타가 있다.

6 카페 Caffè

이탈리아 사람들은 달콤한 돌체를 먹은 후 진한 에스프레소로 식사를 마무리한다. 에스프레소의 강한 향과 맛은 처음에는 좀 부담스러울 수 있지만 놀랄 만큼 깔끔하게 입맛을 정리해주는 효과가 있다.

HOT **TIP**

알아두면 유용한 파스타 면의 종류

Short Pasta

펜네Penne
펜촉 모양의 줄무늬가 있는 튜브형 파스타. 토마토 소스와 크림 소스 모두 잘 어울린다.

푸질리Fusilli
나사 모양의 숏 파스타. 냉파스타나 샐러드에 많이 사용된다.

파르팔레Farfalle
나비넥타이 모양의 파스타. 크림 소스와 가장 잘 어울린다.

콘킬리에Conchiglie
조개껍데기 모양의 파스타. 파스타 안쪽에 소스가 채워져 미트 소스와 잘 어울린다.

Long Pasta

스파게티Spaghetti
가늘고 긴 모양의 가장 흔하게 접할 수 있는 파스타. 모든 소스와 잘 어울린다.

링귀네Linguine
납작하고 긴 모양의 파스타. 어패류의 진한 소스 또는 바질 소스와 잘 어울린다.

탈리아텔레Tagliatelle
6.5㎜~1㎝ 너비의 롱 파스타. 미트 소스 또는 볼로네제 소스와 잘 어울린다.

부카티니Bucatini
중심에 구멍이 뚫려 있는 빨대 모양의 파스타. 아마트리치아나 소스와 잘 어울린다.

이탈리아 축제

이탈리아는 국민의 90% 정도가 가톨릭교도인 나라이기 때문에 많은 축제들이 가톨릭 축일과 연결되어 있으며 소도시에서는 축제 기간에 중세 복장이나 전통 의상을 입고 퍼레이드를 하거나 다양한 행사가 개최되어 남녀노소 가리지 않고 마을 주민들이 모두 나와 축제를 즐긴다. 여름철에는 이탈리아의 여러 도시에서 음악 축제가 열리는데 전설적인 오페라 작곡가들을 배출한 나라답게 오페라 축제가 많으며 그중에서도 로마의 원형경기장인 아레나에서 펼쳐지는 베로나 오페라 페스티벌이 가장 유명하다. 아래에 소개한 축제들은 여행자들이 많이 찾는 도시를 중심으로 유명 축제만을 고른 것으로 이탈리아를 여행할 계획이 있다면 관심 있는 축제 정보를 잘 체크해두자.

베네치아 카니발 Carnevale di Venezia

전 세계적으로 유명한 이탈리아의 대표 축제인 베네치아 카니발은 12세기 중반 베네치아공화국이 아퀼레이아 대주교와의 영토 분쟁에서 승리한 것을 기념하기 위해 산 마르코 광장에 모여 축제를 벌인 것에서 유래했으며, 축제 기간 동안 베네치아는 화려한 가면들이 춤추는 '익명의 섬'으로 탈바꿈한다. 겨울의 쌀쌀한 공기가 가면과 의상 뒤에 숨은 사람들의 열기로 달아오르면 산 마르코 광장은 넓은 야외무대로 바뀌고 가면과 의상 경연 및 각종 행사가 펼쳐진다. 매년 2월 중순~3월 초 약 2주 동안 열리며 해마다 날짜가 바뀌니 공식 사이트(www.carnevale.venezia.it)에서 날짜를 확인하고 숙소 예약도 미리 서두르는 것이 좋다.

2012 Arena di Verona_Foto Ennevi

2012 AIDA riev1913 atto II_Foto Ennevi

2010 Domingo sul podio_Foto Ennevi

베로나 오페라 페스티벌
Verona Opera Festival

매년 여름 베로나의 상징인 아레나에서 펼쳐지는 이 세계적인 페스티벌은 1913년 8월 10일, 주세페 베르디Giuseppe Verdi의 탄생 100주년을 기념하기 위해 고대 로마 유적인 아레나에서 베르디의 오페라 <아이다>를 공연했던 특별 행사에서 시작되었다. 축제 기간 동안 세계에서 가장 큰 야외 오페라 극장으로 탈바꿈하는 원형경기장은 세계에서 몰려든 오페라 팬들로 꽉꽉 들어차는데 주로 공연되는 작품은 <아이다>를 비롯하여 <라 트라비아타>, <일 트로바토레>, <나부코> 같은 베르디의 작품과 <카르멘>, <투란도트>, <나비 부인> 등 비제와 푸치니의 작품들이다. 매년 6월의 마지막 금요일에 시작하여 8월의 마지막 일요일에 끝나며 공연을 보고 싶다면 공식 홈페이지(www.arena.it/en)에서 사전 예약을 해야 한다.

* Photos Courtesy of Fondazione Arena di Verona

푸치니 페스티벌 Festival Puccini

매년 7월과 8월의 여름밤 루카 근교의 작은 마을 토레 델 라고 푸치니Torre del Lago Puccini에는 아름다운 푸치니의 오페라 선율이 낭만적으로 울려 퍼진다. 이 축제는 1930년 푸치니의 친구와 제자들이 그가 살던 집 근처에 이동식 무대를 설치하고 오페라 <라 보엠>을 공연한 것에서 시작되었으며 푸치니와 그의 오페라를 위한 축제이니만큼 세계의 유명 오페라 가수들이 선보이는 <라 보엠>, <나비 부인>, <토스카>, <투란도트> 등 푸치니의 주옥 같은 오페라를 마음껏 즐길 수 있다. 2008년 푸치니 탄생 150주년을 기념하여 호숫가에 3400석 규모의 야외극장이 새로 지어졌다. 자세한 공연 일정 및 티켓 구입은 페스티벌 공식 홈페이지(www.puccinifestival.it/en) 참고.

Gran Teatro Giacomo Puccini / ©Fondazione Festival Pucciniano

팔리오 디 시에나 Palio di Siena

팔리오 디 시에나는 매년 7월 2일과 8월 16일, 시에나의 캄포 광장에서 열리는 말 경주 대회로 이탈리아에서 가장 유명한 전통 축제 중 하나이다. 팔리오 경주에는 시에나에 속하는 하부 행정구역인 17개의 콘트라다Contrada만 참가 자격이 있으며 매년 17개의 콘트라다 중 10팀만 참가하고 나머지 7팀은 추첨을 통해 선정된 3팀과 함께 다음 해에 참가한다. 실제로 경주가 열리는 시간은 90초 정도에 불과하지만 매년 팔리오 경주가 있는 날에는 오전부터 전통 의상 퍼레이드를 비롯한 다채로운 행사가 이어져 시에나 전체에 축제 분위기가 넘쳐난다.

베르디 페스티벌 Festival Verdi

이탈리아 중북부에 있는 도시 파르마Parma는 이탈리아 최고의 작곡가인 베르디와 세계적 지휘자 토스카니니의 고향이며 수준 높고 까다로운 오페라 팬들이 많기로 유명한 음악 도시이다. 매년 10월이면 파르마와 옆 마을 부세토Busseto에서는 베르디를 기리는 음악 페스티벌이 펼쳐지는데 축제 프로그램이 오페라뿐 아니라 콘서트, 연주회 등 다양하고 폭넓은 공연으로 구성되어 있어 많은 클래식 애호가들의 사랑을 받고 있다. 파르마에서는 주로 테아트로 레지오Teatro Regio에서 공연이 열리며 공연 일정 등 축제에 대한 좀 더 자세한 정보는 테아트로 레지오 홈페이지(teatroregioparma.it)에서 얻을 수 있다.

이탈리아 유네스코 세계유산

이탈리아는 2018년 기준, 54개의 유네스코 세계유산을 가지고 있는 세계 1등의 유산 강국이다. 이 중 대부분이 서양 문명의 근간을 이룬 문화유산들이며 자연유산은 몇 개 정도밖에 안 될 정도로 비중이 적다. 여기서는 유명 관광지를 중심으로 가장 중요한 세계유산들만 골라 소개하였으며 방문하고 싶다면 여행 일정을 계획할 때 참고하면 좋다.

1

로마 역사 지구

| 1980 |

포로 로마노, 콜로세움, 콘스탄티누스 개선문, 판테온 등 수많은 유적을 통해 고대 로마 정치와 문화를 엿볼 수 있다.

2

산타 마리아 델라 그라치에 성당과 <최후의 만찬> | 1980 |

15세기에 지어진 도미니크 수도회 성당 옆 부속 건물에는 레오나르도 다빈치가 예수와 12명의 제자를 그린 <최후의 만찬>이 있으며 회화 역사에 한 획을 그은 작품으로 꼽힌다.

3

피렌체 역사 지구

| 1982 |

르네상스의 서막이 시작된 '꽃의 도시' 피렌체는 야외 박물관을 방불케 한다.

4

피사 미라콜리 광장

| 1987 |

'두오모 광장'이라고도 불리는 이곳에는 피사의 사탑을 비롯하여 두오모, 세례당, 캄포산토, 시노피에 박물관 등 중요한 유적들이 모여 있다.

5

베네치아와 석호

| 1987 |

베네치아는 5세기경 훈족의 침략을 피해 달아난 피난민들이 석호 위에 말뚝을 박고 기초를 다져 그들만의 문화와 역사를 만든 도시이다.

6

산 지미냐노 역사 지구

| 1990 |

'아름다운 탑의 도시'로 유명한 산 지미냐노는 중세 유럽의 성지순례 길인 비아 프란치제나Via Francigena의 중간 지점에 위치한 덕분에 중세의 아름다움을 그대로 품고 있다.

7

마테라의 동굴 주거지와 암석 교회

| 1993 |

초기 구석기시대부터 인간이 살았던 흔적이 남아 있는 곳으로 '사시Sassi'라 불리는 동굴 주거지는 2000년 이상 지속적으로 보존된 보기 드문 유산이다.

8

나폴리 역사 지구

| 1995 |

2500년이 넘는 세월 동안 성장해온 나폴리의 역사 지구에는 여러 문화양식이 깃든 건축물들이 남아 있다.

9

10

11

9

시에나 역사 지구 | 1995 |

중세 성벽으로 둘러싸인 시에나 구시가에는 고대 에트루리아 유적들이 살아 숨쉬고 있다.

10

피엔자 역사 지구 | 1996 |

피엔자는 이탈리아 르네상스의 이상향이 실제로 구현된 도시로 꼽힌다.

11

알베로벨로의 트룰리 | 1996 |

선사시대부터 전해 내려온 전통 방식으로 지은 집인 트룰리가 잘 보존되어 있다.

12

아말피 해안 | 1997 |

척박한 지형을 뛰어넘은 아름다운 지중해 경관과 오랜 역사에 따라 만들어진 문화가 잘 녹아들어 있다.

13

포르토베네레, 친퀘테레와 섬들 | 1997 |

가파른 토양 위에 지어진 마을들이 주변 경관과 어우러져 1000년 동안 이어온 역사를 담고 있다.

14

아그리젠토 고고 지구 | 1997 |

기원전 6세기 그리스인이 세운 고대 도시 아크라가스Akragas의 인상적인 유적을 품고 있다.

15

폼페이, 헤르쿨라네움, 토레 아눈치아타 고고 지구

| 1997 |

79년 8월 24일 베수비오 화산의 폭발로 화산재에 묻혀 잊힌 폼페이와 헤르쿨라네움 지역은 어디에서도 찾아볼 수 없는 생생한 유적지이다.

16

빌라 아드리아나, 티볼리 | 1999 |

고대 지중해 세계의 수준 높은 문화를 표현한 독특한 방식과 르네상스와 바로크 시대 건축가들이 이용한 건축 요소들을 찾아볼 수 있다.

17

베로나

| 2000 |

'사랑의 도시'라 불리며 셰익스피어의 낭만적인 비극 <로미오와 줄리엣>의 배경이 된 도시로 2000년에 걸쳐 발전해온 도시의 뛰어난 사례이다.

12

13

14

15

16

17

18

19

20

18

아시시의 성 프란체스코 성당과 프란체스코회 유적 | 2000 |

전 세계 순례자들의 발길이 끊이지 않는 가톨릭의 성지이자 로마 시대부터 지금까지 도시로 유지되어 온 독특한 경우이다.

19

빌라 데스테, 티볼리

| 2001 |

르네상스 문화의 전성기를 볼 수 있는 곳으로 유럽 전역에 걸쳐 정원 설계 발전에 큰 영향을 주었다.

20

발 도르치아

| 2004 |

많은 예술가들에게 영감을 준 목가적 풍경을 볼 수 있으며 사람이 만든 '경관' 개념의 시초를 잘 보여준다.

21

시라쿠사와 판탈리카 바위 네크로폴리스(암석 묘지) | 2005 |

8세기 고대 그리스인이 세운 도시 시라쿠사와 5000여 개의 바위를 쪼아 만든 암석 묘지는 약 3000년에 걸친 문명의 발달을 잘 보여준다.

22

토스카나의 빌라 메디치와 정원 | 2013 |

15~17세기에 건축된 빌라 메디치와 정원은 자연과 조화를 이룬 건축물이자 휴양, 예술, 학문을 위해 이용된 곳으로 인문주의와 르네상스 시대의 특징을 담고 있다.

23

에트나 산

| 2013 |

지중해 섬에 있는 산 가운데 가장 높고 세계에서 가장 왕성한 활동을 하고 있는 활화산 중 하나로 놀라운 지질학적 특성뿐만 아니라 지구적 차원에서도 중요성을 지닌다.

24

아랍 노르만 팔레르모와 체팔루 대성당, 몬레알레 대성당 | 2015 |

시칠리아왕국 시대에 건축된 9개의 종교 및 도시 건축물로 이루어진 연속 유산으로 이슬람, 비잔틴 문화가 서구 사회와 잘 융합된 사례이다.

21

22

23

24

여행 선물 고민 끝!
이탈리아 슈퍼마켓 쇼핑 아이템

이탈리아의 슈퍼마켓은 저렴한 가격에 여러 가지 기념품과 선물을 구입할 수 있는 최고의 쇼핑 장소이다. 관광객들에게 인기 있는 품목은 대도시의 기차역과 도심에 있는 슈퍼마켓에서 구입하는 경우가 많은데 외곽 지역에 있는 대형 슈퍼마켓보다 가격이 훨씬 비싸니 쇼핑 시 참고하자.

What

무엇을 사야 할까?

마비스Marvis

'치약계의 샤넬'이라는 별명까지 붙은 이탈리아의 명품 치약
75㎖ €3.99 / 25㎖ €1.7

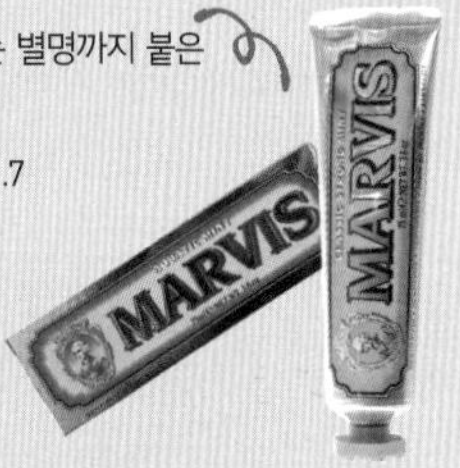

모카 포트 Moka Pot

저렴한 가격에 구입할 수 있는 비알레티의 모카 익스프레스
€22~

로버츠Roberts **화장수**

가성비 끝판왕인 로버츠의 천연 장미수와 헹굴 필요 없는 클렌징 워터
300㎖ €3.25 / 200㎖ €3.94

포켓 커피 Pocket Coffee

초콜릿 속에 진한 에스프레소가 들어 있는 페레로Ferrero사의 초콜릿.
10개입 €2.99

로아커Loacker

우리나라보다 훨씬 저렴하게 살 수 있는 이탈리아의 국민 웨하스 로아커
5개입(225g) €1.33~

라바짜Lavazza**와 일리**illy **커피**

이탈리아 대표 브랜드인 라바짜와 일리의 분쇄 커피
250g 봉지 €3.45 / 캔 €5.89

누텔라Nutella

간편하게 하나씩 떠먹기 좋은 15g짜리 미니 누텔라
6개(90g) €1.35

바이오키Baiocchi

부드러운 헤이즐넛 크림과 초콜릿이 들어 있는 물리노 비앙코Mulino Bianco의 인기 과자
260g €2.79

바치Baci

이탈리아어로 '입맞춤'이라는 뜻의 로맨틱한 초콜릿. 포장지에 적혀 있는 사랑의 문구도 놓치지 말자!
200g €7~8

몽 쉐리Mon Chéri

달콤한 체리와 럼주가 들어 있는
어른을 위한 특별한 초콜릿
16개입(168g) €4.19

발레나Balena 앤초비 페이스트

집에서도 간단하게 지중해풍 오일 파스타를
만들 수 있는 앤초비 페이스트
120g €4.69

키안티Chianti 와인

키안티 지역에 있는 125년 전통의 와이너리
Cecchi의 DOCG 와인
750ml €4.99

아즈도마As Do Mar 참치

최고급 참치를 전통 방식으로 가공하여 올리브 오일에
담은 프리미엄 참치 통조림
100g €2.46

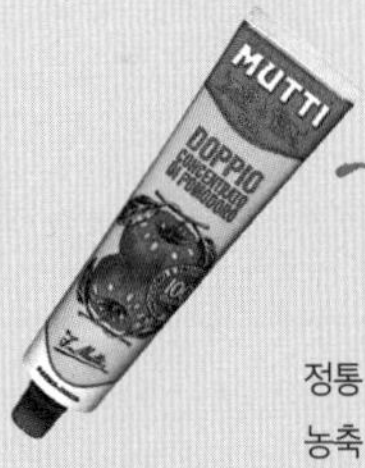

무티Mutti 토마토 페이스트

정통 이탈리아식 토마토 파스타를 만들 수 있는
농축 토마토 페이스트
185g €1.44

Where

어디에서 사야 할까?

Coop

이탈리아의 생협으로 가장 규모가 큰 소매 유통 기업이다. 자체 제작 상품도 많이 판매한다.

@ www.e-coop.it

Conad

이탈리아를 대표하는 슈퍼마켓 체인이며 시내 중심부에 있어 관광 중 들르기 편리하다.

@ www.conad.it

Sma

로마의 산타 마리아 마조레 성당 앞에 있는 대형 슈퍼마켓으로 관광객들이 많이 찾는다.

@ www.simplymarket.it

Esselunga

이탈리아 북부 지방에 기반을 둔 슈퍼마켓 체인으로 밀라노에 지점이 많다.

@ www.esselunga.it

Pam

이탈리아 슈퍼마켓 체인으로 하이퍼 마켓인 Pam Panorama와 편의점 개념의 Pam Local도 있다.

@ www.pampanorama.it

Famila

이탈리아 소매 유통 그룹 Selex에서 운영하는 슈퍼마켓 체인으로 주로 소도시에 지점이 있다.

@ www.famila.it

이탤리언 식재료의 천국에서 찾은

이탈리Eataly 쇼핑 아이템

'Eat Better, Live Better'라는 슬로건으로 시작된 프리미엄 식료품 마켓 이탈리Eataly는 다양하고 색다른 이탤리언 식재료를 쇼핑하고 레스토랑과 카페에서 맛있는 요리와 커피, 와인까지 즐길 수 있는 미식가들의 천국이다. 이탈리아 내에는 로마, 피렌체, 밀라노 등 대도시에서 매장을 운영하는데 로마 매장이 가장 규모가 크고 피렌체 매장이 관광 중에 들러보기 가장 편하다. 매장 위치에 대한 좀 더 자세한 정보는 www.eataly.net 참고.

What

무엇을 사야 할까?

올리브 오일 Olio di Oliva

다양한 맛과 향의 익스트라 버진 올리브 오일

발사믹 식초 Aceto Balsamico

400년 전통의 명가 주세페 주스티Giuseppe Giusti의 발사믹 식초

페스토Pesto

바질, 올리브, 토마토 등 입맛대로 고르는 전통 페스토

토마토 소스 Pomodori

DOP 인증을 받은 산 마르자노 토마토로 만든 홀 토마토와 토마토 소스

건조 토마토 Pomodoro Secco

시칠리아산 최상급 체리 토마토를 전통 방식으로 햇볕에 말린 토마토

파스타Pasta

먹기 아까울 정도로 예쁜 모양과 색을 자랑하는 여러 종류의 파스타

소금 및 향신료 Condimenti

시칠리아 트라파니산 청정 소금과 남아메리카산 핑크 통후추

잼과 스프레드 Confetture e Creme

빵에 발라 먹기 좋은 각종 잼과 고소한 피스타치오 크림

초콜릿Cioccolato

여행 선물로 최고인 이탈리아 전통 수제 초콜릿

와인Vini

€10대 와인부터 명품 와인까지, 선택의 폭이 넓은 이탈리아 와인

과자Biscotti

선물로도 좋고 심심할 때 먹어도 좋은 이탤리언 전통 과자들

생선 가공식품
Conserve di Pesce

올리브 오일이 비린내를 잡아주어 더 맛있는 참치 통조림과 앤초비 병조림

비누Sapone

천연 재료를 사용하여 전통 방식으로 만든 캄포스트리니의 수제 비누

탄산음료 Bibite

톡 쏘는 맛과 빈티지한 디자인이 매력적인 파올레티사의 탄산음료

머스터드Senape

디종의 유명 머스터드 브랜드 애드몬드 팔롯의 3가지 맛 머스터드

Where

어디에서 사야 할까?

로마 지점

- 메트로 B선 Piramide역에서 하차하여 에어 터미널Air terminal 방향
- Piazzale XII Ottobre 1492, 00154 Roma
- 매일 09:00-24:00

피렌체 지점

- 피렌체 두오모에서 도보 3분 / 중앙 시장에서 도보 5분
- Via de' Martelli 22, 50122 Firenze
- 매일 09:30-10:00

밀라노 지점

- 메트로 2호선 Garibaldi FS역에서 도보 6분 / 포르타 가리발디Porta Garibaldi 근처
- Piazza XXV Aprile 10, 20121 Milano
- 매일 08:30-23:00

슈퍼마켓에는 없는

이탈리아 인기 기념품 쇼핑 리스트

이탈리아에서 여행자들이 여행 선물을 구입하기 가장 좋은 곳은 저렴한 가격에 여러 가지 품목을 모두 살 수 있는 슈퍼마켓이다. 하지만 이탈리아에서 가장 많이 사 오는 인기 쇼핑 품목 중에는 슈퍼마켓이 아닌 상점을 직접 찾아가서 사야 하는 것이 많이 있다. 아래 소개한 인기 쇼핑 품목을 참고하여 자신만의 쇼핑 리스트를 만들어 보자.

크레마 이드랄리아

SHOP | 산타 마리아 노벨라 약국

도미니크회 수도사들의
전통 비법으로 만든 천연 수분 크림

아쿠아 디 로즈

SHOP | 산타 마리아 노벨라 약국

기분 좋아지는 장미 향에
매끈한 피부를 만들어주는 로즈 워터

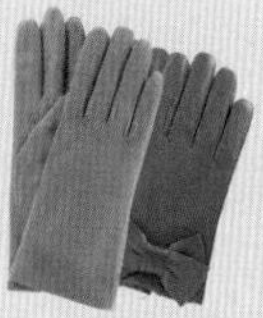

가죽 장갑

SHOP | 세르모네타

부드러운 가죽으로 손에 꼭 맞는
착용감의 수제 가죽 장갑

수제 문구

SHOP | 일 파피로

전통 마블링 기법의 종이로 만든
고풍스러운 문구류

모카 포트

SHOP | 비알레티

다양한 색과 디자인의
비알레티 모카 포트

커피 원두

SHOP | 타짜도로

로마의 유명 카페 타짜도로에 갔다면
꼭 사야 하는 기념품

향수
SHOP | 아쿠아플로르

피렌체의 유명 퍼퓨머리
아쿠아플로르의 매력적인 향수

천연 비누
SHOP | 아쿠아플로르

색이 너무 예뻐서 쓰기 아까운
아쿠아플로르의 천연 비누 세트

립스틱과 매니큐어
SHOP | 키코

저렴하고 품질 좋은 키코의
립스틱과 매니큐어

패션 양말과 스타킹
SHOP | 칼제도니아

톡톡 튀는 디자인으로
젊은 여성들에게 인기가 높은 브랜드

발사믹 식초
SHOP | 피렌체 중앙 시장

스프레이 방식으로 뿌려 먹을 수 있는
Collitali의 과일 향 발사믹 식초

니트 팔찌
SHOP | 크루치아니

여름철에 개성 있게 멋을 낼 수 있는
가장 간단한 아이템

칸투치니
SHOP | 일 칸투쵸 디 산 로렌초

특별한 선물로 좋은 토스카나
지방의 전통 비스킷

리몬첼로
SHOP | 안티키 사포리 다말피

아말피의 특산물 레몬으로 만든
상큼한 레몬 리큐어

레몬 사탕
SHOP | 안티키 사포리 다말피

레몬의 싱그러운 맛과 향이
그대로 살아 있는 달콤한 선물

수많은 명품 브랜드의 본고장이며 패션의 나라인 이탈리아에서 명품 쇼핑은 빼놓을 수 없는 큰 즐거움이다. 알뜰한 쇼핑족이라면 유명 브랜드 제품을 30~70% 할인된 가격에 구입할 수 있는 명품 아웃렛이야말로 여행 중 꼭 들러야 하는 필수 코스라고 할 수 있다. 아웃렛들은 시내에서 30분~1시간 정도 떨어진 근교에 있으므로 쇼핑하는 시간까지 고려하면 반나절이나 하루 정도는 시간을 내어 방문해야 한다.

로마 | 카스텔 로마노 Castel Romano Designer Outlet

로마 시내와 피우미치노 공항에서 약 20분 거리에 있는 맥아더글렌 디자이너 아웃렛으로 다양한 레스토랑과 카페, 어린이 놀이 공간, 주차장 등의 부대시설을 갖추고 있으며 연중 30~70% 할인된 가격으로 150개가 넘는 브랜드의 제품을 만나볼 수 있다. 이탈리아 로컬 브랜드가 많기로 유명하며 명품 브랜드로는 버버리, 발렌티노, 페라가모, 로베르토 카발리, 제냐 등이 있다. 프랑스 명품 주방 용품인 르 크루제와 모카 포트로 유명한 비알레티도 우리나라 관광객에게 인기이다.

- 로마 테르미니역에서 오른쪽으로 나가면 있는 지올리티 거리Via Giolitti에서 09:00 / 10:00 / 11:00 / 12:00에 카스텔 로마노행 셔틀버스가 출발한다(약 40분 소요, 왕복 €15).
- Via Ponte di Piscina Cupa 64, 00128 Castel Romano
- 매일 10:00-22:00

• 맥아더글렌 디자이너 아웃렛 •

맥아더글렌 디자이너 아웃렛은 이탈리아의 5개를 포함하여 유럽 전역에 24개 센터를 소유하고 있는 유럽 최대 규모의 럭셔리 아웃렛이다. 세계적인 명품 브랜드와 중저가의 스트리트 패션, 스포츠, 주방 용품 브랜드 등이 모두 입점해 있어 다양한 취향의 고객들이 만족스러운 쇼핑을 즐길 수 있을 뿐만 아니라 여러 개의 레스토랑과 카페, 어린이 놀이 공간, 무료로 Wi-Fi를 이용할 수 있는 Wi-Fi 존까지 마련되어 있어 쇼핑 중에 얼마든지 재충전하며 휴식을 취할 수 있다. 각 지점마다 한국어로 된 쇼핑 가이드가 있으며 홈페이지(www.mcarthurglen.com/ko)에서 방문할 센터의 입점 브랜드와 오픈 시간, 휴무일(1/1, 부활절, 12/25~12/26) 등의 정보를 미리 확인해보고 가자.

TIP | 이 책에 있는 초대장을 게스트 서비스에 제시하면 일부 매장에서 추가적으로 10% 할인 혜택을 누릴 수 있다.

피렌체 | 바르베리노 Barberino Designer Outlet

피렌체에서 30분 거리에 위치한 맥아더글렌 디자이너 아웃렛으로 르네상스 빌라를 연상시키는 우아한 건물에 약 200개 브랜드의 매장이 자리 잡고 있다. 피렌체 근처 다른 아웃렛들에 비해 상대적으로 방문객이 적고 레스토랑과 카페, 어린이 놀이 공간 등의 편의 시설이 곳곳에 마련되어 있어 한적하고 편안하게 쇼핑을 즐길 수 있다. 돌체 앤 가바나 등의 명품 브랜드와 다양한 이탈리아 로컬 브랜드들의 제품을 놀라울 만큼 할인된 가격에 판매한다.

- 피렌체 산타 마리아 노벨라역 중앙 매표소 내에 위치한 관광객 방문 센터 Sightseeing Experience Visitor Center에 출발 20분 전에 도착하면 직원이 안내해 준다. 버스는 09:30 / 11:30 / 14:00에 출발(약 30분 소요, 왕복 €13)한다.
- Via Meucci snc 50031 Barberino di Mugello
- 매일 10:00-20:00

베네치아 | 노벤타 디 피아베 Noventa di Piave Designer Outlet

베네치아에서 30분 거리에 위치한 맥아더글렌 디자이너 아웃렛으로 다른 지역의 맥아더글렌 아웃렛보다 규모는 작지만 프라다, 펜디, 보테가 베네타, 구치, 버버리, 마르니 등 우리나라 사람들에게 인기 있는 명품 브랜드 매장이 많아 오히려 알차게 쇼핑을 즐길 수 있으며 유럽에 단 하나뿐인 폴 스미스 매장도 인기가 있다. 단, 셔틀버스가 하루에 두 번밖에 운행되지 않아 시간이 맞지 않을 경우에는 기차와 택시를 타고 다녀와야 한다.

- 베네치아 로마 광장에서 ATVO 셔틀버스가 다니며 메스트레역과 베네치아 공항을 거쳐간다. 버스는 09:25, 13:25분에 출발(약 1시간 20분 소요, 왕복 €9)한다.
- Via Marco Polo 1, 30020 Noventa di Piave　매일 10:00-20:00

밀라노 | 세라발레 Serravalle Designer Outlet

세계 패션의 수도 밀라노에서 약 한 시간 거리에 위치한 맥아더글렌 디자이너 아웃렛으로 이탈리아 최초의 아웃렛이자 유럽에서 가장 큰 규모의 아웃렛이기도 하다. 프라다, 구치, 돌체 앤 가바나, 버버리, 몽클레어 등의 명품 브랜드와 훌라, 코치넬리, 발디니니 같은 이탈리아 로컬 브랜드, 나이키, 아디다스 등의 스포츠 브랜드, 백팩과 여행용 캐리어로 유명한 만다리나 덕까지 300개가 넘는 다양하고 폭넓은 브랜드를 모두 만날 수 있다. 입점 브랜드와 오픈 시간, 셔틀버스 등 좀 더 자세한 정보는 홈페이지 참고.

- 자니 비아찌 Zani Viaggi 버스와 아우토스트라달레 비아찌Autostradale Viaggi 버스가 다니며 각각 출발 장소 및 시간에 따라 밀라노 귀환 장소와 시간이 달라진다. 밀라노 중앙역, 스포르체스코 성 근처 카이롤리Cairoli 역 등에서 이용할 수 있고 요금은 왕복 €22~25이다. 정확한 승차 위치와 돌아오는 버스 시간은 홈페이지 참고.
- Via della Moda 1, 15069 Serravalle Scrivia
- 매일 10:00-22:00

나폴리 | 라 레지아 La Reggia Designer Outlet

나폴리에서 20분 거리에 위치한 맥아더글렌 디자이너 아웃렛으로 나폴리와 아말피 해안 등 이탈리아 남부 여행 중에 방문하기 좋다. 나폴리 시내에서 셔틀버스로 20~30분 정도면 이동할 수 있어 반나절 정도만 시간을 내면 충분히 다녀올 수 있으며 다른 지역에 비해 단체 관광객이 적어 한적하게 쇼핑을 즐길 수 있다. 베르사체, 로베르토 카발리, 아르마니 등의 명품 브랜드가 입점해 있다. 슈트에 관심이 있다면 나폴리 스타일의 정통 맞춤 슈트를 만드는 지아니 라구사Gianni Ragusa나 감각적 스타일의 프리미엄 슈트 브랜드인 이사이아Isaia 매장에 들러봐도 좋다. 입점 브랜드와 오픈 시간, 교통 등 좀 더 자세한 정보는 홈페이지 참고.

- 무니치피오 광장, 몰로 베베렐로 항구, 중앙역 등 나폴리 시내에서 셔틀버스를 운행(하루 2편)하며 웹사이트에서 예약할 수 있다. 성수기에만 소렌토에서도 셔틀버스를 운행한다. 자세한 사항은 홈페이지 참고.
- S.P. 336 Sannitica, 81025 Marcianise
- 매일 10:00-21:00

COUPON

본 페이지의 초대장을 각 센터 게스트 서비스에 제시하시면 10% 추가 할인 쿠폰으로 교환해 드립니다.

• 인기 아웃렛 •

더 몰 The Mall

피렌체에서 50분 거리에 위치한 명품 아웃렛으로 피렌체를 찾는 거의 모든 한국 관광객들이 들른다고 해도 과언이 아닐 만큼 인기가 있다. 규모가 큰 편은 아니지만 프라다, 구치, 토즈, 페라가모, 펜디, 보테가 베네타, 제냐, 생로랑, 몽클레어 등 가장 인기 있는 명품 브랜드 매장이 모두 있어 알찬 쇼핑을 즐길 수 있다. 매장 오픈 시간인 오전 10시 이전에 도착하기 위해 8시 50분에 출발하는 버스를 타는 사람들이 많다. 더 몰 사이트에서 온라인으로도 티켓을 구입할 수 있다.
더 몰에서 부가가치세 환급을 받을 계획이면 여권과 본인 명의의 신용카드도 잊지 말고 챙겨야 한다. 참고로, 피렌체에서 기차로 40분 정도 걸리는 몬테바르키Montevarchi에 프라다 스페이스 아웃렛Prada Space Outlet도 있다. 하지만 제품이 다양한 편도 아니고 더 몰에 프라다 매장이 있어 일부러 방문할 필요는 없다.

- 피렌체 산타 마리아 노벨라역 뒤쪽 몬테룬고 광장Piazzale Montelungo(기준 도보 약 8분)에서 하루 7~10편 정도 운행한다(약 50분 소요, 왕복 €15).
- Via Europa 8, 50066 Leccio Reggello
- 10:00-20:00(시즌에 따라 변동될 수 있음), 1/1, 부활절, 12/25, 12/26 휴무
- @ www.themall.it

[더 몰 VIP 혜택 초대장]
QR 코드를 인식하면 아래 혜택을 받을 수 있는 초대장 신청 사이트로 연결됩니다.

[더몰 아웃렛 : 피렌체 | 산레모 혜택 동일]

독점적인 혜택

1. 아웃렛에서 최대 10%의 추가 할인* 혜택
2. 구찌 매장 우선 입장
3. 택스프리 라운지 우선 입장
4. 스페셜 기프트 제공
5. VIP 라운지 이용(피렌체) or 웰컴 드링크(산레모)

1~4번 두 지점 공통, 5번 지점별 상이

• 추가 할인 조건

- 참여 매장에 한정
- 매장에서 500유로 이상 구입 시 가능
- 세일 아이템에는 중복 적용이 불가
- 할인 승인된 품목만 적용

로마, 피렌체, 베네치아, 밀라노의 최고 전망 스폿

높은 곳에 올라 바라보는 도시는 아래에서 보던 것과는 전혀 다른 느낌을 준다. 몇 백 개가 넘는 계단을 올라 드디어 마주하게 되는 풍경은 가슴이 뭉클해질 정도로 감동적이고 해 질 무렵 사랑하는 연인과 오롯이 앉아 석양에 물드는 도시의 전경을 바라보면 온 세상을 다 가진 듯한 느낌이 든다. 두고두고 기억할 도시의 모습을 마음에 담고 싶다면 아래 소개한 전망 스폿으로 발걸음을 돌려보자.

• 로마 •

1

2

3

4

1

바티칸시국 성 베드로 대성당의 쿠폴라

열쇠 모양의 성 베드로 광장과 로마 시내의 전경이 어우러진 최고의 전경

2

비토리오 에마누엘레 2세 기념관 전망대

로마 시내를 360도로 조망할 수 있는 파노라믹 뷰 포인트

3

팔라티노 언덕

포로 로마노와 대전차 경기장이 한눈에 내려다보이는 고대 로마의 중심

4

자니콜로 언덕

연인과 함께 석양에 물드는 로마를 감상할 수 있는 최고의 데이트 장소

• 피렌체 •

1
두오모 쿠폴라

눈앞에서 보는 쿠폴라의 천장화와 463개의 계단을 올라 만나는 감동적인 피렌체

2
조토의 종탑

우아한 두오모의 쿠폴라와 끝없이 펼쳐진 붉은 지붕의 아름다운 조화

3
미켈란젤로 광장

노을에 물드는 아르노 강과 그 뒤로 펼쳐지는 로맨틱한 피렌체의 전경

• 베네치아 •

1

산 마르코 광장 대종루

산 마르코 광장과 푸른 바다, 베네치아가 한눈에 들어오는 기가 막힌 풍경

2

리알토 다리

해 질 녘 금빛으로 일렁이는 대운하와 낭만적인 곤돌라의 환상적인 절경

• 밀라노 •

1

두오모 테라스 전망대

웅장한 두오모의 지붕에서 첨탑 위 성인들과 함께 감상하는 밀라노의 전경

2

리나센테 백화점 7층 Maio Restaurant

두오모를 바로 눈앞에서 보며 식사와 음료를 즐길 수 있는 전망 포인트

3

테라짜 아페롤

스프리츠 한 잔을 마시며 두오모의 야경을 감상할 수 있는 테라스 바

Roma

로마

로마는 에트루리아 시대부터 로마제국, 중세 시대, 르네상스, 바로크 시대에 이르기까지 전 세기에 걸쳐 유럽 역사의 심장부 역할을 해온 도시이다. 길가에 있는 돌 하나에도 2500년 역사의 흔적이 고스란히 배어 있는 영원의 도시 로마는 과거로부터 튀어나온 듯한 셀 수 없이 많은 유적들이 현대 문명과 잘 어우러져 유구한 세월의 벽을 넘나든다. 반질반질하게 닳은 돌길을 따라 골목을 거닐다보면 아담한 광장과 이름 모를 분수가 등장하고 목이 마를 때쯤이면 자그마한 음수대인 나소니Nasoni가 오아시스처럼 나타난다. 로마의 숨은 매력을 한 번에 발견할 수 없음을 알기에 사람들은 언젠가 다시 로마에 오기를 바라며 트레비 분수에 동전을 던진다.

로마 여행 정보 | www.turismoroma.it

MAMA BIJOUX
HANDICRAFTSMEN - DIE KUNSTHANDWERKER
88
PIZZERIA
La Sagrestia
MARINA MILITARE
MILITARE

• 로마 시내의 관광 안내소 •

Tourist Infopoint TERMINI

- 테르미니역 24번 플랫폼 옆(렌터카 업체들 데스크와 인접)
- Via Giovanni Giolitti, 34, Inside Building F - Platform 24
- 08:00-18:45

Tourist Infopoint MINGHETTI(부스 형태)

- 코르소 거리와 인접해 있으며 트레비 분수에서 도보 3분
- Via Marco Minghetti(Via del Corso)
- 09:30-19:00

Tourist Infopoint FORI IMPERIALI

- 콜로세움에서 베네치아 광장 방향으로 도보 5분
- Via dei Fori Imperiali
- 09:30-19:00

*로마 시내의 모든 관광 안내소 정보는 www.turismoroma.it 참고

• 찾아가기 •

1 | 항공

로마에는 간단하게 피우미치노 공항이라 불리는 레오나르도 다빈치 디 피우미치노 국제공항Aeroporto Internazionale Leonardo da Vinci di Fiumicino과 저가 항공사가 드나드는 치암피노 공항Aeroporto di Roma-Ciampino이 있다. 우리나라에서 로마로 가는 직항 편은 대한항공, 아시아나항공에서 운행하는데 인천에서 로마까지 11~13시간 정도면 이동할 수 있다. 이 외에 에어프랑스, 네덜란드항공, 루프트한자, 핀에어, 터키항공 등 여러 항공사의 경유 편을 이용할 수 있다. 피우미치노 공항과 치암피노 공항의 자세한 정보는 www.adr.it 참고.

레오나르도 다빈치 디 피우미치노 국제공항

로마의 국제공항으로 국제선은 물론 저가 항공사를 포함하여 100여 개 항공사가 이용하고 있다.
터미널 1과 터미널 3으로 나뉘어 있으며 터미널 5는 리노베이션 중이다. 대한항공, 아시아나항공 등 대부분의 항공사들은 터미널 3, 에어프랑스 등 일부 유럽 국적 항공사들은 터미널 1을 이용한다. 로마 시내에서 32㎞ 떨어져 있으며 로마의 테르미니역까지는 기차, 버스, 택시 등을 이용하여 이동 가능하다.

피우미치노 공항 관광 안내소

Tourist Infopoint FIUMICINO APT

- 레오나르도 다빈치 공항 터미널 3의 도착 층
- Via dell' Aeroporto di Fiumicino 320, 00054 Fiumicino
- 08:00-21:00

피우미치노 국제공항 도착 터미널 Map

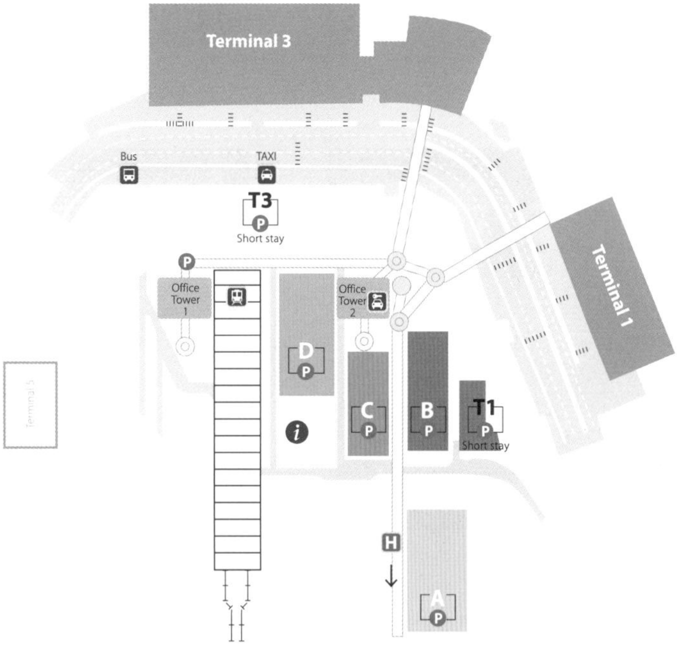

레오나르도 다빈치 디 피우미치노 국제공항에서 로마 시내로

레오나르도 익스프레스Leonardo Express

공항 기차역

평균 32분 소요, 15분 간격 운행

→ 테르미니역

편도 €14, 유레일패스 1등석 소지자 무료

* 티켓은 트렌이탈리아 홈페이지(www.trenitalia.com), 공항역 매표소나 타바키, 자동 발매기에서 구입 가능

HOT TIP

자동 발매기에서 레오나르도 익스프레스 티켓 구입하기

1
스크린에서 영어 선택

2
티켓 구입 선택

3
목적지 선택

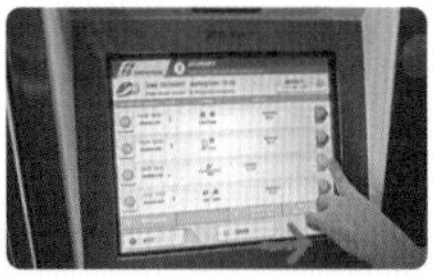

4
출발 시간을 보고 기차 선택

5
티켓 매수 선택

6
현금 또는 신용카드 삽입

7
카드 결제인 경우 비밀번호 입력

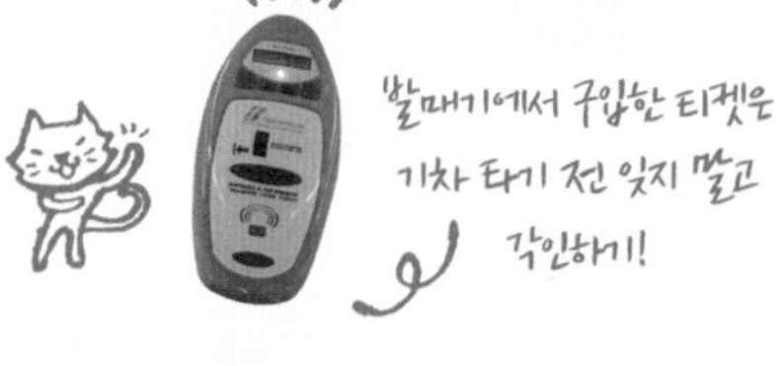

공항버스

터미널 도착 층 버스 정류장	약 50분~1시간 30분 소요 편도 €5.9~7	테르미니역 각 회사별 버스 정류장

* 티켓은 각 버스 회사 홈페이지나 공항 매표소, 버스에 탈 때 직접 구입 가능
* 운행 시간표는 각 버스 회사 홈페이지 Terravision(www.terravision.eu) / SIT Bus Shuttle(www.sitbusshuttle.com) / Schiaffini Travel s.p.a. (romeairportbus.it) 참고

택시

터미널 1과 터미널 3도착 층 택시 승강장	약 40분~1시간 소요 €50 공식 요금, 기본요금은 시간대에 따라 €3~6.5	호텔 등 원하는 목적지

치암피노 공항

로마 시내 중심에서 약 16㎞ 떨어진 곳에 있으며 저가 항공사인 라이언에어Ryanair와 위즈 에어Wizz Air가 발착한다. 공항의 정식 명칭은 Aeroporto Internazionale Giovan Battista Pastine di Ciampino로 Giovan Battista를 G. B.로 쓰기도 한다.

치암피노 공항 관광 안내소
Tourist Infopoint CIAMPINO APT
- 치암피노 공항 도착 층
- Via Appia Nuova 1651, 00040 Ciampino
- 08:30-18:00

치암피노 공항에서 로마 시내로

공항버스

터미널 도착 층 버스 정류장	약 35분~1시간 소요, 30분 간격 운행 편도 €5~6, 왕복 €9~11	테르미니역 각 회사별 버스 정류장

* 티켓은 각 버스 회사 홈페이지나 공항 매표소, 버스에 탈 때 직접 구입 가능
* 운행 시간표는 각 버스 회사 홈페이지 Terravision(www.terravision.eu) / SIT Bus Shuttle(www.sitbusshuttle.it) / Schiaffini Travel s.p.a. (romeairportbus.it) 참고

택시

터미널 도착 층 택시 승강장	약 30~40분 소요 €31 공식 요금, 기본요금은 시간대에 따라 €3~6.5	호텔 등 원하는 목적지

2 | 기차

로마 테르미니역Roma Termini은 누구나 한 번쯤 이용하게 되는, 가장 중심이 되는 역이고 두 번째로 큰 역은 티부르티나역이다. 테르미니역은 밀라노, 피렌체, 베네치아, 나폴리 등 주요 도시들과 직행 기차로 연결되며 아시시, 오르비에토 등 근교 여행을 하기에도 편리하다. 역사 내부에는 쇼핑센터, 카페, 레스토랑, 슈퍼마켓, 관광 안내소, 짐 보관소, 렌터카, 여행사, 우체국, 통신사, 은행, 환전소 등의 편의 시설이 있고 메트로 A, B선 모두 테르미니역과 연결되어 있다. 주차장은 마르살라 거리Via Marsala와 500인 광장Piazza dei Cinquecento 쪽에 있다. 테르미니역에 대한 좀 더 자세한 정보는 www.rfi.it/en/stations.html 참고.

테르미니역 1층 Map

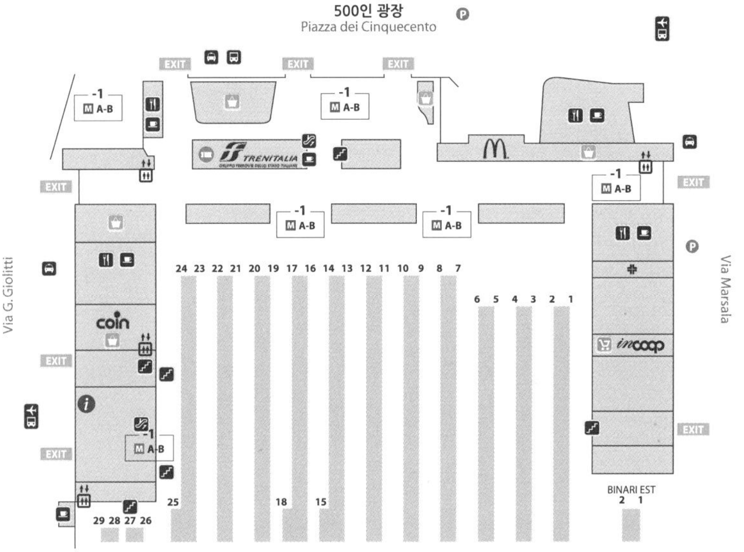

HOT TIP

주요 도시-로마 기차 이동 시간

밀라노 3시간 10분~3시간 40분
피렌체 S.M.N 1시간 36분
베네치아 4시간~4시간 30분
나폴리 1시간 10분
베로나 3시간 18분

3 | 렌터카

로마는 이탈리아의 주요 도시인 피렌체, 베니스, 밀라노, 나폴리에서 고속도로 A1과 연결된다. 로마의 테르미니역은 도심 구간 진입 금지 구간인 ZTL(Zona Traffico Limitato) Zone에 포함되지 않으니 테르미니역 근처 마르살라 거리나 500인 광장에 있는 주차장에 차를 세우고 목적지로 이동하는 것이 좋다.

HOT TIP

주요 도시-로마 자동차 이동 시간

밀라노 약 6시간 **피렌체** 약 3시간 10분 **베네치아** 약 5시간 30분
나폴리 약 2시간 30분 **베로나** 약 5시간

• 시내 교통 •

교통권 종류	요금	유효기간
1회권	€1.5	개찰 후 100분
24시간권	€7	개찰 후 24시간
48시간권	€12.5	개찰 후 48시간
72시간권	€18	개찰 후 72시간
7일권	€24	개찰 후 7일째 자정까지

로마에는 메트로, 버스, 트램 등의 대중교통 수단이 있으며 관광객들은 주로 메트로나 버스를 이용하고 트램은 거의 이용할 일이 없다. 대중교통 수단을 이용하기에 애매한 위치에 있는 관광지들은 도보 이동이 효율적이다. 교통권은 지하철, 버스, 트램 모두 공통 사용으로 ATAC 티켓 매표소, 티켓 자동 발매기, 타바키 Tabacchi(간이 상점, 'T'로 표시된 경우도 있음) 등에서 구입할 수 있다. 또한, 로마에서는 트래블월렛 트래블페이 카드로도 대중 교통을 이용할 수 있다. 로마 대중교통에 대한 좀 더 자세한 정보는 www.atac.roma.it 참고.

ATAC 티켓

HOT **TIP**

자동 발매기에서 ATAC 티켓 구입하는 방법

1
스크린 옆에 있는 버튼에서 영어 선택

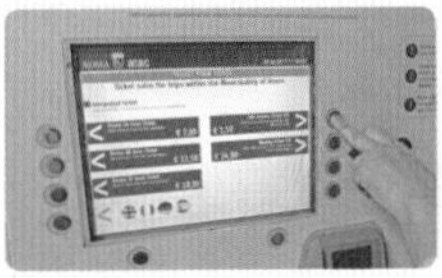

2
티켓 종류 선택

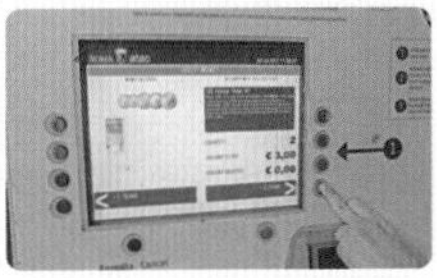

3
티켓 매수 선택

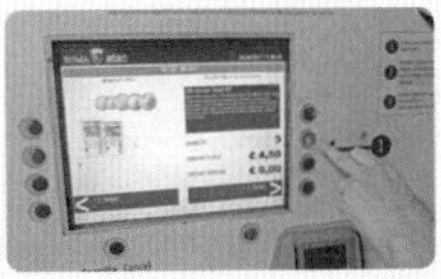

4
티켓 매수 선택 후 확인 버튼 누르기

5
신용카드 또는 동전이나 소액권 지폐 삽입

6
출력된 티켓 받기

1 메트로

메트로 노선은 A, B, B1, C선이 있으며 관광지는 대부분 A, B선과 연결되어 있다. 메트로는 우리나라와 타는 방식이 유사하며 다른 점이 있다면 하차할 때 문에 설치된 버튼을 눌러야 문이 열리는 것이다. 혼잡한 메트로에서는 소매치기를 더욱 조심하자. 평균 7~10분 간격으로 운행하며 일~목요일 05:30-23:30, 금~토요일 05:30-01:30까지 다닌다.

2 버스

버스는 보통 05:30-24:00에 운행하며 24:00-05:30까지는 심야버스(번호 앞에 n(nottutna)으로 표시)만 운행된다. 테르미니역 앞에 있는 500인 광장Piazza dei Cinquecento에서 대부분의 버스를 이용할 수 있다. 버스 안내 방송은 없으니 하차 시 운전기사에게 확인하거나 주위 사람에게 물어보고 벨을 누른 후 내리면 된다. 버스 안에서 구글 지도를 보면서 이동하는 방법도 추천한다. 버스에 승차하여 교통권을 개찰기에 넣어 각인하는 것도 잊지 말자. 정류장 목록에서 네모 박스로 표시된 현재 정류장을 찾은 후, 네모 박스 아래쪽에서 가고자 하는 정류장이 있는지 확인하고 이용하면 된다. 버스 노선은 언뜻 복잡해 보이지만 실제로 이용하면 어렵지 않다.

HOT TIP

유용한 시내버스 노선

40	테르미니역-베네치아 광장-산탄젤로 성
64	테르미니역-베네치아 광장-판테온-나보나 광장, 캄포 데이 피오리 광장
H	테르미니역-트라스테베레 지구
75	테르미니역-콜로세움-대전차 경기장
81	콜로세움, 대전차 경기장-바티칸시국(종점 리소르지멘토 Risorgimento 하차)
92, 910	테르미니역-보르게제 공원

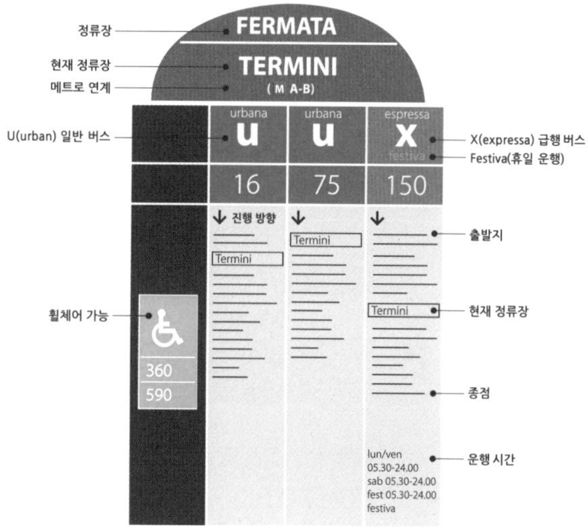

HOT TIP

로마 패스

로마 패스는 정해진 시간 내에 로마 시내 대중교통을 무제한 이용할 수 있고 박물관, 미술관, 유적지 등 관광지 무료 입장 및 할인 혜택이 있는 트래블 카드이다. 바티칸 박물관은 로마 패스를 사용할 수 없으므로 그 외 박물관이나 유적지를 2~3곳 방문할 경우에 구입하는 것이 좋으며 48시간 패스(가격 €32)는 첫 관광지, 72시간 패스(가격 €52)는 처음과 두 번째 관광지를 무료로 입장할 수 있어 요금이 높은 곳부터 방문하는 것이 유리하다. 구입하기 전에 공휴일이나 미술관, 박물관 휴관일도 미리 확인해야 한다. 로마 패스 홈페이지(www.romapass.it), 관광 안내소, 로마 패스를 사용할 수 있는 박물관이나 유적지에서 구입할 수 있다. 자세한 혜택 정보는 홈페이지 참고.

3 | 시티 투어 버스

로마의 주요 관광지를 도는 시티 투어 버스는 정해진 시간 내에 무제한으로 자유롭게 승 · 하차할 수 있는 홉-온, 홉-오프Hop-On, Hop-Off 방식의 2층 버스로 대중교통 수단으로 관광지를 일일이 찾아다니는 것보다 훨씬 더 편하게 관광할 수 있다. 시티 투어 버스를 운영하는 곳만 해도 다섯 군데가 넘는데 대표 회사는 City Sightseeing Rome(www.city-sightseeing.it), Big Bus Tours(www.bigbustours.com) 등이다. 가격은 회사마다 차이가 있으며 24시간권이 €28~33 정도이다. 티켓은 투어 버스 홈페이지에서 구입하는 것이 좀 더 저렴하며 운전기사에게 직접 구매할 수도 있다.

4 | 택시

로마에서 택시를 이용해야 할 경우에는 숙소에서 콜택시를 불러달라고 요청하거나 시내의 택시 승강장에서 탑승하면 된다. 로마 시에서 정식 면허를 받은 택시는 우리나라 택시처럼 차량 지붕에 'TAXI'라는 표시가 붙어 있는데, 이 택시를 이용해야 바가지요금의 피해를 줄일 수 있다. 택시 기본요금은 평일 €3, 주말 €4.5, 야간 €6.5이며 추가 요금은 €1.1/㎞~€1.6/㎞이다.

• 로마 1일 관광 루트 •

콜로세움 – 도보 3분 – 포로 로마노 · 팔라티노 언덕 – 도보 5분 – 캄피돌리오 광장 – 도보 10분 – 진실의 입 – 도보 20분 – 트레비 분수 – 도보 10분 – 스페인 광장 – 도보 10분 – 포폴로 광장 · 보르게제 공원

• 바티칸 및 주변 1일 관광 루트 •

바티칸 박물관 · 성 베드로 대성당과 광장 – 도보 10분 – 산탄젤로 성 – 도보 10분 – 나보나 광장 – 도보 5분 – 판테온 – 도보 20분 – 트라스테베레

Travel Highlight

콜로세움 Colosseo

1세기에 세워진 고대 로마의 가장 위대한 원형경기장인 콜로세움은 남북 188m, 동서 156m 길이로 엄밀히 말하면 원형이 아닌 타원형 경기장이다. 5만 5000명 이상을 수용할 수 있는 규모로 수만 명의 관객이 몰려도 80개의 아치형 문으로 10~15분 만에 입장이 가능했으며 좌석은 신분과 성별에 따라 구분되었다고 한다. 1층은 도리아, 2층은 이오니아, 3층과 4층은 코린트 양식으로 외부에서 보면 층마다 다른 모양의 기둥을 확인할 수 있으며 지금은 원형의 3분의 1만 남아 있지만 고대 로마의 위용을 보여주기엔 이것으로도 충분하다. 내부에 입장한다면 먼저 위층에 올라가 한눈에 들어오는 웅장한 콜로세움을 감상하고 아래로 내려와서 천천히 둘러보자.

- 메트로 B선 Colosseo역
- 콜로세움, 포로 로마노, 팔라티노 언덕 동일
  오픈 시간은 09:00 이며 폐장 시간은 시즌에 따라 16:30, 17:30, 18:30, 19:00로 달라진다. 마지막 입장은 폐장 1시간 전, 12/25 휴무
- € 성인 €18(콜로세움+포로 로마노+팔라티노 언덕 통합권)
- @ www.coopculture.it/en/the-colosseum.cfm

콘스탄티누스 개선문

Arco di Costantino

콜로세움과 팔라티노 언덕 사이, 로마의 심장부에 위치한 콘스탄티누스 개선문은 높이 21m, 너비 25.9m로 콘스탄티누스 황제가 막센티우스를 상대로 '밀비우스 다리의 전투Battaglia di Ponte Milvio'에서 승리한 것을 기념하기 위해 건축한 것이다. 로마에 있는 3개의 개선문(셉티미우스 세베루스의 개선문, 티투스의 개선문, 콘스탄티누스 개선문) 중 가장 큰 규모이자 가장 양호한 상태이며 후에 파리 개선문의 원형이 되었다.

📍 메트로 B선 Colosseo역에서 도보 2분

팔라티노 언덕 Monte Palatino

로마의 7개 언덕 중 하나인 팔라티노 언덕은 로마의 시조 로물루스Romulus와 쌍둥이 형제 레무스Remus가 암 늑대의 젖을 먹고 자란 루페르칼레Lupercale 동굴이 있었다고 전해지는 곳이다. 후에 로물루스가 레무스를 죽이고 팔라티노 언덕에 자신의 이름을 딴 도시, 로마를 건설했다. 황제의 궁전과 귀족의 저택 유적들이 숲과 어우러져 있으며 포로 로마노보다 40m 높아 포로 로마노, 대전차 경기장이 한눈에 내려다보인다.

📍 메트로 B선 Colosseo역에서 도보 6분 / 콘스탄티누스 개선문에서 도보 2~3분

포로 로마노 Foro Romano

포로 로마노는 로마의 공화정 시대와 제국 시대 때 정치, 종교, 행정, 경제, 사법 활동이 이루어졌던 곳이다. 원래 사람이 살 수 없는 습지대였으나 7세기에 배수 시설이 들어서면서 사람들이 정착하기 시작했으며 원로원, 신전, 개선문, 공회당 등이 있는 중심지가 되었다. 현재는 몇 개의 유적과 기둥, 돌무더기, 건물들의 터만 남아 있지만 실제로 방문해서 보고 느끼는 감동은 남다르다. 그늘이 없어 여름철 낮 시간에 방문하는 것은 가능한 한 피하면 좋다. 티투스의 개선문 쪽 입구가 줄이 길 경우 팔라티노 언덕 쪽 입구로 들어가는 것이 입장 시간을 줄일 수 있는 방법이다.

메트로 B선 Colosseo역에서 도보 6분 / 콜로세움에서 포리 임페리알리 거리Via dei Fori Imperiali를 따라 도보 6~7분, 팔라티노 언덕과 연결

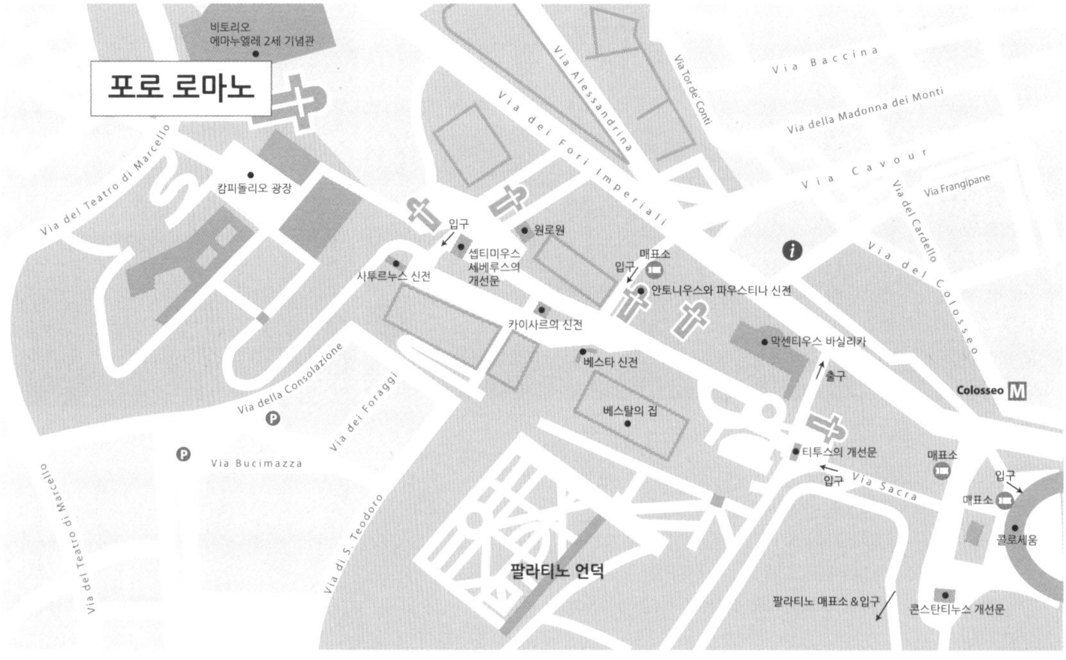

티투스의 개선문 Arco di Tito

도미티아누스 황제가 그의 형 티투스 황제와 베스파시아누스 황제의 대 예루살렘 전투 승전을 기념하며 81년에 세운 로마에서 가장 오래된 개선문이다.

막센티우스 바실리카 Basilica di Massenzio

거대한 아치 모양의 건물로 막센티우스가 건축하기 시작했지만 그와의 전투에서 이긴 콘스탄티누스 대제가 완성하였다. 당시 포로 로마노에서 가장 큰 건물이었다.

베스타 신전 Tempio di Vesta

베스타 여신을 모시던 원형의 신전으로 로마의 번영을 상징하는 신성한 불꽃이 모셔져 있었고 귀족 가문에서 선발된 처녀 여사제들이 이 불꽃을 지켰다.

베스탈의 집 Casa delle Vestali

베스타 신전의 여사제인 베스탈이 살던 집 유적이다. 지금은 정원을 둘러싼 조각상들만 남아 있지만 50개의 방과 아름다운 정원이 있는 건물이었을 것으로 추측된다.

원로원 Curia Lulia

공화정 시대의 입법 자문기관으로 포로 로마노에서 가장 온전하게 남아 있는 건물이다. 이 원로원에서 카이사르가 아들처럼 아꼈던 브루투스에게 암살당했다.

셉티미우스 세베루스의 개선문 Arco di Settimio Severo

셉티미우스 세베루스 황제와 그의 아들들, 카라칼라와 제타가 여러 전쟁에서 승리한 것을 기념하기 위해 원로원과 시민들이 203년에 세운 것이다.

안토니우스와 파우스티나 신전 Tempio di Antonino e Faustina

안토니우스 피우스 황제가 그의 죽은 아내 파우스티나 황비에게 바친 신전으로 로마 가톨릭교회에 의해 산 로렌초 미란다 성당Chiesa di San Lorenzo in Miranda으로 사용되었다.

카이사르의 신전 Tempio di Caesar

브루투스와 카시우스 일당에게 암살된 카이사르를 추모하기 위해 아우구스투스 황제가 그의 화장터에 세운 신전이다. 지금은 신전 터 돌무더기에 부채꼴 모양의 지붕이 덮여 있다.

사투르누스 신전 Tempio di Saturno

농업의 신, 사투르누스를 모시던 신전으로 현재는 기단과 8개의 기둥, 지붕의 일부만 남아 있다. 포로 로마노의 끝, 캄피돌리오 언덕 바로 아래에 있다.

캄피돌리오 광장 Piazza del Campidoglio

미켈란젤로가 정교한 기하학적 감각으로 설계한 르네상스식 광장으로 캄피돌리오 언덕에 있다. 원근법 파괴로 인한 착시 효과를 적용하여 설계한 코르도나타 계단을 오르면 쌍둥이자리로도 잘 알려진 카스토르와 폴룩스 동상이 서 있다. 광장 한가운데 있는 마르쿠스 아우렐리우스 황제의 청동 기마상은 복제품으로 진품은 세계에서 가장 오래된 박물관인 카피톨리니 박물관Musei Capitolini에 있다. 광장 정면에 있는 건물은 시청사인 세나토리오 궁으로 이 건물 왼쪽으로 가면 포로 로마노의 전경이 한눈에 들어온다. 16~17세기의 수많은 조각품과 르네상스 시대 및 바로크 시대의 회화에 관심이 있다면 카피톨리니 박물관에 들러봐도 좋다.

- 베네치아 광장에서 도보 3분
- 카피톨리니 박물관 09:30-19:30, 12/24, 12/31 09:30-14:00, 1/1, 5/1, 12/25 휴관
- € 카피톨리니 박물관 €15~18(특별전이 있을 경우 요금 다름)

베네치아 광장 Piazza Venezia

이탈리아 통일을 기념하기 위해 1871년에 조성된 베네치아 광장은 로마의 중심에 자리하고 있다. 베네치아 광장에서 코르소 거리Via del Corso를 따라가면 포폴로 광장이, 포리 임페리알리 거리Via dei Fori Imperiali를 따라가면 콜로세움이 나온다. 이곳에서 눈에 띄는 것은 1935년에 완공된 백색의 대리석 건축물인 비토리오 에마누엘레 2세 기념관Monumento a Vittorio Emanuele II으로 엘리베이터를 타고 기념관 전망대Terrazza delle Quadrighe에 오르면 파노라마처럼 펼쳐진 로마 시내 전경을 볼 수 있다.

- 메트로 B선 Colosseo역에서 도보 15분 / 500인 광장에서 40, 64, 170, H번 버스를 타고 베네치아 광장 정류장 하차
- 전망대 월~일요일 09:30-19:00 (특정 시즌 ~22:30), 1/1, 12/25 휴무
- € 비토리오 에마누엘레 2세 기념관 전망대 €15~16

진실의 입 Bocca della Verità

영화 '로마의 휴일'에 등장하면서 유명세를 타게 된 곳으로 산타 마리아 인 코스메딘 성당Basilica di Santa Maria in Cosmedin의 포르티코Portico(주랑 현관)에 있다. 신전의 하수구 뚜껑이었을 것으로 추정되며 원반에 새겨진 얼굴 형상은 바다의 신이라는 설이 있지만 로마 시민들은 테베레 강의 신을 상징한다고 믿는다. 진실의 입이라는 이름은 중세 시대에 위증죄, 간통죄를 저지른 사람에게 입안에 손을 넣고 진실 서약을 하게 했다는 데서 유래했다.

- 메트로 B선 Circo Massimo역에서 도보 12분 / 500인 광장에서 170번 버스를 타고 Bocca della Verità 정류장 하차
- 09:30-18:00(겨울철 09:30-17:00)
- € 무료(사진 촬영 시 소액의 기부금 있음)

산타 마리아 마조레 대성당 Basilica di Santa Maria Maggiore

358년 눈이 내리는 언덕에 성당을 지으라는 성모 마리아의 계시를 받은 교황 리베리오는 한여름인 8월 5일, 눈이 내린 기적이 일어난 에스퀼리노 언덕에 성모 마리아를 위해 이 성당을 지었다. 로마 교황청에 속한 4대 성당 중 하나로 초기 그리스도교 건축양식을 간직하고 있는 유일한 곳으로 유명하며 5세기의 모자이크, 14세기 로마네스크 양식의 종탑, 18세기 바로크 양식의 파사드와 내부 장식을 볼 수 있다. 화려한 ❶ 발다키노Baldacchino 뒤쪽 애프스에는 성모 마리아 대관식을 묘사한 모자이크가 있으며 발다키노 앞쪽 콘페시오Confessio로 내려가면 예수가 태어나 누웠던 말구유가 담긴 ❷ 수정 유물함 앞에서 무릎을 꿇고 경배하는 교황 비오 9세 동상이 있다. 매년 8월 5일 밤, 하얀 꽃 눈이 내리는 '눈의 기적'을 기념하는 행사가 열린다.

- 테르미니역에서 도보 6분
- 07:00-19:00 / 성물 안치실 07:00-12:30, 15:00-18:30
- € 성당 무료, 스토리코 뮤지엄Museo Storico €3, 유적지Zona Archeologica €5

산타 마리아 델리 안젤리 에 데이 마르티리 성당

Basilica di Santa Maria degli Angeli e dei Martiri

한 번에 3000명까지 수용할 수 있었던 디오클레티아누스 욕장의 폐허 위에 세워진 성당으로 화려한 파사드 대신 욕장의 골격이 그대로 드러나 있다. ❶ 예수 부활과 수태고지를 추상적인 부조로 표현한 청동 문과 ❷ 프란체스코 비안키니Francesco Bianchini가 만든 자오선 겸 해시계가 유명하다.

- 메트로 A선 Repubblica역 공화국 광장Piazza della Repubblica에 위치 / 테르미니역에서 도보 6분
- 월~토요일 07:00-18:30, 일요일 07:00-19:30
- € 무료

산타 마리아 델라 비토리아 성당
Chiesa Santa Maria della Vittoria

평범한 외관 속에 바로크 시대의 화려함과 수많은 장식들이 꽉 차 있는 성당이다. 성녀 테레사의 영적 체험을 생생하게 묘사한 베르니니의 <성 테레사의 환희L'Estasi di Santa Teresa>(1646~1651)가 있다.

- 공화국 광장Piazza della Repubblica에서 도보 5분
- 08:30-12:00, 15:30-18:00
- € 무료

산 카를로 알레 콰트로 폰타네 성당
Chiesa di San Carlo alle Quattro Fontane

로마 바로크 건축의 완성을 이끈 보로미니가 설계한 첫 번째 성당으로 4개의 분수가 있는 교차로 한쪽에 있다. 물결처럼 흐르는 곡선과 벽을 따라 늘어선 기둥이 만들어내는 조화가 아름답다.

- 메트로 A선 Barberini역에서 도보 5분 / 바르베리니 궁전에서 도보 2분
- 월~금요일 10:00-13:00, 15:00-18:00, 토요일 10:00-13:00, 일요일 12:00-13:00
- € 무료

스페인 광장 Piazza di Spagna

한쪽이 구부러진 나비넥타이처럼 생긴 스페인 광장은 17세기에 교황청의 스페인 대사관을 위해 건설된 팔라초 디 스파냐에서 그 이름이 유래되었다. 광장 위에는 2개의 탑이 돋보이는 트리니타 데이 몬티Trinita dei Monti 성당이 있는데 광장과 성당을 연결해주는 것이 스페인 계단Scalinata di Trinita dei Monti이다. 스페인 계단 시작 지점에는 베르니니와 그의 아버지 피에트로 베르니니가 1629년에 완성한 바르카치아 분수Fontana della Barcaccia가 있는데 테베레 강이 범람했을 때 여기까지 밀려온 배를 보고 만든 것이다. 분수 아래로 쭉 뻗어 있는 거리가 명품 거리인 콘도티 거리이다.

- 메트로 A선 Spagna역에서 도보 1분

바르베리니 궁전 : 국립 고전 미술관

Galleria Nazionale di Palazzo Barberini

바르베리니 가문 출신의 교황 우르바노 8세가 건립한 바르베리니 궁전은 바로크 양식의 대표 건축물로 보로미니와 베르니니가 완성하였다. 궁전의 일부는 미술관으로 사용하며 필리포 리피Filippo Lippi, 라파엘로Raffaello, 카라바조Caravaggio를 비롯하여 13~18세기 작품을 감상할 수 있다. 라파엘로의 <라 포르나리나La Fornarina>, 필리포 리피의 <수태고지Annunciazione con donatori>, 카라바조의 <나르시스Narciso>와 <유디트와 홀로페르네스Giuditta e Oloferne> 등이 유명하다. 코르시니 미술관Galleria Corsini과 같이 둘러볼 수 있는 통합권을 판매하며 20일 이내에 사용할 수 있다.

- 메트로 A선 Barberini역에서 도보 3분 / 산 카를로 알레 콰트로 폰타네 성당에서 도보 2분
- 화~일요일 10:00-19:00, 월요일, 1/1, 12/25 휴관
- €12(바르베리니 궁전+코르시니 미술관), 18세 미만 무료

트레비 분수 Fontana di Trevi

트레비 광장의 반 이상을 차지하는 로마 최대 바로크 양식의 분수로 니콜라 살비Nicola Salvi가 설계했고 피에트로 브라치Pietro Bracci가 1762년에 완공하였다. 폴리 궁 중앙 벽감에 자리한 조각상은 바다의 신 넵튠이며 좌우에 풍요와 건강을 상징하는 여신이 놓여 있다. 아래쪽에는 반인반어 트리톤이 상반된 모습의 히포캄포스(상반신은 말, 하반신은 물고기인 신화 속 동물)를 다루고 있는데 이는 성난 바다와 고요한 바다를 상징한다. 로마에 다시 오길 바라며 오른손에 꼭 쥔 동전을 왼쪽 어깨 너머로 던져 넣는 사람들도 심심찮게 볼 수 있다. 분수에 던져지는 동전은 세계 가톨릭교회의 국제 구호 기구인 카리타스Caritas에서 자선 활동에 사용한다.

- 메트로 A선 Barberini역에서 도보 8분 / 판테온에서 이동할 경우 코르소 거리를 건너 도보 10분

포폴로 광장 Piazza del Popolo

과거 로마의 북쪽 관문이었던 포폴로 문Porta del Popolo 근처에 있는, '민중의 광장'이라는 뜻의 광장이다. 광장 한가운데는 아우구스투스 황제가 이집트에서 가져온 오벨리스크가 하늘 높이 솟아 있으며 이 광장에서 로마의 심장부로 이어지는 코르소 거리Via del Corso, 스페인 광장으로 이어지는 바부이노 거리Via del Babuino, 나보나 광장이나 판테온으로 이동할 수 있는 리페타 거리Via di Ripetta가 뻗어나간다. 광장 남쪽에는 쌍둥이처럼 닮은 두 성당, 산타 마리아 데이 미라콜리 성당과 산타 마리아 인 몬테산토 성당이 마주하고 있으며 뒤쪽은 보르게제 공원과 연결된다.

- 메트로 A선 Flaminio역에서 도보 4분

산타 마리아 델 포폴로 성당
Basilica di Santa Maria del Popolo

포폴로 문을 지나 바로 왼쪽에 있는 산타 마리아 델 포폴로 성당은 라파엘로, 카라바조, 베르니니 등의 작품을 볼 수 있어 작은 박물관을 방불케 한다. 성당 중앙 제대 왼쪽 체라시 예배당Cappella Cerasi 앞은 유난히 많은 사람들로 북적이는데 바로 카라바조의 <십자가에 못 박히는 성 베드로Crocifissione di San Pietro>와 <성 바오로의 개종Conversione di San Paolo>을 보려는 것이다. 라파엘로가 설계하고 베르니니가 완성한 입구 쪽 키지 예배당Cappella Chigi도 놓치지 말자. 키지 예배당의 돔 모자이크는 라파엘로의 작품이며 오른쪽에 자리한 <하박국과 천사Abacuc e l'Angelo>는 베르니니의 작품이다.

- 포폴로 광장에 위치
- 월~토요일 08:30-09:45, 10:30-12:15, 16:00-18:00, 일요일, 공휴일 16:30-18:00
- € 무료

산 루이지 데이 프란체시 성당
Chiesa di San Luigi dei Francesi

빛과 어둠의 연금술사인 카라바조의 작품, 성 마태오의 연작 <성 마태오의 소명>, <성 마태오와 천사>, <성 마태오의 순교>가 있는 성당으로 7차 십자군 원정을 주도한 프랑스 왕 루이 9세를 기리기 위해 지어졌다. 파란만장한 삶을 살다가 37세에 세상을 떠난 카라바조의 본명은 미켈란젤로 메리시 다 카라바조Michelangelo Merisi da Caravaggio이지만 미켈란젤로 부오나로티와 이름이 같아 '카라바조'라고 불렸다고 한다.

- 나보나 광장과 판테온에서 도보 3분
- 월~토요일 09:30-12:45, 14:30-18:30, 일요일 11:30-12:45, 14:30-18:30

보르게제 공원 & 미술관 Villa Borghese & Galleria Borghese

관광객들로 붐비는 스페인 계단이나 포폴로 광장, 베네토 거리를 걷다가 녹음이 우거진 공원이 그리워진다면 보르게제 공원으로 발걸음을 옮겨보자. 고개가 아플 정도로 키가 큰 나무들은 물론 조각, 분수, 인공 호수, 생태 동물원을 비롯하여 박물관, 미술관, 외국 학술원, 야외 공연장, 원형 공연장 등이 들어서 있어 산책의 재미를 더해준다. 공원 부지가 워낙 넓기 때문에 입구가 여러 곳이며 자전거를 타고 공원을 누비는 사람들도 종종 볼 수 있는데 공원 내에서 4륜 자전거를 빌릴 수도 있다.
베네토 거리에서 핀치아나 문Porta Pinciana을 통해 공원으로 들어가면 오른쪽으로 나 있는 길인 비알레 델 무제오 보르게제Viale del Museo Borghese 끝에 우아한 자태의 보르게제 미술관이 모습을 드러낸다. 보르게제 미술관은 베르니니의 대표작은 물론 라파엘로, 카라바조, 티치아노 등의 작품들로 가득한데, 꼭 보아야 할 가장 유명한 작품은 1층 조각관에 있는 베르니니의 ❶ <프로세르피나의 납치Il Ratto di Proserpina>, ❷ <아폴로와 다프네Apollo e Dafne>, 카노바의 <파올리나 보르게제Paolina Borghese>와 2층 회화관에 있는 티치아노의 <신성한 사랑과 세속적 사랑Amor Sacro e Amor Profano>, 라파엘로의 <유니콘을 안은 여인La Dama con Liocorno>, 카라바조의 ❸ <골리앗의 머리를 들고 있는 다비드Davide con la testa di Golia> 등이다. 보르게제 미술관은 09:00-17:00까지 2시간 간격으로 입장객 수가 제한되어 있어 티켓 예매(인터넷 예매 www.tosc.it)가 필수이다.

- 메트로 A선 Barberini역에서 도보 10분 / 메트로 A선 Spagna역에서 하차할 경우 Villa Borghese 방면
  테르미니역 앞 500인 광장에서 92번 버스를 타고 Pinciana-Museo Borghese 정류장에서 하차하여 도보 3분
- 보르게제 미술관 화~일요일 08:30-19:30, 월요일, 1/1, 12/15 휴관
- € €16 (전시회에 따라 다름, 예약비 별도)

나보나 광장 Piazza Navona

도미티아누스 황제가 1세기에 지은 전차 경기장 위에 세워진 광장으로 경기장 모양을 따라 남북으로 길게 늘어져 있으며 17세기에 교황 인노켄티우스 10세가 분수, 궁전 등을 건설하면서 바로크 예술의 집결지로 거듭났다. 광장 중앙에는 보로미니가 설계한 산타녜제 인 아고네 성당Chiesa di Sant'Agnese in Agone이 있고 건너편에는 베르니니의 4대 강 분수Fontana dei Quattro Fiumi가 물을 뿜어내는데 하늘로 솟아오른 오벨리스크를 감싸고 있는 다뉴브 강, 라플라타 강, 갠지스 강, 나일 강을 의인화한 거대 석상들이 역동적이다. 4대 강 분수 외에도 남쪽에 모로 분수, 북쪽에 넵튠 분수가 있으며 거리 예술가, 노점상, 관광객, 노천 카페 풍경이 더해져 나보나 광장만의 유쾌한 색채를 그려낸다.

- 판테온에서 도보 5분

판테온 Pantheon

그리스어로 '만신전'이라는 뜻의 판테온은 125년에 재건된 모습 그대로 2000년 넘게 서 있다. 16개의 코린트식 기둥이 있는 주랑 현관을 지나 들어가면 지름 43.3m의 원형 홀이 나타나며 위에는 반구형 돔이 얹혀 있는데 바닥에서 돔 꼭대기까지의 높이도 43.3m이다. 4500톤에 이르는 돔이 기둥 하나 없이 견고하게 버티고 있는 사실 하나만으로도 경이로운데 돔 중앙에 있는 판테온의 유일한 채광창인 지름 8.7m의 오쿨루스Oculus를 통해 들어오는 빛이 더 신비롭게 내부를 밝힌다. 현재는 가톨릭 성당으로 이용되며 르네상스 시대 이후에는 영묘로 사용하기도 했다. 통일 이탈리아 왕국의 초대 왕인 비토리오 에마누엘레 2세와 그의 아들 움베르토 1세, 라파엘로의 묘가 있다.

- 나보나 광장에서 도보 5~7분 소요되는 로톤다 광장Piazza della Rotonda에 위치
- 월~일요일 09:00-18:30, 주중 공휴일 09:00-13:00, 1/1, 5/1, 12/25 휴무
- € €5

캄포 데이 피오리 Campo de' Fiori

나보나 광장 남쪽에 있는 작은 광장으로 아침 7시부터 오후 2시에는 과일과 채소, 이탤리언 식료품을 파는 재래시장이 열려 사람들이 몰리고 오후에는 광장 주변의 레스토랑과 바가 붐빈다. 과거에는 공개 처형이 이루어지던 장소였으며 광장 중앙에 있는 동상은 1600년 이곳에서 이단죄로 화형당한 조르다노 브루노Bruno Giordano이다.

- 나보나 광장에서 도보 5~6분

산탄젤로 성 & 산탄젤로 다리
Castel Sant'Angelo & Ponte Sant'Angelo

하드리아누스 황제가 그와 자신의 가족을 위해 만든 영묘였던 산탄젤로 성은 요새, 감옥, 교황의 거주지 등으로 사용되었으며 1527년 신성로마제국 군대가 로마를 침공했을 때 클레멘스 7세 교황이 비밀 통로(파세토 디 보르고Passetto di Borgo)를 통해 피신한 곳이기도 하다. 천사의 성이라는 이름은 흑사병이 창궐하던 590년, 이 성 위에 대천사 미카엘이 나타나 칼을 칼집에 꽂는 환시를 목격한 후 흑사병이 사라졌다고 해서 붙여졌으며 같은 이유로 성 꼭대기에는 대천사 미카엘의 청동 상이 있다. 내부는 현재 국립박물관으로 사용되고 있다. 성 앞에 있는 산탄젤로 다리는 베르니니와 그의 제자들이 조각한 10개의 천사 조각상이 놓여 있으며 산탄젤로 성과 산탄젤로 다리가 어우러진 야경은 아름답기로 유명하다.

- 성 베드로 광장에서 도보 12분 / 나보나 광장에서 도보 15분
- 09:00-19:30(티켓 오피스 18:30까지), 월요일, 1/1, 5/1, 12/25 휴무
- € 산탄젤로 성 €14(전시회에 따라 달라질 수 있음)

트라스테베레 Trastevere

테베레 강 왼쪽에 위치한 트라스테베레 지구는 서민들의 모습을 생생하게 느낄 수 있는 구시가지로, 얽히고설켜 있는 좁은 골목길 위에 빛바랜 건물들이 즐비하다. 중심 광장은 산타 마리아 인 트라스테베레 광장으로 17세기에 카를로 폰타나Carlo Fontana가 복원한 팔각 분수가 놓여 있으며 한쪽에 산타 마리아 인 트라스테베레 성당이 자리하고 있다. 분수의 계단은 현지인이나 관광객들의 휴식처가 되어주며 만남의 장소, 거리 공연 관람 장소로도 인기가 높다. 남쪽 테베레 강변의 포르타 포르테세Porta Portese에서는 매주 일요일 오전 대규모의 벼룩시장이 열린다.

500인 광장에서 H번 버스를 타고 Sonnio/S. Gallicano 정류장 하차

산타 마리아 인 트라스테베레 성당
Basilica di Santa Maria in Trastevere

3세기에 지어진 성모 마리아에게 봉헌된 성당 중 가장 오래된 성당이다. 아기 예수를 안고 있는 성모 마리아와 등불을 든 10명의 여인을 묘사한 파사드의 모자이크와 애프스의 비잔틴 양식 황금빛 모자이크가 유명하다.

산 피에트로 인 몬토리오 성당
Chiesa di San Pietro in Montorio

베드로가 십자가에 거꾸로 매달려 처형된 장소인 템피에토(작은 신전이라는 뜻. 성당 안뜰의 작은 예배당)를 기리기 위해 세워진 성당으로 이 템피에토는 르네상스 시대를 대표하는 완벽한 건축물로 꼽힌다.

자니콜로 언덕
Gianicolo

이탈리아 통일을 위해 목숨 바쳐 싸운 수많은 영웅의 넋을 기리기 위한 장소로 관광객이 많이 찾는 곳은 아니지만 해 질 녘 로마 풍경을 한눈에 감상할 수 있다.

바티칸시국 Stato della Città del Vaticano

세계에서 가장 작은 국가로 알려진 바티칸시국은 교황청과 이탈리아 정부가 1929년 라테란 조약을 체결하면서 독립국가로 인정받아 오늘에 이르고 있다. 교황이 통치하는 신권 국가로 전 세계 가톨릭의 상징이자 중심지이며 면적은 0.44㎢로 경복궁과 비슷한 크기(독도의 약 2.3배)이고 인구는 약 1000명 정도이다. 바티칸 박물관, 성 베드로 대성당과 광장, 바티칸 정원, 교황청을 비롯하여 우체국, 전화국, TV 센터, 라디오 방송국, 약국 등도 자체적으로 운영하고 있다.

HOT TIP

바티칸 방문 시 주의사항

바티칸시국은 뾰족한 물건(휴대용 칼, 삼각대, 셀카포드 등), 배낭, 캐리어를 반입할 수 없다. 크기가 50㎝X50㎝ 이상의 가방은 가지고 들어갈 수 없으니 유의하자. 또한 성 베드로 성당은 슬리퍼, 민소매 옷, 무릎 위로 올라가는 짧은 치마나 반바지 복장으로는 입장할 수 없다. 짧은 옷을 입을 경우에는 가릴 수 있는 카디건이나 숄 등을 챙겨가자.

프란치스코 교황 일반 알현 방법

1 수요일 오전 10시 교황이 성 베드로 광장으로 직접 나와 가까이에서 알현할 수 있다.
2 입장권이 있으면 좌석에 앉을 수 있고 입장권이 없어도 광장에 서서 알현할 수 있다.
3 10장 이하의 입장권은 예약 없이 화요일 오후 3~7시(겨울철은 6시) 또는 수요일 오전 7~10시에 성 베드로 성당 청동 문에 서 있는 스위스 근위병에게 받을 수 있다.
4 예약을 원하거나 10장 이상의 입장권이 필요하다면 www.papalaudience.org/tickets에서 신청 양식을 다운받아 팩스로 접수해야 하며 답변을 받은 후 청동 문 안쪽 바티칸 사무소에서 수령할 수 있다.
5 조금이라도 앞쪽에 자리를 잡기 위해서는 2~3시간 전에 도착하는 것이 좋다.
6 교황이 해외 순방 일정으로 바티칸을 비운 경우에는 진행되지 않는다.

* 일반 알현 외에도 교황 집전 미사, 삼종기도 등을 통해서도 교황을 알현할 수 있으며 스케줄은 www.vatican.va에서 확인할 수 있다.

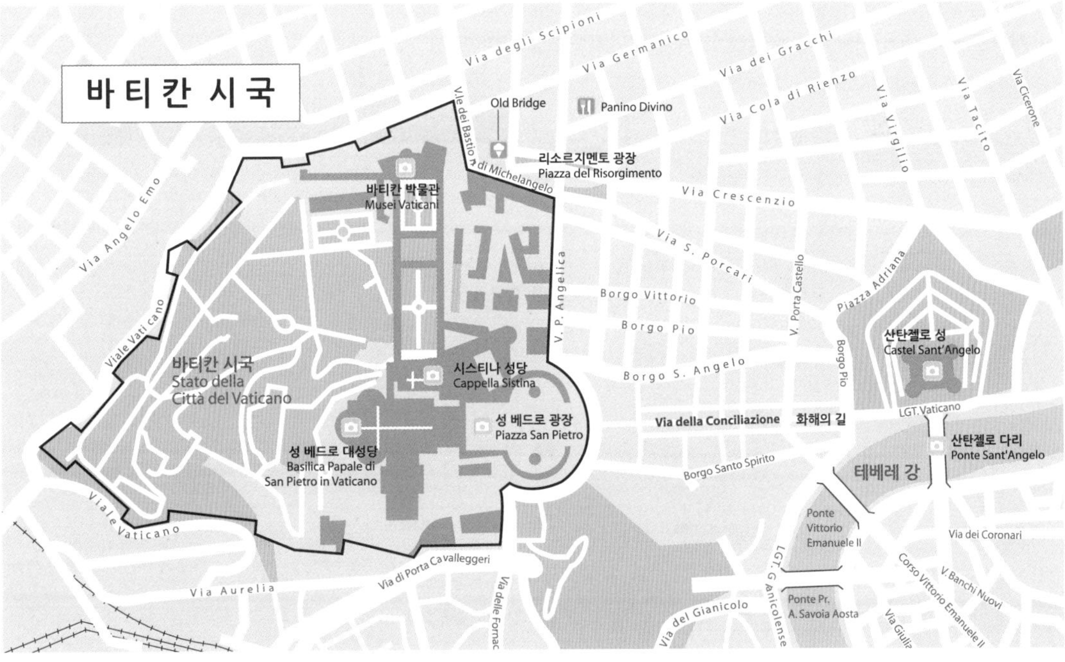

성 베드로 대성당 Basilica Papale di San Pietro in Vaticano

베드로는 로마에서 십자가에 거꾸로 매달려 처형당한 후 로마 초대 교황으로 추대되었고 그의 무덤 위에 324년 콘스탄티누스 황제가 처음으로 이 성당을 세웠다. 16세기 브라만테를 시작으로 라파엘로, 미켈란젤로, 마데르나, 베르니니 등 당대 최고 예술가들의 손을 거쳐 120년 만에 지금의 모습으로 재건축되었다. 내부로 들어가기 전 교황이 강복 메시지를 발표하는 ❶ 강복의 발코니와 예수가 베드로에게 황금 열쇠를 주는 모습을 묘사한 부조를 놓치지 말자. 내부로 들어가면 길이 220m의 63빌딩(약 247m)을 눕혀놓은 길이와 맞먹는 엄청난 규모가 새삼 느껴진다. 내부에서 꼭 보아야 할 작품은 아래의 내부 지도를 참고하자. 시간 여유가 있다면 대성당의 쿠폴라에 올라 ❷ 열쇠 모양의 성 베드로 광장이 로마 시내와 어우러진 장관을 보는 것을 추천한다. 쿠폴라는 551개의 계단을 올라가거나 엘리베이터를 타고 중간까지 이동하여 320개의 계단을 올라가는 방법이 있다. 성 베드로 광장의 설계는 베르니니가 맡았으며 한가운데 이집트에서 가져온 오벨리스크를 중심으로 4열로 배치된 284개의 열주와 88개의 벽기둥이 광장을 둘러싸고 있는 좌우대칭 구조이다.

- **대성당** 4~9월 07:00-19:00, 10~3월 07:00-18:30 / **쿠폴라** 4~9월 07:30-18:00, 10~3월 07:30-17:00
- € **성 베드로 대성당** 무료 / **쿠폴라** 551개 계단 €8, 엘리베이터+320개 계단 €10, 현금만 가능

성 베드로 대성당 내부 지도

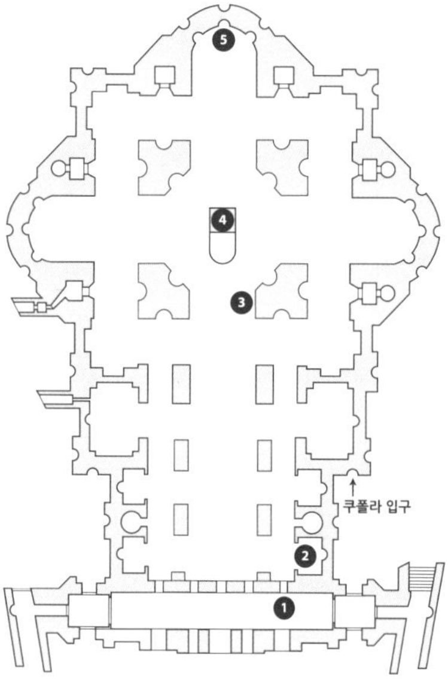

❶ 거룩한 문
성당으로 들어가는 문 중 가장 오른쪽에 있는 청동 문으로 25년에 한 번 교황에 의해서만 열린다.

❷ 피에타 Pieta
미켈란젤로가 24세에 완성한 작품으로 십자가 처형 후 예수그리스도를 안고 있는 마리아의 슬프면서도 평온한 표정이 큰 감동을 안겨준다. 1972년 한 청년이 망치로 내리쳐 손상되는 사건을 겪은 후 방탄 유리로 보호되고 있다.

❸ 성 베드로의 청동상
성 베드로 상의 오른쪽 발등에 입을 맞추거나 만지면 소원이 이루어진다는 전설이 있어 성당을 방문하는 사람마다 들른다. 그 이유로 청동상의 오른발이 만질만질하게 닳아 있다.

❹ 발다키노 Baldacchino
교황의 제단을 덮고 있는 발다키노(천개)는 교황 우르바노 8세Urbano VIII를 위해 베르니니가 만든 것으로, 청동이라고는 믿을 수 없을 정도로 섬세하고 아름답다. 월계수, 벌, 태양 등 교황의 가문인 바르베리니가의 상징으로 꾸며져 있다.

❺ 성 베드로의 의자
성당 가장 안쪽에 있는 작품으로 성 베드로가 사용하던 목재 의자 위에 베르니니가 디자인한 화려한 금동 케이스를 씌운 것이다. 의자의 네 다리를 4명의 교부들이 받쳐 들고 있다.

바티칸 박물관 Musei Vaticani

세계에서 가장 작은 나라 바티칸에 있는 세계에서 가장 큰 규모의 박물관. 1506년 교황 율리우스 2세가 산타 마리아 마조레 대성당 근처 포도밭에서 발견된 <라오콘 군상>을 대중에게 공개한 것이 바티칸 박물관의 시초이다. 고대 이집트 전시관을 비롯하여 초기 기독교와 3~4세기 중세 미술, 르네상스 시대부터 현대미술에 이르기까지 6만 5000점 이상의 방대한 작품을 소장하고 있다. 워낙 넓고 많은 사람들이 방문하기 때문에 관람 동선이 양방향이 아닌 일방통행으로 되어 있어 성수기에는 떠밀려 다니기도 한다.

- 메트로 A선 Ottaviano S.Pietro역과 Cipro역에서 도보 10분
- 월~토요일 09:00-18:00(티켓 오피스는 16:00까지), 매월 마지막 주 일요일 09:00-14:00(마지막 입장 12:30) / **휴관** 일요일(마지막 주 일요일 제외), **2023년** 1/1, 1/6, 2/11, 4/10, 5/1, 6/29, 8/15~16, 11/1, 12/8, 12/25~26, 12/31 좀 더 자세한 휴관일은 www.museivaticani.va 참고.
- € 일반 €17, 6~18세 €8, 국제 학생증 소지자(25세 이하) €8 / 오디오 가이드 €7 (한국어 오디오 가이드도 있으며 대여 시 신분증이 필요하니 여권을 준비해가자. 개인 이어폰도 준비하면 좋다.) / 바티칸 공식 온라인 사이트에서 예약 시 예약비 €4 추가 / 매월 마지막 주 일요일, 9/27(세계 관광의 날), 6세 미만 무료

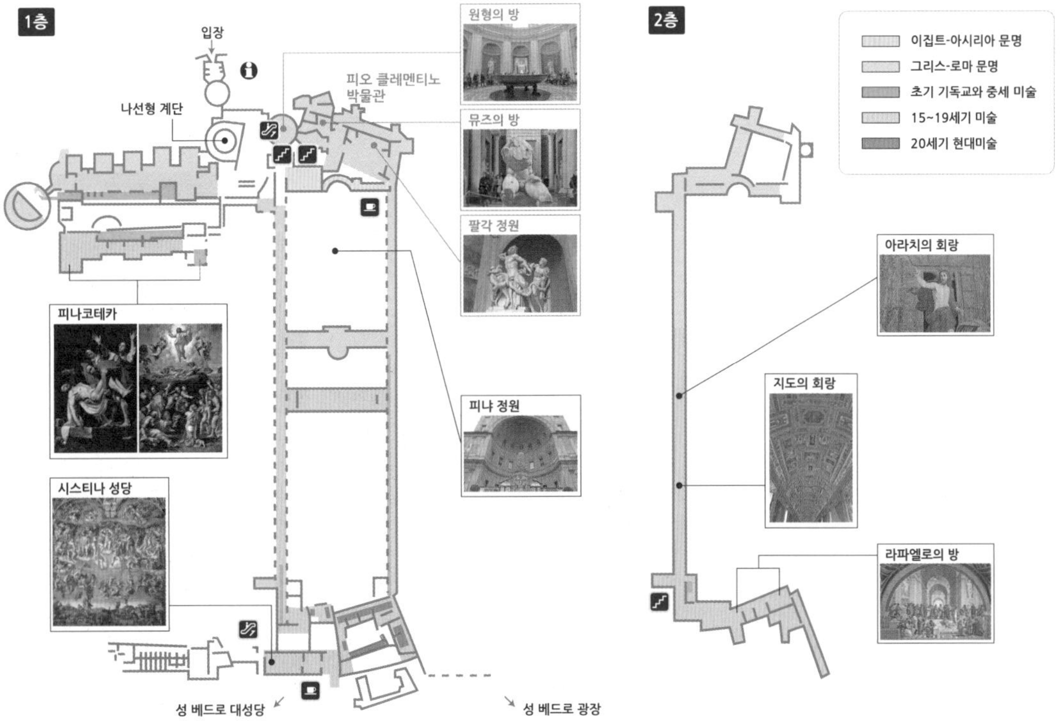

HOT TIP

바티칸 박물관 추천 관람 동선

* 피나코테카Pinacoteca → * 피냐 정원(솔방울 정원)Cortile della Pigna → 피오 클레멘티노 박물관Museo Pio Clementino(* 팔각 정원Cortile Ottagono, 뮤즈의 방Sala delle Muse, 원형의 방Sala Rotonda 등) → 아라치의 회랑(태피스트리 방)Galleria degli Arazzi → 지도의 회랑Galleria delle Carte Geografiche → * 라파엘로의 방Stanze di Raffaello → * 시스티나 성당Cappella Sistina

* 표시한 곳은 필수 관람 장소

투어 프로그램을 이용하거나 미리 바티칸 사이트에서 티켓을 예약하자.

1층

피나코테카 Pinacoteca(회화관)

12~18세기 작품을 전시하고 있는 회화관으로 16개 방에 시대 순으로 배치되어 있다. 조토Giotto di Bondone, 조반니 벨리니Giovanni Bellini, 레오나르도 다빈치Leonardo da Vinci, 라파엘로Rafaello Sanzio, 티치아노Tiziano Vecellio, 카라바조Michelangelo Merisi da Caravaggio 등의 거장들을 만날 수 있다.

❶ 스테파네스키 삼면 제단화 Stefaneschi Triptych (1330)
추기경 스테파네스키Giacomo Gaetani Stefaneschi의 의뢰를 받아 조토가 제작한 제단화. 목판에 그린 템페라화로 앞면 중앙에는 사도 베드로의 순교, 권좌에 앉은 예수그리스도, 사도 바오로의 참수 장면 등을 묘사했다.

❷ 그리스도의 변용 Trasfigurazione (1518~1520)
37세 나이에 숨을 거둔 라파엘로의 마지막 미완성 작품으로 마태복음 17장의 그리스도 얼굴이 해같이 빛나는 장면과 귀신이 들린 아이가 사도들 앞에 나오는 장면을 상단과 하단에 대조적으로 묘사했다.

❸ 그리스도의 매장 La Deposizione di Cristo (1602~1604)
카라바조의 대표작 중 하나로 카라바조 특유의 어둠과 빛의 극적 대비와 사실적 묘사, 인물들의 각기 다른 표정과 행동이 비통한 분위기를 극대화시켜준다.

1

2

3

피냐 정원 Cortile della Pigna

높이가 4m에 이르는 거대한 솔방울 피냐Pigna 조각이 있어 피냐 정원이라고 부른다. 피오 클레멘티노 박물관, 라파엘로의 방, 시스티나 성당 등으로 이동하기 전에 벤치에서 잠시 쉬면서 체력을 보충하면 좋다.

피오 클레멘티노 박물관 Museo Pio Clementino

수많은 조각품을 만날 수 있는 곳으로 교황 클레멘스 14세Clement XIV(1769~1774)와 교황 비오 6세Pius VI(1775~1799)가 만들었다. 팔각 정원, 동물의 방, 원형의 방, 뮤즈의 방 등 10개 전시관에 그리스 시대~1800년대까지의 조각품들이 전시되어 있다.

팔각 정원 Cortile Ottagono

대리석 조각품이라고는 믿기지 않을 만큼 정교한 두 작품, <라오콘 군상Laocoonte>과 <벨베데레의 아폴로Apollo del Belvedere>가 있다. 라오콘 군상은 큰 바다뱀에 휘감겨 고통받는 라오콘과 두 아들의 마지막 절규가 생생히 느껴진다.

뮤즈의 방 Sala delle Muse

미켈란젤로가 극찬한 작품으로 유명한 <벨베데레의 토르소Torso del Belvedere>가 있는 곳이다. 몸통만으로도 인체의 근육 조직을 완벽하게 표현하는 이 작품은 후대에 많은 예술가들에게 영감을 주었다.

원형의 방 Sala Rotonda

판테온을 축소하여 만든 방으로 중앙에는 지름 5m, 둘레 13m의 거대한 수반이 있으며 벽면 한 켠에 커다란 곤봉을 짚고 네메아의 사자 가죽을 들고 서 있는 청동 상은 헤라클레스이다.

2층

아라치의 회랑 Galleria degli Arazzi(태피스트리 방)

아라치는 여러 가지 색실로 다양한 무늬나 그림을 짜 넣는 '태피스트리'를 뜻하는데 벽걸이, 가리개, 그림 등 실내장식품으로 쓰였고 보온 기능 역할도 했다. 벽면을 꽉 채우는 태피스트리가 압권인 이곳에서는 <예수그리스도의 부활La Résurrection du Christ>을 눈여겨보자. 예수그리스도의 눈에 초점을 맞추고 걸음을 옮기면 예수의 시선이 따라오는 것처럼 느껴진다.

지도의 회랑 Galleria delle Carte Geografiche

교황 그레고리오 13세Gregory XIII가 만든 지도의 회랑은 120m 길이로 40개의 지도 패널이 양옆에 줄지어 있다. 16세기에 교황이 지배하고 있던 40개 성당이 있는 곳을 중심으로 그린 지도로 오늘날의 지도와 비교해도 뒤지지 않는 정확도와 섬세함을 엿볼 수 있다. 지도의 방이지만 지도 패널보다 더 눈길을 끄는 것은 화려함의 극치를 보여주는 천장이다.

라파엘로의 방 Stanze di Raffaello

라파엘로의 방은 콘스탄티누스의 방, 엘리오도로의 방, 서명의 방, 보르고 화재의 방으로 나뉘며 이름 그대로 라파엘로와 그의 제자들이 그린 벽화들로 가득하다.

콘스탄티누스의 방 Sala di Costantino (1517~1524)

4개의 방 중 라파엘로가 가장 마지막에 작업한 곳으로 1520년 37세의 젊은 나이에 급사하면서 1524년에 그의 제자들이 완성하였다. 콘스탄티누스와 막센티우스의 전투 장면을 그린 <밀비우스 다리의 전투Battaglia di Costantino contro Massenzio>를 볼 수 있다.

엘리오도로의 방 Stanza di Eliodoro (1512~1514)

교황의 알현실로 사용된 곳으로 <헬리오도로스의 추방Cacciata di Eliodoro dal Tempio>이라는 작품이 유명하여 엘리오도로의 방(헬리오도로스의 방)이라 불린다.

❶ 소크라테스 ❷ 플라톤(레오나르도 다빈치 얼굴) ❸ 아리스토텔레스 ❹ 마르게리타 루티(라파엘로의 연인)
❺ 라파엘로 ❻ 피타고라스 ❼ 헤라클레이토스(미켈란젤로 얼굴) ❽ 디오게네스 ❾ 유클리드(브라만테 얼굴) ❿ 조로아스터

서명의 방 Stanza della Segnatura (1508~1511)

교황 주재 회의를 열거나 중요한 문서에 서명하기 위해 사용하던 곳으로 원래는 교황 율리우스 2세의 도서관 및 집무실이었다. 서명의 방 천장 중앙에는 교황의 문장이 있고 신학, 법학, 철학, 시학이 주제인 작품들이 벽면으로 이어지는데 가장 잘 알려진 것이 <아테네 학당>이다.

<아테네 학당>은 50명이 넘는 사람들이 등장했음에도 완벽한 원근법을 적용하여 복잡하게 느껴지지 않는다. 한 손으로 하늘을 가리키는 플라톤과 그 옆에 한 손으로 땅을 가리키는 아리스토텔레스를 가운데에 두고 수학자, 천문학자, 철학자 등 역사에 이름을 남긴 많은 학자들이 등장한다. 라파엘로는 플라톤의 얼굴에는 레오나르도 다빈치, 헤라클레이토스 얼굴에는 미켈란젤로, 유클리드에는 브라만테의 얼굴을 그려 넣었다. 그림의 오른쪽과 왼쪽에 서서 학당 밖을 바라보는 듯 곁눈질로 같은 시선을 보내는 두 인물이 있는데 오른쪽은 라파엘로 자신이며 반대쪽은 라파엘로의 연인 마르게리타 루티이다.

보르고 화재의 방 Stanza dell'Incendio di Borgo (1514~1517)

보르고 화재의 방은 율리우스 2세 시절에는 고위 성직자들의 접견실이었다가 레오 10세 재위 기간인 1513~1521년에는 다이닝 룸으로 사용되었다. 이 방에 있는 천장화는 라파엘로의 스승인 페루지노가 그린 것으로 그중 가장 완성도가 높다고 평가되는 작품인 <보르고 화재Incendio di Borgo>에서 방 이름을 따왔다.

시스티나 성당 Cappella Sistina

오래된 옛 예배당 카펠라 마그나Cappella Magna를 1477~1480년에 복원하여 만든 시스티나 성당은 복원 작업을 명한 교황 식스투스 4세 이름에서 유래한 것이다. 교황 선출을 위한 추기경단의 비밀투표 회의인 콘클라베Conclave가 열리는 곳이며 미켈란젤로의 천장화와 <최후의 심판>을 보기 위해 전 세계에서 몰려든 사람들로 항상 붐빈다. 성당의 양쪽 측면 벽화는 페루지노, 보티첼리, 기를란다요, 코지모 로셀리 등 당대 유명 화가들이 그린 것이다. www.museivaticani.va에서 시스티나 성당 내부를 가상 투어로 체험할 수 있다.

천장화(1508~1512)

우리나라에는 <천지창조>라는 이름으로 유명한 시스티나 성당의 천장화는 교황 율리우스 2세의 요청으로 미켈란젤로가 그린 것이다. 1508년 33세에 천장화 작업을 시작한 미켈란젤로는 높은 작업대에 앉아 고개를 젖힌 채 비소가 섞인 물감을 맞으며 고된 작업을 하면서 욕창과 종기로 고생함은 물론 한쪽 눈은 실명 위기에 이르렀다고 한다. 4년 후인 1512년 11월 1일, 드디어 길이 41.2m, 폭 13.2m의 천장화가 공개되자 사람들의 감탄이 쏟아졌으며 그 감동은 오늘날까지 이어진다. 중앙의 9개 패널은 창세기의 내용을 순서대로 묘사하고 있는데 가장 유명한 부분은 '아담의 창조Creazione di Adamo'와 '원죄와 에덴 동산에서의 추방Peccato Originale e Cacciata dal Paradiso Terrestre'이다.

최후의 심판 Giudizio Universale (1536~1541)

30대에 <천지창조>라는 걸작을 남긴 미켈란젤로는 60대에 다시 한 번 최고의 역작인 <최후의 심판>을 5년에 걸쳐 그의 나이 66세에 완성한다. 13.7m×12m의 벽화에는 ❶ 예수그리스도와 성모 마리아를 중심으로 천상계, 7개의 나팔을 들고 있는 천사들, 죽은 자들의 부활, 승천하는 자들, 지옥으로 끌려가는 무리가 그려져 있다. 그림 곳곳에 숨은 미켈란젤로의 풍자를 찾아보는 것도 재미있다. 미켈란젤로의 그림이 음란하여 성당에 어울리지 않는다고 비난한 ❷ 비아조 다 체세나Biagio da Cesena 추기경은 지옥의 수문장 미노스의 얼굴에, 성 바르톨로메오가 들고 있는 벗겨진 가죽에는 ❸ 미켈란젤로 자신의 얼굴을 그려 넣은 것이다. 미켈란젤로가 완성했을 당시에는 나체의 향연이었기에 교황이 바뀔 때마다 외설스럽다며 수정해줄 것을 요청했으나 그는 고집을 꺾지 않았다. 결국 미켈란젤로의 제자 볼테라Daniele da Volterra가 '옷 입히기' 작업을 맡게 되었고 스승의 명작에 덧칠해야 하는 불명예를 떠안으며 후에 '기저귀 화가'라 불리기도 했다.

Restaurant & Café

나보나 광장

L'Orso 80 | 통후추 스테이크 |

바티칸, 산탄젤로 성, 나보나 광장 등을 관광하고 들르기에 괜찮은 레스토랑으로 미디엄으로 구운 통후추 스테이크Filetto al Pepe Verde가 맛있는 곳이다. 랍스터 파스타도 유명하지만 호불호가 갈리며 2인분부터 주문할 수 있어 만족도가 낮을 경우 돈 낭비가 될 수 있다.

- 나보나 광장 및 젤라토 가게 지올리티에서 도보 5분
- Via dell'Orso 33, 00186 Roma
- +39 06 686 4904
- 화~일요일 13:00-15:00, 19:00-23:00, 월요일 휴무
- € 안티파스토 €10~13, 프리모 피아토 €8~15, 랍스터 파스타(2인분) €40, 세콘도 피아토 €13~25

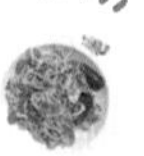

나보나 광장

Cantina e Cucina | 라자냐, 피자 |

나보나 광장 근처에 있는 가성비 좋은 피자리아로 저녁에는 현지인들로 붐빈다. 유쾌한 직원들 덕분에 기분이 덩달아 좋아지는 곳이며 한국어 메뉴판이 있다. 밖에서는 작아 보이지만 깊숙한 내부 구조로 되어 있어 넓은 편이다.

- 나보나 광장에서 도보 3분
- Via del Governo Vecchio 87, 00186 Roma
- +39 06 689 2574
- 매일 11:00-01:00
- € 피자 €8.5~12, 파스타 €9~11, 테이스팅 플레이트 €14~18

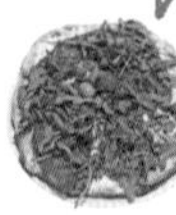

스페인 계단 Pompi Tiramisù | 티라미수 |

스페인 광장에서 멀지 않아 누구나 한 번쯤 방문하는 티라미수 가게이다. 한국인들 사이에서 인기가 좋으며 로마에는 여러 매장이 있으나 접근성이 좋은 곳은 스페인 계단, 바티칸 및 판테온 근처 지점이다.

- 스페인 계단에서 도보 2분 · Via della Croce 88, 00187 Roma · +39 06 2430 4431
- 일~목요일 10:00-22:30(금요일 ~23:30), 토요일 10:30-23:30(영업시간은 유동적) · € 티라미수 €5

판테온 Ristorante Grano | 이탈리아 요리 |

모던 이탈리언 요리를 맛볼 수 있는 곳으로 판테온과 나보나 광장과 가깝다. 레스토랑 내부 벽면에는 엔조 아피첼라Enzo Apicella의 작품이 걸려 있으며 야외 테라스 좌석도 마련되어 있다. 공 모양의 색다른 외형으로 눈길을 끄는 티라미수는 인기 높은 디저트 중 하나이다.

- 판테온에서 도보 2분
- Piazza Rondanini 53, 00186 Roma
- +39 06 6819 2096
- 12:30-15:00, 19:30-24:00(공휴일은 달라질 수 있음)
- € 전식 €11~13, 파스타 메뉴 €13~18, 메인 메뉴 €18~22

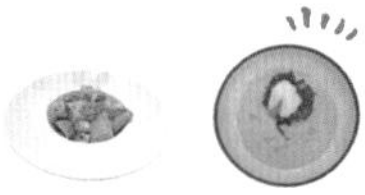

나보나 광장 Two Sizes | 티라미수 |

클래식한 커피 티라미수를 비롯하여 딸기, 피넛 버터, 캐러멜, 피스타치오 등 다양한 맛의 티라미수를 판매하며 사이즈는 가게 이름 그대로 딱 2가지이다. 인기가 좋은 것은 피스타치오로 모두 100% 수제이다.

- 나보나 광장에서 도보 2분
- Via del Governo Vecchio 88, 00186 Roma
- +39 06 6476 1191
- 화~일요일 11:00-22:00, 월요일 휴무
- € 티라미수 작은 사이즈 €2.5, 큰 사이즈 €3.5

레푸블리카 광장 **Pinsere** | 피자 |

다양한 토핑을 얹은 부드러운 식감의 피자를 맛볼 수 있다. 한 켠에 바처럼 서서 먹을 수 있는 공간이 전부라 테이크 아웃을 하는 사람들이 많다. 숙소가 근처이거나 관광 도중 잠시 들르기에 나쁘지 않다.

- 산타 마리아 델라 비토리아 성당에서 도보 8분
- Via Flavia 98, 00187 Roma
- +39 06 4202 0924
- 월~금요일 09:00-20:00, 토~일요일 휴무
- 피자 €3.5~5.5

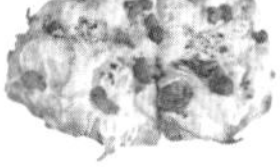

트레비 분수 **Pane e Salame** | 파니니 |

테이블이 많지 않아 붐비는 시간에는 대기 줄이 길며 테이크 아웃도 가능하다. 좌석이 있다면 치즈, 다양한 프로슈토, 구운 채소, 바게트 등이 같이 나오는 믹스 커팅 보드Taglieri에 와인이나 맥주를 곁들여 먹는 것을 추천한다. 2명이면 미디엄 사이즈의 커팅 보드가 적당하며 파니니 빵은 좀 딱딱한 편이다.

- 트레비 분수에서 도보 3분
- Via Santa Maria in Via, 19, 00187 Roma
- +39 06 679 1352 12:00-22:00
- 와인(잔) €3~5, 파니니 €5.5~7.5
  믹스 커팅 보드(1인당) 스몰 €6, 미디엄 €12, 빅 €18

바티칸 **Panino Divino** | 파니니 |

바티칸 근처에 있는 파니니 가게로 치즈, 햄, 채소, 빵 종류 등을 고를 수 있으며 그릴에 구울 것인지 아닌지도 선택 가능하다. 가격 대비 맛이 훌륭하며 와인 한잔 하기에도 나쁘지 않다. 가게 내부는 좁은 편이니 참고하자.

- 메트로 A선 Ottaviano역에서 도보 4분 / 올드 브릿지(바티칸 지점)에서 도보 3분
- Via dei Gracchi 11a, 00192 Roma
- 월~토요일 10:00-17:00, 일요일 휴무 · 파니니 €6~8

나보나 광장 Mimi e Coco | 와인, 라자냐 |

편안한 분위기에서 와인 한잔 마시며 쉬어 가기에 알맞으며 해지고 난 뒤의 분위기가 더 좋다. 관광지 근처인데도 합리적인 가격대로 한 끼 식사를 할 수 있으며 대각선 맞은편에 티라미수 맛집인 Two Sizes가 있어 후식까지 한 번에 해결할 수 있다.

- 나보나 광장에서 도보 2분
- Via del Governo Vecchio 72, 00186 Roma
- +39 06 6821 0845
- 10:00-01:00(공휴일은 변동될 수 있음)
- € 샐러드 €11~12, 파스타 €10~12, 피자 €12~14, 와인(잔) €5~

카부르역 Trieste Pizza | 미니 피자 |

1950년대에 페스카라Pescara에서 시작된 피자 가게로 현재는 페스카라, 로마, 밀라노, 마드리드, 런던 등에 지점이 있다. 신선한 재료와 100% 모차렐라 치즈를 사용하는데 1㎏의 모차렐라 치즈를 얻기 위해 7ℓ의 우유를 사용한다. 작은 미니 피자라 부담 없이 먹기에 좋으며 테이크 아웃도 할 수 있다.

- 메트로 B선 Cavour역에서 도보 3분 / 산타 마리아 마조레 대성당에서 도보 6분
- Via Urbana 112, 00184 Roma
- +39 06 481 5319
- 일~목요일 11:00-22:30, 금~토요일 11:00-23:00
- € 스몰 사이즈 €2.5~4.2

포폴로 광장 Ad Hoc | 트뤼플 요리, 와인 |

600개가 넘는 와인들이 진열되어 있는 곳으로 수준 높은 서비스를 받으며 정찬을 즐길 수 있다. 가격이 부담스럽다면 단품만 주문하여 와인과 곁들여보아도 좋다. 트뤼플 코스 요리가 인기이며 예약하고 가는 것을 추천한다.

- 포폴로 광장에서 도보 4분
- Via di Ripetta 43, 00186 Roma
- +39 06 323 3040
- 매일 18:30-22:30
- € 메인 요리 €26~29, 트뤼플 메인 요리 €38~47

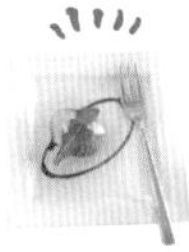

나보나 광장 Cul de Sac | 와인 바 |

1977년 오픈한 이래 꾸준한 인기를 끌고 있는 와인 바로 벽마다 빈틈없이 들어찬 와인이 눈길을 끌며 합리적인 가격에 맛있는 음식을 먹을 수 있다. 와인, 치즈, 와인에 간단히 곁들일 수 있는 차가운 고기 플래터뿐 아니라 로마 향토 음식도 있으며 식사 시간에는 대기 줄이 긴 편이다.

- 나보나 광장에서 도보 5분
- Piazza di Pasquino 73, 00186 Roma
- +39 06 6880 1094 12:00-24:00
- 와인(잔) €3.9~, 치즈 플래터 €6.5~8.9, 파스타 €11~12.5, 차가운 고기 플래터 €6.9~15.1

스페인 계단 Babington's Tea Room | 티 전문점 |

18세기에 지어진 유서 깊은 건물과 고풍스러운 내부가 돋보이는 곳이다. 로마를 주제로 한 7가지 프리미엄 티는 가격은 비싼 편이지만 복잡한 스페인 광장을 벗어나 작은 사치를 누리기에 그만이다. 차 이외에도 케이크, 스콘, 머핀 등 다양한 베이커리 종류와 샌드위치, 샐러드, 수제 아이스크림, 어린이 메뉴 등도 있다.

- 스페인 계단 옆에 위치, 메트로 A선 Spagna역에서 도보 3분
- Piazza di Spagna 23, 00187 Roma
- +39 06 678 6027
- 수~월요일 12:00-24:00, 화요일 휴무
- 티 종류 €9~15, 디저트 €9~12.5, 브런치 €14.5~27

바르베리니 광장 Colline Emiliane | 수제 라비올리 |

1931년부터 가족이 운영해오고 있는 레스토랑으로 볼로냐, 모데나, 파르마 등이 속한 에밀리아 로마냐 지방의 음식을 선보인다. 한쪽에서 탈리아텔레 면과 라비올리 만드는 것을 볼 수 있으며 워낙 인기가 좋아 예약을 하고 가는 것이 안전하다.

- 메트로 A선 Barberini역에서 도보 4분
- Via degli Avignonesi 22, 00187 Roma
- +39 06 481 7538
- 화~토요일 12:45-14:45, 19:30-10:45, 일~월요일 휴무
- 볼로네즈 파스타 €15, 메인 코스 €15~19

테르미니역

가인 Gainn | 한식당 |

매콤한 한식이 그립다면 테르미니역에서 가까워 접근성이 좋은 가인 한식당을 추천한다. 김치찌개, 된장찌개, 순두부, 오징어 볶음 등 다양한 메뉴가 있고 대체적으로 맛도 괜찮다.

- 테르미니역에서 도보 5분
- Via dei Mille 18, 00185 Roma ☎ +39 06 4436 0160
- 월~토요일 12:15-15:00, 18:15-21:30, 일요일 휴무
- € 전식(떡볶이, 전, 잡채, 파닭 등) €16~18, 정식(찌개, 탕, 덮밥 등) €17~19

산타 마리아 마조레 대성당

Starbaps | 한식당 |

언뜻 스타벅스로 착각하기 쉬운 스타밥스는 한국인 부부가 운영하는 곳으로 분식류와 불고기 덮밥, 비빔밥 등을 판매한다. 내부가 넓은 편은 아니나 깔끔하고 떡볶이, 비빔밥 등 대부분의 음식이 맛있으며 모든 음식을 일회용 용기에 담아준다.

- 산타 마리아 마조레 대성당에서 도보 2분
- Via di S. Maria Maggiore 116, 00184 Roma
- ☎ +39 347 903 1229
- 화~일요일 12:00-15:00, 18:00-21:00, 월요일 휴무
- € 비빔밥, 냉면 €11.5, 떡볶이 €10.90

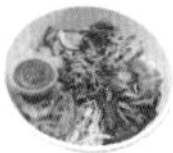

보르게제 공원

Galbi Roma | 한식당 |

갈비 레스토랑은 2015년 로마에 처음으로 문을 연 한국식 바비큐 전문 레스토랑으로 정갈한 요리를 선보인다. 오크 나무 장작만을 사용한 그릴 요리와 전, 잡채, 찌개 등을 맛볼 수 있으며 레스토랑 내부도 모던하고 깔끔하다.

- 테르미니역 앞에서 38번, 92번, 223번 버스 중 하나를 타고 Fiume 정류장에 하차하여 도보(3분 소요)로 이동
- Via Cremera 21, 00198 Roma ☎ +39 06 884 2132
- 화요일 12:30-14:30, 수~금요일 12:30-15:00, 19:00-22:00, 토요일 19:00-22:30, 일~월요일 휴무
- € 비빔밥, 찌개 종류 €17~19, 통닭, 김치전, 새우 튀김 €15~18

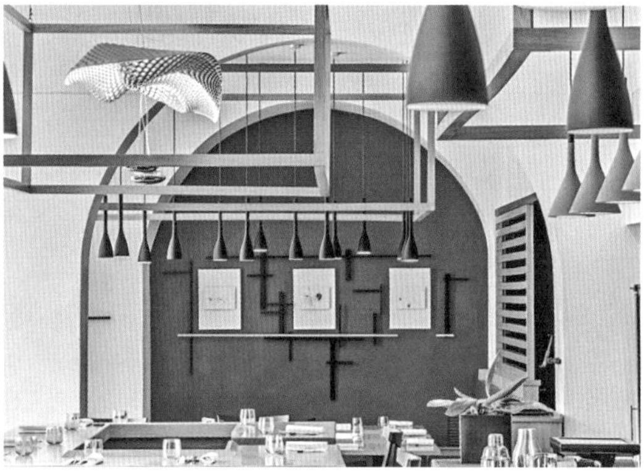

인생 커피와 명사들의 숨결을 만나다

로마 3대 카페

오랜 시간 동안 로마 시민의 까다로운 커피 취향을 맞춰온 유서 깊은 카페들이 지금은 로마에 가면 꼭 들러야 하는 명소로 자리 잡았다. 아래 소개한 로마 3대 카페는 관광지에서 멀지 않은 곳에 있어 꼭 커피 애호가가 아니더라도 한 번쯤 방문해볼 만하다. 타짜도로와 산에우스타키오 일 카페에서는 원두의 깊은 풍미와 진한 맛을 느낄 수 있는 에스프레소를 주문해보자.

Antico Caffè Greco

로마에서 가장 오래된 카페로 콘도티 거리의 불가리 매장 맞은편에 있다. 괴테, 바이런, 바그너, 카사노바 등 수많은 명사들의 사랑을 받은 곳으로 앤티크 가구와 오래된 그림들로 꾸며진 고풍스러운 인테리어로 유명하다. 자리에 앉아 마시면 바에서 마시는 것보다 가격이 3배 정도 비싸지만 커피 맛보다는 분위기 때문에 찾는 곳이니 만큼 감수해볼 만하다.

- 메트로 A선 Spagna역에서 도보 4분
- Via dei Condotti 86, 00187 Roma
- +39 06 679 1700
- 09:30-21:00
- 에스프레소 €7, 카푸치노 €10 / 바에서 마실 경우는 에스프레소 €2.5, 카푸치노 €3.5
- www.anticocaffegreco.eu

Sant'Eustachio Il Caffè

1938년에 문을 연 카페로 전통 방식대로 원두를 장작불에 장시간 로스팅한다. 다른 곳과는 차별화된 풍성한 크레마로 유명하며 에스프레소에 설탕이 섞여 나오니 싫다면 미리 말해야 한다. 깜찍한 노란색 모카 포트와 에스프레소 잔을 기념품으로 구입해가는 사람들도 많다. 영화 '먹고 기도하고 사랑하라'에 등장하기도 했으며 우리나라에도 부산 힐튼 호텔 아난티 타운에 입점해 있다.

- 판테온에서 도보 2분 · Piazza di San Eustachio 82, 00186 Roma · +39 06 6880 2048
- 토~목요일 07:30-24:00, 금요일 07:30-01:00 · € 카페 델리테Caffe d'Elite(에스프레소) €1.5, 그란 카푸치노 €3.2
- @ santeustachio-il-caffe.negocio.site

Tazza d'Oro

1946년 판테온 근처에 문을 연 카페로 커피 맛이 좋기로 유명하다. 여름에는 시원한 그라니타 디 카페 콘판나Granita di Caffè con Panna(차갑게 얼린 커피 슬러시에 크림을 얹은 것)가 인기 메뉴이다. 커피 맛을 제대로 느끼고 싶다면 에스프레소가 정답. 카운터에서 주문한 후 받은 영수증을 바에 보여주면 커피를 만들어준다. 가게 밖 자동판매기에서 원두와 분쇄 커피를 구입할 수도 있다.

- 판테온에서 도보 1분
- Via degli Orfani 84, 00186 Roma
- +39 06 678 9792
- 월~토요일 07:00-20:00, 일요일 10:00-19:00
- € 에스프레소 €1.2, 그라니타 디 카페 콘판나 €4
- @ www.tazzadorocoffeeshop.com

HOT TIP

코페르토Coperto

이탈리아는 대부분의 카페(앉아서 마실 경우), 레스토랑에서 자릿세인 코페르토가 포함된다. 보통 1인당 €1.5~4 정도이지만 고급 레스토랑이나 유서 깊은 카페는 €6 이상이다. 자릿세 이외에 서비스에 차지를 받는 곳도 있으니 참고하자.

달콤하고 쫀득한 젤라토의 명가

로마 3대 젤라테리아

로마의 수없이 많은 젤라테리아 중에서 가장 맛있는 세 곳을 고르는 것은 너무나 어려운 일이다. 아래 소개한 로마 3대 젤라테리아는 맛은 물론 쉽게 찾아갈 수 있는 위치 덕분에 관광객들 사이에서 더 유명해졌으며 큰 인기에 힘입어 우리나라에도 모두 지점을 냈다. 3대 젤라테리아 외에도 젤라테리아 라 로마나(www.gelateriaromana.com/en), 그롬(www.grom.it/en), 벤키(www.venchi.com/uk/gelato) 등 여러 개의 지점을 운영하는 젤라테리아들도 최근 인기를 얻고 있다.

Giolitti

1900년부터 이어진 오랜 전통의 젤라테리아로 비밀 레시피로 만드는 과일 맛 젤라토가 유명하다. 계산대에서 원하는 사이즈로 계산을 하고 영수증을 받아 점원에게 주고 원하는 맛을 고르면 된다. 추천하는 맛은 앙구리아(수박), 프라골라(딸기), 리소(쌀)로 특히 여름철에만 맛볼 수 있는 앙구리아Anguria 맛이 인기가 높다. 판테온 근처에 있어 관광객이 많이 찾으며 가격이 다른 곳에 비해 좀 비싸다. 우리나라에도 코엑스를 비롯해 강남에 몇 개 지점이 있다.

- 판테온에서 도보 5분
- Via degli Uffici del Vicario 40, 00186 Roma
- +39 06 699 1243
- 일~금요일 07:30-24:00, 토요일 07:30-23:00
- 스몰 사이즈 €3.5(2가지 맛), 중간 사이즈 €5(3가지 맛)
- www.giolitti.it/en

Fassi

1880년에 문을 연 로마에서 가장 오래된 젤라테리아로 긴 이름인 'Palazzo del Freddo Giovanni Fassi' 대신 간단히 Fassi로 부른다. 테르미니역과 가까운 데다 주변에 한인 민박이 많아 우리나라 손님들이 많다. 추천하는 맛은 피스타키오(피스타치오), 초콜라토(초콜릿), 리소(쌀) 등이며 사이즈에 관계없이 3가지 맛을 선택할 수 있다. 가는 길이 좀 으슥한 편이라 낮 시간에 이용하는 것이 좋으며 산타 마리아 마조레 대성당에서는 Giardini Nicola Calipari 공원을 가로질러 가면 빠르다. 우리나라에는 팔라초 델 프레도Palazzo del Freddo라는 이름으로 여러 곳에 프랜차이즈 매장이 있다.

- 메트로 A선 Vittorio Emanuele역에서 도보 5분
- Via Principe Eugenio 65, 00185 Roma ☎ +39 06 446 4740
- 월~토요일 12:00-24:00, 일요일 10:00-24:00 € 스몰 사이즈 €2, 중간 사이즈 €2.5
- @ www.gelateriafassi.com

Old Bridge

로마에 3개 매장이 있으며 처음 오픈한 바티칸 매장은 성수기에는 관광객들이 몰려 특히 더 긴 줄을 예상해야 한다. 추천하는 맛은 프라골라(딸기), 망고(망고), 피스타키오(피스타치오), 리모네(레몬) 등인데, 레몬 맛은 다른 곳보다 신맛이 더 강해 호불호가 갈린다.

- 메트로 A선 Ottaviano역에서 도보 6분
- Viale dei Bastioni di Michelangelo 5, 500192 Roma
- ☎ +39 328 411 9478
- 월~토요일 10:00-02:00, 일요일 14:30-02:00
- € 스몰 사이즈 €3, 중간 사이즈 €3.5
- @ gelateriaoldbridge.com/en

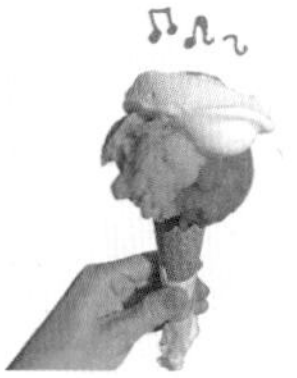

Shopping

Sermoneta Gloves

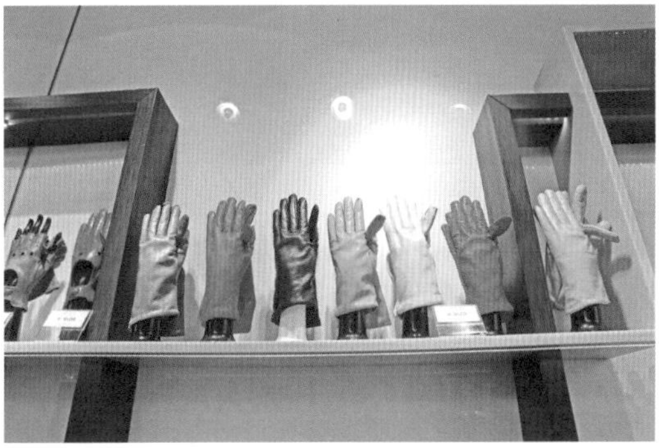

50년이 넘는 역사를 자랑하는 유명한 수제 장갑 전문점이다. 장인들이 천연 가죽으로 28단계 과정을 거쳐 만드는 세르모네타의 수제 장갑은 가죽이 부드러워 손에 착 감기는 느낌을 받을 수 있다. 기본 색상부터 예쁜 파스텔 컬러까지 다양한 색상과 디자인의 장갑이 사이즈별로 있어 내 손에 맞고 마음에 꼭 드는 장갑을 고를 수 있다. 스페인 광장에 위치하여 관광 중에 들르기에도 편하다.

- 스페인 광장 바르카치아 분수에서 도보 1분
- Piazza di Spagna 61, 00187 Roma
- 월~토요일 10:30-19:30, 일요일 11:00-13:00, 14:00-19:00
- @ www.sermonetagloves.it/it

Antica Cartotecnica

고풍스러운 인테리어가 인상적인 앤티크 문구점으로 현 주인의 할머니가 1930년에 오픈하였다. 빈티지 만년필과 볼펜, 연필과 색연필, 하늘하늘한 깃털 펜과 잉크, 시계, 노트 등 앤티크 문구류를 좋아하는 사람이라면 열광할 만한 제품이 많으며 열쇠고리나 명함 지갑 등의 가죽 제품도 판매한다.

- 판테온에서 도보 2분
- Piazza dei Caprettari 61, 00186 Roma
- 월~금요일 10:00-13:30. 15:30-19:30, 주말 휴무
- @ www.anticacartotecnica.it

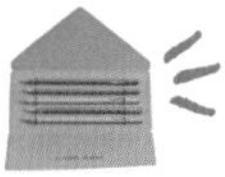

La Sella

1964년부터 한 가족이 대를 이어 운영하는 수제 가죽 제품 전문점으로 나보나 광장 근처와 트레비 분수 근처에 매장이 하나씩 있다. 디자인이 뛰어나지는 않지만 장인들이 한 땀 한 땀 직접 손으로 만들어 튼튼하고 무료로 이니셜을 새겨 주어 기념품으로 구입하기 좋다. 가방보다는 지갑이나 벨트 등의 제품이 더 인기 있다. 직원에 따라 친절도에 좀 차이가 있다.

- 나보나 광장에서 도보 1분 / 트레비 분수에서 도보 1분
- Via della Cuccagna 16, 00186 Roma(나보나 광장점) / Via del Lavatore 56, 00187 Roma(트레비 분수점)
- 월~토요일 10:30-19:30, 일요일 11:00-18:00 (트리비 분수점)
- @ www.lasellaroma.it

Bialetti

에스프레소로 하루를 시작하는 이탈리아 사람들에게 알폰소 비알레티Alfonso Bialetti가 개발한 모카 포트는 그야말로 획기적인 에스프레소 추출기였다. 이탈리아 곳곳에 매장이 있고 대형 슈퍼마켓에서도 모카 포트를 구입할 수 있지만 다양하고 독특한 디자인의 모카 포트를 구경하고 싶다면 로마 트레비 분수 근처 비알레티 매장을 방문해보자.

- 트레비 분수에서 도보 4분 / 코르소 거리 자라 매장 뒷건물
- Largo Chigi 5, 00187 Roma
- 매일 10:00-20:00
- @ www.bialetti.com

Calcioitalia.com

1984년부터 자리를 지켜온 축구 유니폼 전문 매장이다. 이탈리아 대표팀은 물론 프리미어 리그, 스페인 라리가 등 다양한 축구 대표팀의 유니폼이 있어 선택의 폭이 넓다. 가격은 €75~115선이고 아동용도 있다.

- 레푸블리카 광장에서 도보 2분
- Via Nazionale 251-b, 00184 Roma
- 월~금요일 10:00-19:00, 토요일 10:30-14:00, 15:45-19:00, 일요일 휴무
- @ calcioitalia.com/en_US/

Lela

북유럽 스타일의 미니멀한 디자인이 돋보이는 컵, 그릇, 접시, 다양한 패브릭, 도마 등을 비롯해 홈 액세서리를 만날 수 있다. 소재, 실용성, 기능성까지 고려한 제품들로 가득 찬 선반을 보다 보면 시간이 훌쩍 지나간다.

- 캄포 데이 피오리에서 도보 4분
- Via dei Pettinari 37, 00186 Roma
- 월~토요일 110:00-19:00, 일요일 휴무

여행 선물과 기념품은 이곳에서!

로마 테르미니역 근처에 있는 슈퍼마켓

여행자들이 많이 몰리는 로마 테르미니역 내부와 근처에는 Conad, Coop, Sma 등의 슈퍼마켓이 몰려 있어 여행 중 먹을 간식과 여행 선물을 구입할 수 있다. 같은 품목이라도 슈퍼마켓별로 조금씩 가격이 다르며 마비스 치약 같은 인기 있는 기념품은 금세 떨어지는 경우도 있다. 아래에 소개한 슈퍼마켓 외에 Il Castoro Supermercati도 있으니 참고하자.

Sapori & Dintorni Conad

이탈리아 대표 슈퍼마켓 체인 코나드Conad의 고급 버전으로 식재료와 음식 부분에 중점을 두고 있다. 테르미니역 지하에 있으며 1번 플랫폼 맨 앞 출구 쪽에 있는 에스컬레이터를 타고 내려가면 찾기 쉽다. 늦은 시간까지 문을 연다.

⏲ 05:30-23:30

coop

사포리 & 딘토르니 코나드보다 규모가 크고 물건이 더 다양하다. 테르미니역 1층, 1번 플랫폼 쪽에서 밖으로 나가 오른쪽으로 꺾어지면 찾을 수 있다.

⏲ 월~토요일 07:00-21:00, 일요일 08:00-20:00

Conad City

테르미니역에 있는 슈퍼마켓들보다 저렴하다. 테르미니역에서는 도보 6분 거리에 있으며 주변에 호텔이 많아 관광객이 많이 찾는다.

⌂ Piazza dell'Indipendenza 28, 00185 Roma

⏲ 월~토요일 07:30-22:00, 일요일 08:00-20:00

상반된 매력의 두 쇼핑 거리

코르소 거리 VS 콘도티 거리

로마를 대표하는 쇼핑 거리, 코르소 거리와 콘도티 거리는 서로 완전히 상반된 분위기와 쇼핑 품목으로 관광객들을 유혹한다. 유명 관광지 근처에 있는 데다 서로 인접해 있어 둘 다 한꺼번에 둘러보면 되는데 자신이 꼭 방문하고 싶은 숍의 위치는 미리 알고 가는 것이 좋다.

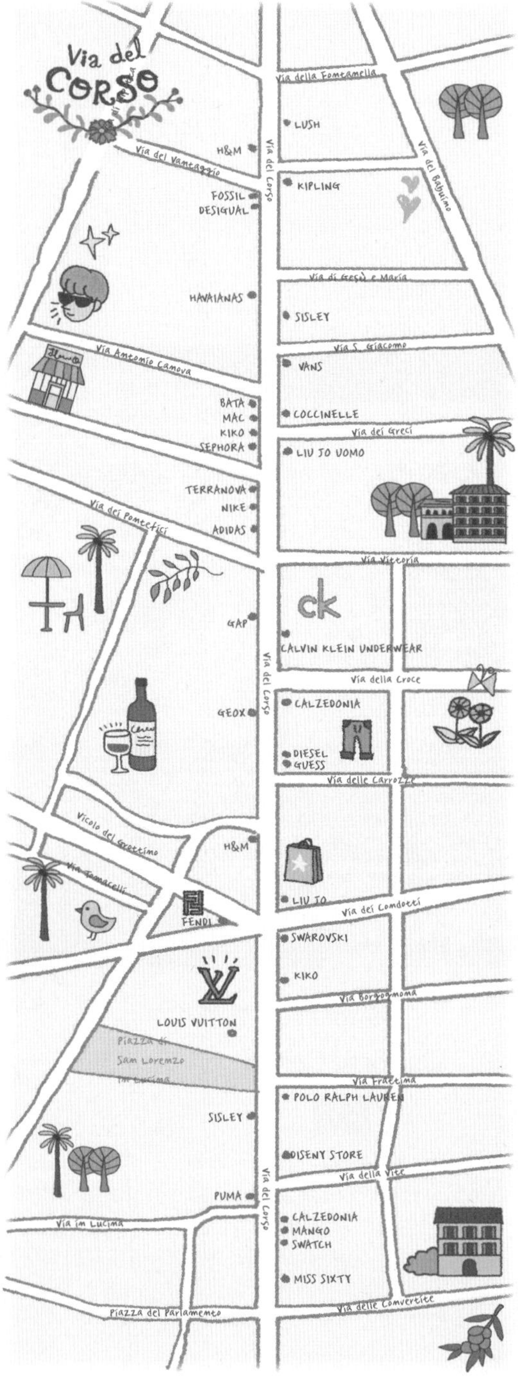

캐주얼하고 편안한 원 스톱 쇼핑 스폿

코르소 거리 Via del Corso

포폴로 광장에서 베네치아 광장까지 쭉 뻗어 있는 길이 2㎞의 코르소 거리는 로마의 주요 관광지를 돌다보면 한 번쯤 거쳐가게 되는 길이다. 거리 양쪽으로 캐주얼 의류 브랜드의 상점과 쇼핑센터들이 늘어서 있고 세포라, 키코 등의 화장품 매장도 있어 한꺼번에 다양한 쇼핑을 즐길 수 있다. 콘도티 거리와 코르소 거리가 만나는 지점 주변으로는 펜디 본점, 루이비통 로마 에트왈점 등 명품 숍도 일부 자리하고 있다.

포폴로 광장에서 산타 마리아 데이 미라콜리 성당과 산타 마리아 인 몬테산토 성당 사이로 도보 1분 / 베네치아 광장에서 도보 1분

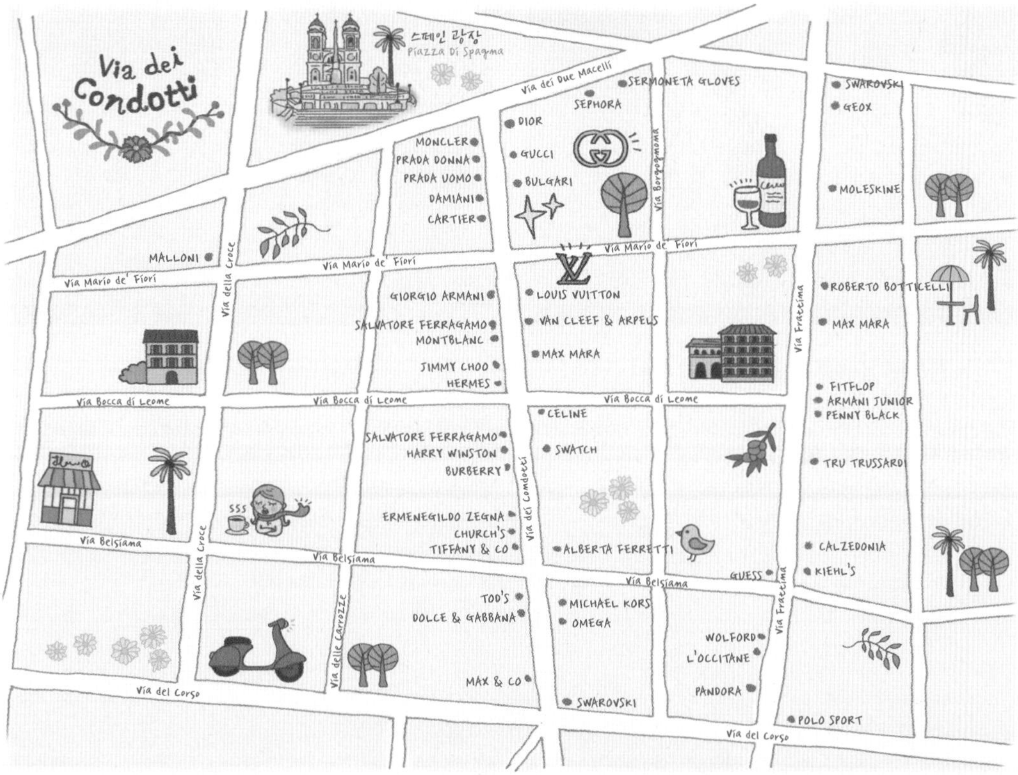

로마 명품 쇼핑의 대명사

콘도티 거리 Via dei Condotti

스페인 광장에서 코르소 거리까지 뻗어 있는 콘도티 거리는 프라다, 구치, 페라가모, 에르메스 등 세계적인 명품 브랜드 매장들로 빼곡히 차 있는 명품 쇼핑 거리이다. 당연한 얘기지만 아웃렛에서는 신상품이나 베스트 셀러 상품을 구입할 수 없기 때문에 특별히 원하는 제품이 있다면 이곳에 있는 매장을 방문하는 것이 좋다. 브랜드별로 쇼윈도를 보는 재미도 쏠쏠하여 쇼핑을 하지 않는 관광객도 많이 찾는다. 일부 매장은 크로체 거리Via della Croce, 프라티나 거리Via Frattina 등 콘도티 거리와 인접한 곳에 있으니 주변도 같이 둘러보면 좋다. 오픈 시간은 브랜드마다 다르며 대부분 10:00-10:30에 오픈하고 19:00-20:00에 닫는다. 일요일은 조금 늦게 오픈하거나 문을 닫는 곳도 있으니 참고하자.

📍 스페인 광장에서 도보 1분

로마 추천 숙소

Hotel Hassler Roma ★★★★★

스페인 계단 꼭대기에 자리한 럭셔리 호텔로 시설과 서비스에 대한 염려는 붙잡아두어도 좋다. 싱글 객실부터 펜트하우스까지 12개 타입의 객실이 있으며 6층의 미슐랭 스타 레스토랑 Imàgo에서는 아름다운 로마 전경을 감상하며 식사를 즐길 수 있다.

- Piazza Trinità dei Monti 6, 00187 Roma
- ☎ +39 06 699340
- @ www.hotelhasslerroma.com

Portrait Roma ★★★★★

페라가모에서 운영하는 Lungarno Collection 호텔 중 하나로 절제된 세련미와 감각적인 디자인 요소가 넘쳐난다. 맞춤 구두처럼 투숙객 개인 성향에 맞춰주는 서비스를 누릴 수 있는 곳으로 콘도티 거리의 살바토레 페라가모 매장 측면에 있다.

- Via Bocca di Leone 23, 00187 Roma
- ☎ +39 06 693 80 742
- @ www.lungarnocollection.com/portrait-roma

The St. Regis Rome ★★★★★

1894년에 지어진 웅장한 궁전을 잘 보존해 로마의 화려한 랜드마크 호텔의 상징이 된 세인트 레지스 로마 호텔은 마치 작은 박물관을 방불케한다. 스투코 장식의 계단, 무라노 유리 샹들리에, 대리석 기둥, 눈이 즐거운 프레스코화, 수공예품과 골동품 등 화려한 장식이 모든 객실과 홀에 어우러져 있다. 19세기에 만들어진 수동 엘리베이터는 잘 보존되어 시대의 상징처럼 남아 있으며 저녁 6시에 호텔에 있다면 세인트 레지스 브랜드의 문화인 샴페인 사브라주도 잊지 말자.

- Via Vittorio Emanuele Orlando 3, 00185 Roma
- ☎ +39 06 47091
- @ www.marriott.com/en-us/hotels/romxr-the-st-regis-rome/overview/

W Rome ★★★★★

우아함과 활기찬 에너지의 조화에 뛰어난 W 호텔이 이탈리아에서는 로마에 그 첫 문을 열어 여행객을 맞이하고 있다. 스페인 계단에서 조금만 걸어가면 나오는 리구리아 거리를 따라 19세기에 지어진 두 개의 팔라초에는 15개 스위트를 포함한 147개 객실이 있으며 대부분 발코니가 있다. 로마에서 몇 안 되는 고층 루프탑 바, 스파 시설은 없지만 운동 선수가 큐레이팅한 피트니스 프로그램이 있는 24시간 짐과 옥상 수영장이 있으며 분수, 벤치, 풍성한 나뭇잎으로 장식한 야외 실내 정원은 휴식처 역할을 한다.

- 26/36 Via Liguria, 00187 Roma
- ☎ +39 06 894121
- @ www.marriott.com/en-us/hotels/romwv-w-rome/overview/

Six Senses Rome ★★★★★

로마 식스 센스는 글로벌 호텔 그룹 식스 센스가 유럽에 선보이는 최초의 도시형 호텔이다. 18세기에 지어진 궁전을 복원한 호텔로 역사가 묻어 있는 기둥, 대리석 계단 등 여러 요소가 그대로 남아 있어 더 특별한 경험을 제공한다. 4세기에 지어진 공중 목욕탕은 웰빙의 대명사인 식스 센스만의 세심한 감각으로 거듭나 도심속 오아시스 역할을 하며 판테온, 트레비 분수, 베네치아 광장 모두 도보 7분 미만 거리에 있다.

- P.za S. Marcello, 00187 Roma
- ☎ +39 06 8681 4000
- @ www.sixsenses.com/en/hotels/rome

Bulgari Hotel Roma ★★★★★

불가리 로마 호텔은 불가리 호텔 & 리조트 그룹의 아홉 번째 걸작으로 아우구스토 임페라토레 광장 한 켠을 밝히고 있다. 고대 로마에서 사용한 스톤 색상을 그대로 살린 외벽은 도시의 고유한 매력을 그대로 담고 있으며 화이트, 옐로, 레드, 그린 총 4가지의 컬러로 밋밋함을 채운 객실은 대부분이 스위트룸이다. 모든 장식은 이탈리아 각 도시에서 수급해 'Made in Italy' 정신을 보여주며 패션 브랜드의 예술적 DNA가 영원 불멸의 도시 로마를 한층 더 돋보이게 한다.

- Piazza Augusto Imperatore 10, 00186 Roma
- ☎ +39 06 3608 0400
- @ www.bulgarihotels.com/rome

Best Western Plus Hotel Universo

★★★★

화이트, 다크 브라운, 블랙 등 화려하지 않은 차분한 색상을 사용 197개의 객실은 군더더기 없이 심플하다. 최상층에 루프탑 라운지바가 있어 휴식을 즐기기 좋으며 웰니스 시설도 갖추고 있다. 테르미니역에서 도보 5분.

- Via Principe Amedeo 5/B, 00185 Roma
- ☎ +39 06 476811
- @ www.hoteluniverso.com

UNAHOTELS Decò Roma

★★★★

이탈리아 여행 중 한 번 정도는 머물게 되는 이탈리아의 체인 호텔이다. 테르미니역 24번 플랫폼 출구에서 호텔까지 도보 1~2분 거리로 뛰어난 접근성을 자랑한다.

- Via Giovanni Amendola 57, 00185 Roma
- ☎ +39 06 649371
- @ www.gruppouna.it/en/unahotels/unahotels-deco-roma

Hotel L'Orologio Roma

★★★★

네오 르네상스 양식의 건물을 세심하게 복원한 호텔로 피렌체, 베네치아에 있는 오롤로지오 호텔과 마찬가지로 세련된 편안함을 추구한다. 도보 5분이면 나보나 광장, 판테온 등에 닿을 수 있으며 루프탑 테라스는 하루의 시작과 끝을 맺기에 더없이 좋다.

- Corso Vittorio Emanuele II 110, 00186 Roma
- ☎ +39 06 686 5019
- @ www.hotelorologioroma.com

The Independent Hotel

★★★★

테르미니역 앞 500인 광장 근처에 위치한 호텔로 밝고 모던한 객실을 갖추고 있다. 멀리 성 베드로 성당의 돔이 보이는 8층의 루프 가든은 아침에는 조식당, 저녁에는 바로 변신한다.

- Via Volturno 48, 00185 Roma
- ☎ +39 06 4452657
- @ www.independenthotel.it

Room Mate Filippo

★★★★

룸메이트는 스페인에 뿌리를 둔 부티크 호텔 체인이다. 로마 필리포 호텔은 12:00까지 조식을 제공해 여유로운 아침을 즐길 수 있다. 룸메이트만의 모던하면서도 감각적인 디자인이 돋보이며 스페인 계단이 도보 7분 거리에 있고 메트로 A선 Barberini 역에서 도보 2분 소요된다.

- Via della Purificazione 31, 00187 Roma RM
- ☎ +39 06 8983 0411
- @ room-matehotels.com/en/filippo

iQ Hotel Roma

★★★★

모던하고 깔끔한 4성급 호텔이며 4인까지 숙박할 수 있는 패밀리 룸이 있어 가족 여행에 좋다. 공용으로 이용할 수 있는 음료수와 스낵 자동판매기, 전자레인지, 제빙기 등도 있다. 테르미니역에서는 도보 10분 정도의 거리이며 관광할 때는 도보 3분 거리의 메트로 A선 Repubblica역을 이용하면 된다.

- Via Firenze 8, 00184 Roma
- ☎ +39 06 4880465
- @ www.iqhotelroma.it/en

H10 Palazzo Galla

★★★★

H10 호텔 체인 중 하나로 베네치아 광장 및 포로 로마노에서 300~400m 떨어진 역사적인 중심지에 자리해 관광하기 편하다. 기본 클래식 룸도 22㎡로 넓은 편이며 루프탑 바에서 도시 전망을 감상할 수 있다.

- Via Quattro Novembre 102, 00187 Roma
- ☎ +39 06 429810
- @ www.h10hotels.com/en/rome-hotels/h10-palazzo-galla

Hotel Artemide

★★★★

레푸블리카 광장에서 도보 3분 거리에 위치한 호텔로 루프탑 레스토랑과 바, 스파 등 부대시설을 잘 갖추고 있다. 친절한 서비스와 무료 미니 바를 제공하며 기본 객실은 좁은 편이며 딜럭스 룸이 20~22㎡이다.

- Via Nazionale 22, 00184 Roma
- ☎ +39 06 489911
- @ www.hotelartemide.it/en/

Hotel Damaso

★★★

19세기 궁전을 복원한 호텔로 로마 시내를 감상할 수 있는 파노라파 루프탑 테라스가 하이라이트다. 나보나 광장, 캄포 데이 피오리 광장, 판테온 등 주요 관광지가 도보 10분 미만 거리에 있는 칸첼레리아 광장에 위치하고 있다.

- P.za della Cancelleria 62, 00186 Roma
- ☎ +39 06 4550 3061
- @ www.hoteldamaso.it

Salotto Monti

★★★

스몰 더블 객실부터 디럭스 아파트먼트까지 다양한 타입의 객실을 보유하고 있는 부티크 호텔이다. 주거용 건물 일부에 자리하고 있는 호텔로 리셉션은 08:00-21:30까지 오픈한다. 루프탑 테라스에서 조식을 제공하며 해질녘에는 아페리티보를 즐기기에 좋다.

- Via della Consulta 1B, 00184 Roma
- ☎ +39 06 487 4463
- @ www.salottomonti.it/en/

Sophie Terrace Hotel

★★★

테르미니역에서 도보 5분 거리에 있으며 호텔 이름에 걸맞게 8층과 9층에 위치한 파노라마 테라스에서 로마 전경을 감상할 수 있다. 기본 객실은 15 m²로 작은 편이다. 좀 더 넓은 객실을 원한다면 엑스트라 베드가 있는 더블 객실이나 스위트가 대안이다.

- Via Principe Amedeo 6, 00185 Roma
- ☎ +39 337 119 8683
- @ www.sophieterracehotel.com/en/

Relais Donna Lucrezia

★★★

도나 루크레치아는 스페인 계단과 보르게제 정원이 인접한 곳에 위치한 호텔로 유서 깊은 저택을 개조한 곳이다. 호텔을 운영하는 가족의 개인 컬렉션으로 세련되게 꾸민 객실이 돋보이며 농장에서 직접 생산한 재료로 만든 조식을 제공한다.

- Via Emilia 88, 00187 Roma
- ☎ +39 334 731 3657
- @ www.relaisdonnalucrezia.com

Camplus Hotel Roma Centro

★★★

캠플러스는 다양한 숙박 솔루션을 제공하는 곳으로 로마 지점은 테르미니역에서 도보 8분 거리에 있다. 일부 객실에서는 로마 국립박물관-디오클레티아누스 욕장 전망을 감상할 수 있으며 객실 사이즈는 싱글 객실을 제외하고 기본 19~20 m²이다.

- Via Montebello 8, 00185 Roma
- ☎ +39 06 4041 8544
- @ www.camplus.it/citta/roma/camplus-hotel-roma-centro/

The Radical Hotel Roma

★★★

미니멀한 디자인이 돋보이는 소규모 부티크 호텔로 11개의 객실이 2개 층에 나뉘어 있다. 깔끔한 인테리어를 기본으로 객실마다 조금씩 다른 색상으로 꾸며져 있다. 바르베리니 광장에서 도보 6분 거리에 있으며 편안한 분위기의 오픈 라운지는 잠깐의 휴식을 즐기기에 좋다.

- Via Umbria 7, 00187 Roma
- ☎ +39 06 9893 7366
- @ www.theradicalhotel.it/en

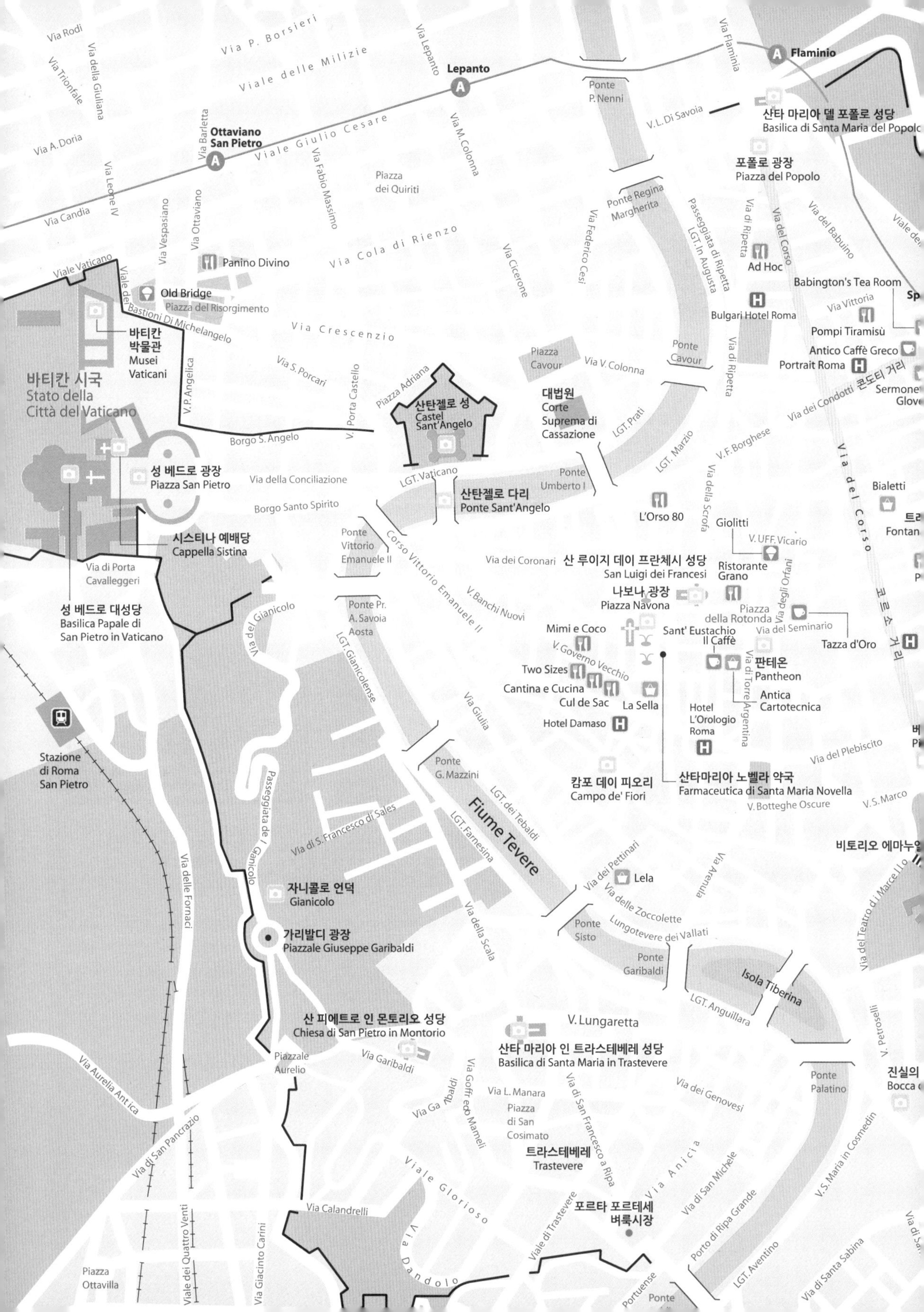

Via Rodi
Via P. Borsieri
Viale delle Milizie
Via Lepanto
Lepanto
Via Flaminia
Flaminio
Via Trionfale
Via della Giuliana
Ponte P. Nenni
Via M. Colonna
V.L. Di Savoia
산타 마리아 델 포폴로 성당
Basilica di Santa Maria del Popolo
Via A. Doria
Via Barletta
Ottaviano San Pietro
Viale Giulio Cesare
Via Fabio Massimo
Piazza dei Quiriti
포폴로 광장
Piazza del Popolo
Via Leone IV
Via Candia
Via Vespasiano
Via Ottaviano
Ponte Regina Margherita
Via Federico Cesi
Passeggiata di Ripetta
LGT. in Augusta
Via di Ripetta
Via del Corso
Via del Babuino
Viale dei
Panino Divino
Via Cola di Rienzo
Via Cicerone
Ad Hoc
Viale Vaticano
Babington's Tea Room
Old Bridge
Piazza del Risorgimento
Viale dei Bastioni Di Michelangelo
Bulgari Hotel Roma
Via Vittoria
Via Crescenzio
Pompi Tiramisù
바티칸 박물관
Musei Vaticani
Ponte Cavour
Antico Caffè Greco
Via S. Porcari
Piazza Cavour
Via V. Colonna
Portrait Roma
바티칸 시국
Stato della Città del Vaticano
V. P. Angelica
Via Porta Castello
Piazza Adriana
산탄젤로 성
Castel Sant'Angelo
대법원
Corte Suprema di Cassazione
Via di Ripetta
Via dei Condotti 콘도티 거리
Sermone
Glove
LGT. Prati
Borgo S. Angelo
V. F. Borghese
LGT. Marzio
성 베드로 광장
Piazza San Pietro
Via della Conciliazione
LGT. Vaticano
Ponte Umberto I
Via della Scrofa
Via del Corso
Bialetti
산탄젤로 다리
Ponte Sant'Angelo
Borgo Santo Spirito
L'Orso 80
시스티나 예배당
Cappella Sistina
Ponte Vittorio Emanuele II
Corso Vittorio Emanuele II
Giolitti
V. UFF. Vicario
Fontan
Via di Porta Cavalleggeri
Via dei Coronari
산 루이지 데이 프란체시 성당
San Luigi dei Francesi
Ristorante Grano
Via degli Orfani
Ponte Pr. A. Savoia Aosta
V. Banchi Nuovi
나보나 광장
Piazza Navona
Piazza della Rotonda
성 베드로 대성당
Basilica Papale di San Pietro in Vaticano
Via del Gianicolo
Via dei Seminario
Mimi e Coco
Sant' Eustachio Il Caffè
Tazza d'Oro
코르소 거리
V. Governo Vecchio
LGT. Gianicolense
판테온
Pantheon
Two Sizes
Via di Torre Argentina
Cantina e Cucina
Cul de Sac
La Sella
Antica Cartotecnica
Via Giulia
Hotel L'Orologio Roma
Hotel Damaso
Stazione di Roma San Pietro
Via del Plebiscito
Passeggiata de I Gianicolo
Ponte G. Mazzini
캄포 데이 피오리
Campo de' Fiori
산타마리아 노벨라 약국
Farmaceutica di Santa Maria Novella
V. Botteghe Oscure
V. S. Marco
Via di S. Francesco di Sales
LGT. dei Tebaldi
LGT. Farnesina
Fiume Tevere
비토리오 에마누엘
Via delle Fornaci
Via dei Pettinari
Lela
Via Arenula
Via del Teatro di Marcello
자니콜로 언덕
Gianicolo
Via delle Zoccolette
Via della Scala
Ponte Sisto
Lungotevere dei Vallati
가리발디 광장
Piazzale Giuseppe Garibaldi
Ponte Garibaldi
Isola Tiberina
LGT. Anguillara
산 피에트로 인 몬토리오 성당
Chiesa di San Pietro in Montorio
V. Lungaretta
산타 마리아 인 트라스테베레 성당
Basilica di Santa Maria in Trastevere
V. Petroselli
Piazzale Aurelio
Via Garibaldi
Via Goffredo Mameli
Ponte Palatino
진실의
Bocca
Via Aurelia Antica
Via L. Manara
Via di San Francesco a Ripa
Via dei Genovesi
Via Garibaldi
Piazza di San Cosimato
트라스테베레
Trastevere
Via di San Pancrazio
Viale Glorioso
Via Anicia
Via di San Michele
V. S. Maria in Cosmedin
Via Calandrelli
Via Dandolo
Viale di Trastevere
포르타 포르테세 벼룩시장
Porto di Ripa Grande
Piazza Ottavilla
Viale dei Quattro Venti
Via Giacinto Carini
Portuense
Ponte
LGT. Aventino
Via di Santa Sabina

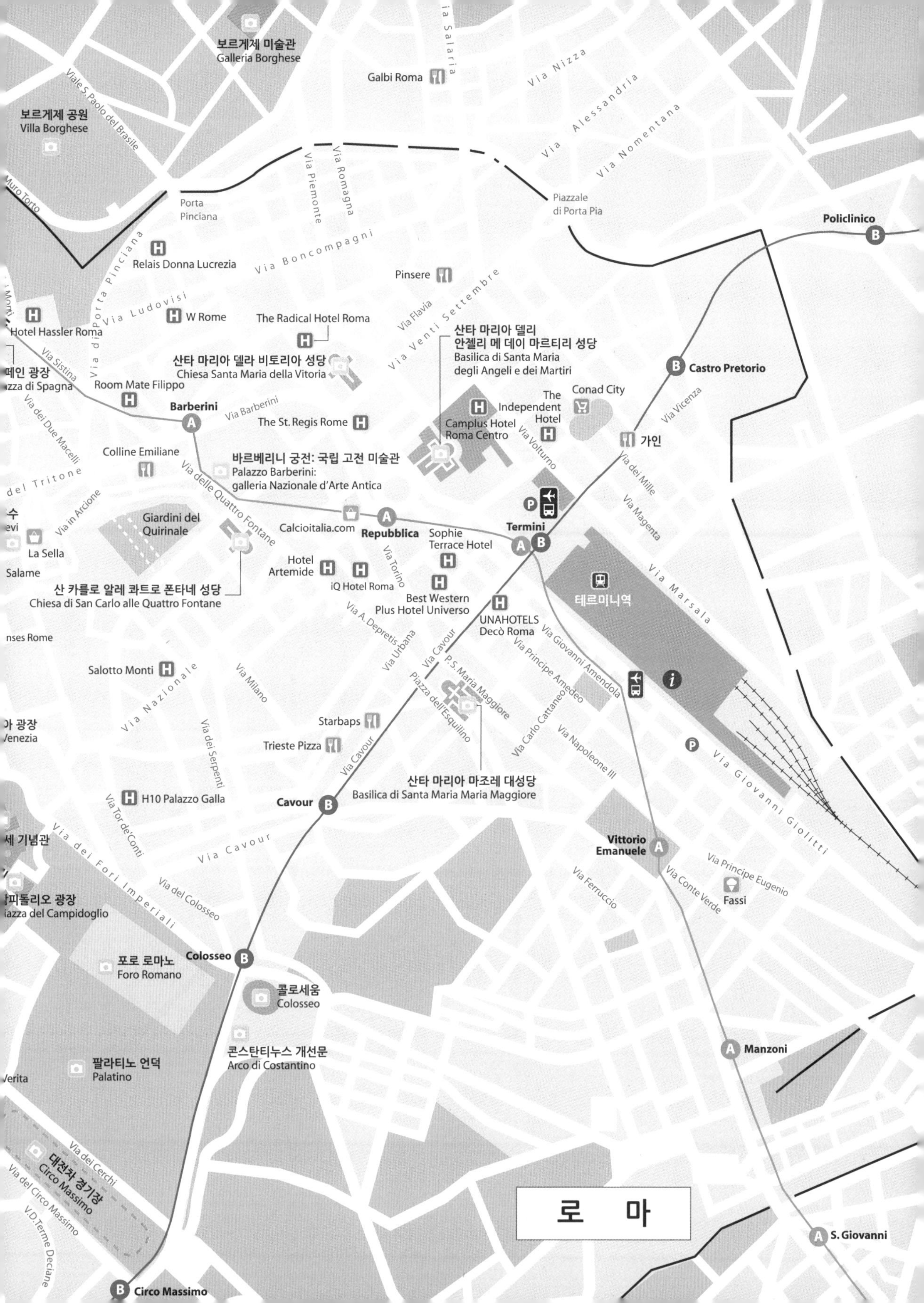
로 마
보르게제 미술관
Galleria Borghese
Via Salaria
Galbi Roma
Via Nizza
Via Alessandria
Via Nomentana
Viale S. Paolo del Brasile
보르게제 공원
Villa Borghese
Muro Torto
Via Piemonte
Via Romagna
Porta Pinciana
Piazzale di Porta Pia
Policlinico
Via Boncompagni
Relais Donna Lucrezia
Pinsere
Via di Porta Pinciana
Via Ludovisi
W Rome
The Radical Hotel Roma
Via Flavia
Via Venti Settembre
Hotel Hassler Roma
산타 마리아 델리 안젤리 메 데이 마르티리 성당
Basilica di Santa Maria degli Angeli e dei Martiri
Via Sistina
산타 마리아 델라 비토리아 성당
Chiesa Santa Maria della Vitoria
스페인 광장
Piazza di Spagna
Room Mate Filippo
Castro Pretorio
Conad City
The Independent Hotel
Barberini
Via Barberini
The St. Regis Rome
Camplus Hotel Roma Centro
Via Vicenza
Via dei Due Macelli
Colline Emiliane
가인
Via Volturno
바르베리니 궁전: 국립 고전 미술관
Palazzo Barberini: galleria Nazionale d'Arte Antica
Via dei Mille
Via del Tritone
Via delle Quattro Fontane
Via in Arcione
Giardini del Quirinale
Calcioitalia.com
Repubblica
Termini
Sophie Terrace Hotel
Via Magenta
La Sella
Salame
Hotel Artemide
iQ Hotel Roma
Via Torino
Best Western Plus Hotel Universo
테르미니역
Via Marsala
산 카를로 알레 콰트로 폰타네 성당
Chiesa di San Carlo alle Quattro Fontane
UNAHOTELS Decò Roma
Via A. Depretis
Via Urbana
Via Cavour
P.S. Maria Maggiore
Via Principe Amedeo
Via Giovanni Amendola
Salotto Monti
Via Nazionale
Via Milano
Piazza dell'Esquilino
Via Carlo Cattaneo
Via Napoleone III
Starbaps
Trieste Pizza
Via dei Serpenti
Via Giovanni Giolitti
산타 마리아 마조레 대성당
Basilica di Santa Maria Maria Maggiore
H10 Palazzo Galla
Cavour
Via Tor de' Conti
Vittorio Emanuele
Via dei Fori Imperiali
Via Principe Eugenio
Via Ferruccio
Via Conte Verde
Fassi
Via del Colosseo
캄피돌리오 광장
Piazza del Campidoglio
Colosseo
포로 로마노
Foro Romano
콜로세움
Colosseo
콘스탄티누스 개선문
Arco di Costantino
Manzoni
팔라티노 언덕
Palatino
Via dei Cerchi
대전차 경기장
Circo Massimo
Via del Circo Massimo
V.D. Terme Deciane
S. Giovanni
Circo Massimo

로마 지하철& 주요 교외선 노선도

Assisi 아시시

성 프란체스코와 성녀 키아라의 고향으로 프란체스코 수도회의 많은 성당과 수도원이 남아 있어 전 세계 순례자들의 발길이 끊이지 않는 가톨릭의 성지이다. 성 프란체스코의 생애를 그린 조토의 프레스코화가 있는 산 프란체스코 성당과 프란체스코 수도회의 유적들은 2000년 유네스코 세계 문화유산에 등재되었다. 아시시의 성당들은 민소매나 반바지를 입고는 입장할 수 없으므로 복장에 유의해야 한다.

아시시 여행 정보 | www.visit-assisi.it

• 찾아가기 •

기차

로마 테르미니역 → 레지오날레 열차로 약 2시간 10분 소요 → 아시시역

피렌체 산타 마리아 노벨라역 → 레지오날레 열차로 약 2시간 35분 소요 → 아시시역

산 프란체스코 성당 Basilica di San Francesco d'Assisi

성 프란체스코의 유해가 안치되어 있는 곳으로 그가 세상을 떠나고 2년 뒤, 시성이 된 다음 날인 1228년 7월 17일에 건축이 시작되었다. 성당은 상부와 하부로 나누어져 있으며 성 프란체스코의 유해가 안치되어 있는 지하 묘지는 하부 성당에 있는 계단으로 내려가면 된다. 상부 성당은 높은 천장을 가진 전형적인 고딕 양식으로 조토Giotto와 치마부에Cimabue, 토르리티Torriti의 아름다운 프레스코화로 장식되어 있는데, 특히 성 프란체스코의 생애를 묘사한 조토의 연작은 이탈리아 최고의 프레스코화로 손꼽힌다. 하부 성당 역시 13~14세기 유명 화가들의 프레스코화로 장식된 여러 개의 부속 예배당을 가지고 있다. 좀 더 자세한 정보는 www.sanfrancescoassisi.org 참고.

- 아시시 기차역에서 시내버스 C선을 타고 우니타 디탈리아 광장Piazza Unità d'Italia 하차 후 성문으로 들어와 도보 5분
- **상부 성당** 08:30-18:45 / **하부 성당** 06:00-19:00 (지하 묘지 ~18:30), 미사 시간에는 견학 금지
- € 무료

누오바 성당 Chiesa Nuova

성 프란체스코가 태어나고 자란 집으로 추정되는 곳에 1615년 세워진 성당이다. 내부에는 성 프란체스코가 아버지의 재물을 가난한 사람들에게 나누어준다는 이유로 감금되었던 좁은 감옥이 있으며 성당 앞 광장에는 성 프란체스코 부모의 동상이 있다.

- 코무네 광장에서 마치니 거리를 따라가다가 오른쪽 첫 번째 골목으로 우회전

코무네 광장 Piazza del Comune

관광 안내소를 비롯하여 여러 상점과 레스토랑이 모여 있는 아시시의 중심 광장이다. 광장 한가운데에 있는 미네르바 신전은 중세 이후 내부를 개조하여 성당으로 사용하고 있다.

- 산 프란체스코 성당에서 산 프란체스코 거리를 따라 도보 15분

산타 키아라 성당 Basilica di Santa Chiara

성 프란체스코의 첫 번째 제자이자 믿음의 동반자였던 성녀 키아라에게 봉헌된 성당이다. 중앙 제단 위에 걸린 십자가는 1205년 성 프란체스코가 이 십자가 앞에서 기도하는 중에 '가서 허물어져가는 내 집을 수리하라'는 계시를 받았던 것으로 유명하다. 성녀 키아라의 유해와 유품은 성당 지하에 보관되어 있다.

- 코무네 광장에서 마치니 거리를 따라 도보 5분
- 06:30-12:00, 14:00-18:00, 미사 시간에는 견학 금지
- € 무료

산 루피노 대성당 Cattedrale di San Rufino

성 프란체스코와 성녀 키아라를 비롯한 많은 성인의 제자들이 세례를 받은 곳이며 성녀 키아라가 1209년 성 프란체스코의 설교를 듣고 감명받아 자신의 소명을 깨달은 곳이기도 하다. 내부에는 성 프란체스코와 성녀 키아라의 대리석 상이 있으며 오른쪽 측랑 입구에는 성인들이 세례를 받은 세례반이 있고 로마 시대의 저수조 유적도 그대로 보존되어 있다.

- 코무네 광장에서 산 루피노 거리Via San Rufino를 따라 도보 5분
- 월~금요일 10:00-13:00, 15:00-18:00, 토요일 10:00-18:00, 일요일, 공휴일 11:00-18:00
- € 무료

로카 마조레 Rocca Maggiore

중세 시대부터 방어용과 주거용으로 사용되던 성채인 로카 마조레는 아시시와 주변 움브리아 평원의 전경을 감상할 수 있는 뷰 포인트로 유명하다. 성채 내부에는 입장료를 내고 들어가야 하므로 경치 감상이 목적이라면 굳이 내부까지 들어가지 않아도 된다.

- 코무네 광장에서 산 루피노 거리와 포르타 페를리치 거리Via Porta Perlici를 지나 도보 5분
- 11~2월 10:00-15:45, 3월 10:00-17:30, 4~5월, 9~10월 10:00-19:00, 6~8월 10:00-19:30
- € €6

산 다미아노 성당과 수도원
Chiesa e Convento di San Damiano

아시시 성벽 밖 누오바 문Porta Nuova 근처에 위치한 산 다미아노 성당과 부속 수도원은 성 프란체스코와 성녀 키아라의 여러 일화가 전해지는 가톨릭의 성지이다. 1212년, 성녀 키아라와 그녀를 따르던 여인들이 이곳에 들어와 수도 생활을 함으로써 글라라 수도회의 첫 번째 수도원이 되었다. 수도원 내부에는 성녀 키아라의 기도실과 그녀가 숨을 거둔 침실이 있으며 예쁜 정원과 사이프러스가 늘어선 고즈넉한 산책로도 시간 여유를 갖고 둘러보면 좋다.

- 누오바 문으로 나와 에스컬레이터를 타고 주차장으로 내려온 후 산 다미아노 길Via San Damiano을 따라 도보 15분
- 10:00-12:00, 14:00-18:00(겨울철은 16:30까지)
- € 무료

산타 마리아 델리 안젤리 성당 Basilica di Santa Maria degli Angeli

성 프란체스코가 프란체스코 수도회를 시작한 작은 예배당인 포르치운콜라Porziuncola를 보호하기 위해 1569~1679년에 세워진 성당이다. 포르치운콜라는 성당 내부의 돔 바로 아래에 있으며 성 프란체스코가 세상을 떠난 트란지토 예배당Capella del Transito도 옆에 있다. 이곳은 또한 성 프란체스코의 2가지 기적인 가시 없는 장미와 성 프란체스코의 조각상 주변을 떠나지 않고 머물고 있는 하얀 비둘기 한 쌍을 볼 수 있는 곳으로도 유명하다. 좀 더 자세한 정보는 www.porziuncola.org(이탈리아어) 참고.

- 아시시 기차역에서 도보 10분
- 06:15-12:30, 14:30-19:30
- € 무료

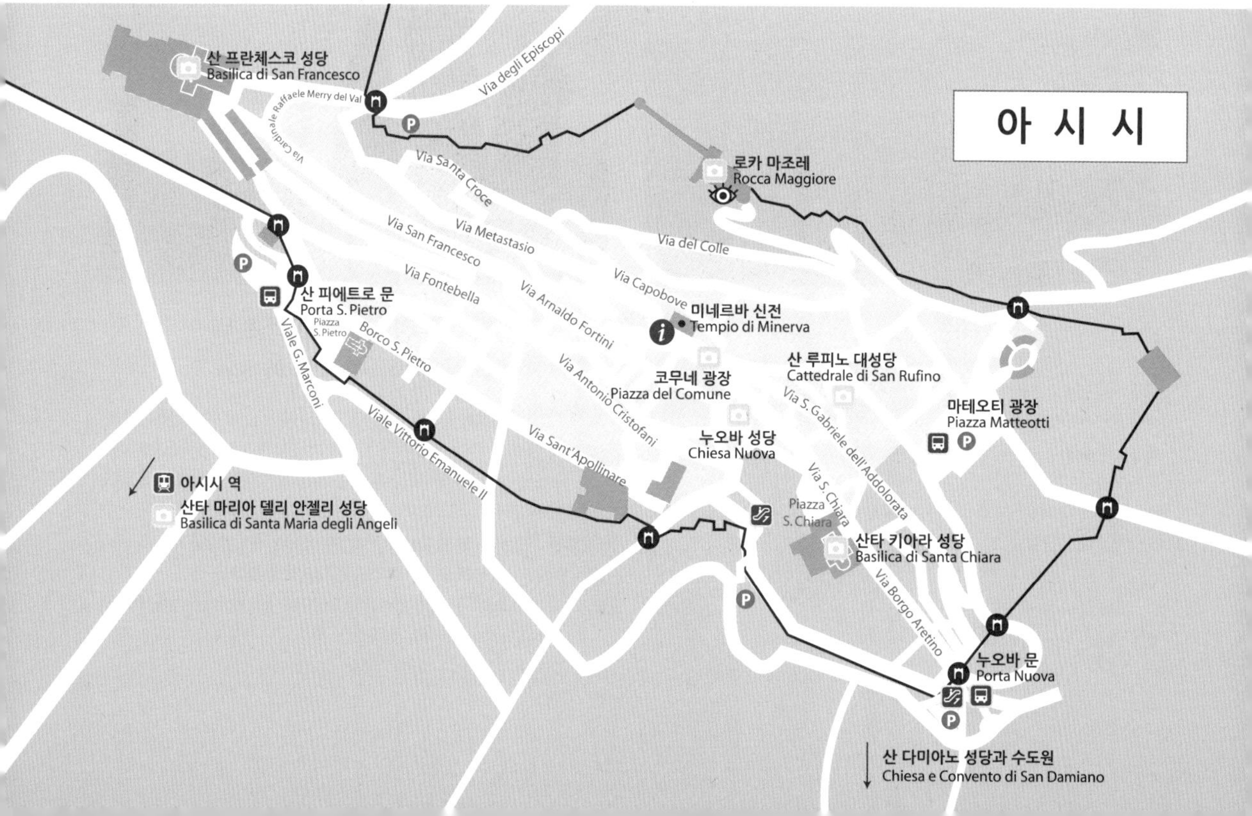

Orvieto 오르비에토

움브리아 주의 서남쪽, 깎아지른 절벽 위에 요새처럼 세워진 마을 오르비에토는 포도밭과 올리브 숲이 펼쳐진 평화로운 전원에 있어 더욱 인상적이다. BC 9세기 고대 에트루리아 시대에 세워진 마을에는 벨베데레 신전과 네크로폴리스 등의 에트루리아 유적과 로마 시대와 중세 시대의 역사적 건축물이 고스란히 남아 있다. 오르비에토는 또한 슬로 시티 운동인 'Città Slow'의 수도이자에트루리아 시대부터 와인을 생산해온 전통 있는 마을이다. 14세기에 여러 교황들이 이곳에 머무르면서 즐겨 마셔 '교황의 와인'이라는 별명을 가진 화이트 와인인 오르비에토클라시코OrvietoClassico가 특히 유명하다.

오르비에토 여행 정보 | www.orvietoviva.com

• 찾아가기 •

기차

로마 테르미니역 → 약 1시간 20분 소요 → 오르비에토역

피렌체 산타 마리아 노벨라역 → 약 2시간 20분 소요 → 오르비에토역

렌터카

로마, 피렌체 → 약 1시간 30분~2시간 소요 (A1 고속도로 이용) → 오르비에토역

* 마을 내에는 곳곳이 ZTL Zone이라 차는밖에 세우는 것이 좋다.
* 기차역 뒤편 파체 광장Piazza della Pace이나 마을과 더 가까운 캄포 델라 피에라 주차장Campo dellaFiera Car Park, 카헨 광장Piazza Cahen 근처의 비아 로마 주차장Via Roma Car Park을 이용하자.

• 시내교통 •

오르비에토 기차역에서 밖으로 나가면 작은 광장을 사이에 두고 푸니콜라레Funicolare역이 보이는데 이곳에서 푸니콜라레를 타면 마을 입구인 카헨 광장에 도착한다.카헨 광장에서 시내버스 A선을 타면 두오모 광장Piazza Duomo까지 이동할 수 있고마을 중심까지 도보로 이동할 경우에는 15분 소요된다. 또한, 기차역 맞은편 버스 정류장에서도 카헨 광장(1번), 공화국 광장(5번) 등 오르비에토 마을 내로 운행하는 다양한 노선의 버스가 다닌다. 버스 노선과 운행 시간표에 대한 좀 더 자세한 정보는 www.umbriamobilita.it 참고.

* 푸니콜라레: 편도 €1.3(버스 이용 포함), 07:15-20:30(공휴일 08:00-20:30), 10분 간격으로 운행

• 오르비에토 1일 관광 루트 •

두오모 Duomo

오르비에토의 상징인 두오모는 이탈리아 건축의 가장 화려하고 장엄한 건축물 중 하나로 손꼽힌다. 1263년 볼세나Bolsena에서 일어났던 '볼세나의 기적'을 기념하기 위해 1290년에 지어졌다. 성당 외관은 흰색과 암녹색의 두 가지 색 대리석으로 줄무늬를 이루며 웅장한 첨탑과 섬세하고 화려한 장미창, 금빛 모자이크로 장식된 고딕 양식의 파사드는 탄성을 자아낼 정도로 아름답다. 내부에 들어가면 수많은 15~16세기 이탈리아 회화의 걸작들이 있는데 가장 유명한 것이 산 브리치오 예배당Cappella di San Brizio을 장식하고 있는 루카시뇨렐리Luca Signorelli의 프레스코화로 '최후의 심판'을 묘사한 이 작품은 구원과 심판의 상반된 장면을 생생하게 표현했다.

- 카헨 광장에서 시내버스 A선을 타고 두오모 광장 하차(5분 소요), 도보로는 약 15분 소요
- 11~2월 09:30-17:00, 3월, 10월 09:30-18:00, 4~9월 09:30-19:00 / 11~2월 13:00-16:30, 3~10월 13:00-17:30(일요일과 공휴일만 해당)
- € 두오모+산 브리치오 예배당 €5(10세이하 무료)

HOT **TIP**

'볼세나의 기적'이란?

축성된 성체에 그리스도의 몸이 현존한다는 것을 의심하던 베드로Pietro da Praga 신부가 볼세나의 산타크리스티나 성당에서 미사를 집전하던 중 성체로부터 성혈이 흘러나와 성체포를 적셨던 기적을 말한다. 당시 성혈이 묻은 성체포는 교황이 있던 오르비에토로 가져와 사람들에게 공개했으며 성체포가 든 성물함은 코르포랄레 예배당Cappella del Corporale에 보관되어 있다.

오페라 델 두오모 박물관

Museo dell'Opera del Duomo

알파벳의 첫 글자를 따서 MODO라 불리는 이 박물관은 두오모 옆 솔리아노 궁전Palazzo Soliano에서 시작하여 두오모 뒤편의 교황궁PalazziPapali과 두오모와 교황궁을 연결하는 알베리 도서관 LibreriaAlbèri, 마을 끝 산 지오베날레 광장 Piazza San Giovenale에 위치한 산 아고스티노 교회Chiesa di S. Agostino까지 4개의 전시 공간을 가지고 있다. 교황궁 건물은 MODO의 핵심 전시 공간으로 중세 작품을 전시하고 있으며 가장 유명한 작품은 시모네마르티니Simone Martini의 제단화 <성 모자와 천사 Madonna con Bambino e Angeli>와 루카시뇨렐리의<막달라 마리아Santa Maria Maddalena>다. 좀 더 자세한 정보는 www.opsm.it 참고.

- 두오모 옆 솔리아노 궁전과 교황궁, 알베리 도서관, 산 아고스티노 교회
- 11~2월 09:30-17:00 (월요일 휴무), 3~10월 09:30-18:00, 4~9월 09:30-19:00
- €5 (두오모 포함)

산파트리치오 우물

Pozzo di San Patrizio

두오모 다음으로 유명한 관광 스폿인 이 우물은 연옥으로 내려가는 통로가 있다는 아일랜드의 동굴, '산 파트리치오(성 패트릭)의 연옥'에서 이름을 딴 것이다. 우물은 깊이 약 53m, 지름 약 13m에 달하며 2개의 나선형 계단(각각 248개)이 있는데 하나는 내려가는 계단, 다른 하나는 올라오는 계단으로 사람과 짐을 실은 동물이 서로 마주쳐 방해가 되지 않도록 만들었다. 72개 창문으로 들어오는 빛이 우물내부를 비추는데 바닥으로 갈수록 빛이 줄어들어 꽤 어둡다. 우물이 있는 곳은 오르비에토 계곡의 전경을 굽어볼 수 있는 전망 포인트이기도 하며 에트루리아 시대의 유적인 벨베데레 신전도 근처에 있다.

- 마을 입구의 푸니콜라레역에서 오른쪽으로 나 있는 가로수 길로 도보 1분
- 1, 2, 11, 12월 10:00-16:45, 3, 4, 9, 10월 09:00-18:45, 5~8월 09:00-20:00
- €5

지하 도시 Parco delle Grotte(Orvieto Underground)

지하 도시는 오르비에토에만 있는 색다른 관광지로2500년 전 이곳에 살았던 고대 주민들이 만든 신비로운 지하 세계를 가이드와 함께 탐험해볼 수 있다. 약 1200개의 동굴과 미로처럼 얽힌 통로로 이루어진 지하 도시는 그 규모가 상상을 초월하며 일부만이 발굴되었다. 중세 시대의 방앗간 유적이 고스란히 보존되어 있는 536번 동굴과 벽에 사각형의 작은 구멍을 만들어 비둘기를 사육하던 에트루리아 시대의 유적이 남아 있는 6번 동굴, 2 곳만 일반에게 공개하고 있다. 두오모 광장 관광 안내소 옆 매표소에서 표를 구입하면서 가이드 투어 시간을 예약하면 되며 영어, 이탈리아어, 프랑스어 등으로 약 45분간 진행된다.

- 두오모 광장 관광 안내소 옆 매표소에서 입장권 판매
- 매일 11:00/12:15/16:00/17:15 가이드 투어 진행(성수기에는 15분마다 투어 진행), 12/25 휴무
- € €8, 5세 이하 무료

© Orvietounderground.it

포폴로 궁전 Palazzo del Popolo

13~14세기에 지어진 로마네스크 고딕 건축양식의 건물로 현재는 콘퍼런스 센터로 이용되며 외부에 있는 계단을 올라가면 주변의 멋진 풍경을 감상할 수 있는 테라스가 나온다. 궁전 앞의 포폴로 광장은 마을의 중심 광장으로 평소에는 주차장으로 사용되고 매주 목요일과 토요일에는 채소와 과일, 꿀, 치즈 등 주민들이 직접 생산한 여러 가지 농산물과 가공품을 판매하는 시장으로 바뀐다.

- 카헨 광장에서 카부르 거리Corso Cavour를 따라 도보 15분, 두오모에서 도보 5분

공화국 광장 Piazza della Repubblica

고대 로만 포럼이 있던 장소로 추정되는 공화국 광장은 다양한 상점과 레스토랑이 있어 항상 사람들로 붐비는 곳으로 시청사인 팔라초코뮤날레Palazzo Comunale와 산 안드레아 교회Chiesa di Sant'Andrea가 있다. 1216년에 세워진 시청사는 16세기 말 이폴리토스칼자IppolitoScalza에 의해 우아하고 위엄 있는 건물로 탈바꿈했으며 로마네스크 고딕 양식의 산 안드레아 교회는 12각형의 아름다운 종탑으로 유명하다. 광장에서 멀지 않은 곳에 42m 높이의 모로 탑Torredel Moro이 있는데 이곳 테라스에 오르면 오르비에토 마을의 360도 전경을 감상할 수 있다(모로 탑 테라스 €3.8).

- 포폴로 광장에서 도보 4분,두오모에서 도보 7분
- 모로 탑 테라스 3, 4, 9, 10월 10:00-19:00, 5~8월 10:00-20:00, 11~2월 10:30-16:30

ORVIETO SPECIAL

치비타 디 바뇨레지오

Civita di Bagnoregio

미야자키 하야오의 애니메이션에 나오는 '천공의 성 라퓨타'처럼 홀로 외롭게 고립되어 있는 마을, 치비타 디바뇨레지오는 오르비에토에서 버스를 타고 더 들어가야 나오는 작은 마을이다. 계곡 안, 깎아지른 언덕 위에 마치 그 언덕과 원래부터 하나인 양 자리 잡고 있는 마을은 긴 다리를 걸어 들어가야 한다. 에트루리아 시대에는 무역로들과 연결된 중요 도시였던 이 마을이 고립된 것은 단단하지 않은 이 지역 응회암이 비와 바람에 깎여 나가면서 이루어진 결과물이다. 다리를 건너기 전에 다리 앞 주차장에 있는 매표소에서 마을 입장 티켓(€3)을 구입해야 한다. 시간이 넉넉하다면 다리를 건너기 전에 치비타 디 바뇨레지오와 주변 계곡의 파노라믹 경치를 감상할 수 있는 벨베데레Belvedere 전망대도 들러보자.

버스 오르비에토의 카헨 광장 또는 기차역 맞은편 광장에서 COTRAL사의 버스를 타고 먼저 바뇨레지오의 주세페 가리발디 거리Via Giuseppe Garibaldi에 있는 버스 정류장까지 이동한 후 바뇨레지오 마을을 가로질러 치비타 디 바뇨레지오 마을 입구의 다리까지 20분 정도 걸어가야 한다. 버스는 주중과 토요일에 아래의 시간표대로 운행하며 일요일과 공휴일에는 운행하지 않는다. 단, 시즌 별로 버스 운행 시간이 변경되므로 정확한 운행 시간표는 여행 전 www.cotralspa.it 에서 꼭 확인하자. 버스가 연착되는 경우가 많아 시간을 여유 있게 잡는 것이 좋으며 돌아오는 버스 시간 확인은 필수이다. 버스 티켓은 왕복으로 구입하자.

오르비에토(카헨 광장) → 바뇨레지오 버스 시간표

06:30 / 08:00 / 09:25 / 12:55 / 13:10 / 14:05 / 15:55 / 17:50 / 18:30

바뇨레지오 → 오르비에토(카헨 광장) 버스 시간표

05:30 / 06:50 / 09:55/ 13:00 / 14:25 / 17:25

SOUTH

ITALIA

Napoli 나폴리

'세계 3대 미항'으로 명성을 떨치던 항구도시 나폴리는 지금도 아름다운 성당과 유명 피자리아가 가득한 구시가지, 탁 트인 항구의 풍경으로 세계 관광객들을 끌어들이고 있다. 베수비오 화산과 바다, 도시가 어우러진 전경을 보고 싶다면 항구 근처에서 푸니콜라레를 타고 산 텔모 성으로 올라가보자. 소매치기와 지저분한 거리로 악명 높은 도시이니만큼 소지품 관리에 각별히 주의하는 것이 좋다.

나폴리 여행 정보 | www.visitnaples.eu

• 찾아가기 •

기차

로마 테르미니역 → 초고속 열차로 약 1시간 10분 소요 → 나폴리 중앙역

제수 누오보 성당 Chiesa del Gesù Nuovo

1470년 살레르노의 왕자 로베르토 산세베리노Roberto Sanseverino를 위해 지어진 궁전을 개조한 성당이다. 삼각뿔이 촘촘히 박힌 독특한 파사드가 눈에 띄며 내부에서는 다채로운 색상의 대리석 바닥과 기둥, 화려함의 극치를 보여주는 애프스, 바로크 시대의 프레스코화를 볼 수 있다.

- 메트로 1호선 Dante역에서 도보 6분
- 월~토요일 08:00-13:00, 16:00-19:30, 일요일 08:00-13:45, 16:00-20:00
- € 무료

나폴리 두오모 Duomo di Napoli

13세기에 지어진 성당이며 1456년에 지진으로 많은 부분이 파괴되어 보수되었다. 이 성당은 나폴리의 수호성인 산 제나로San Gennaro의 응고된 피가 담긴 유리병을 보관하고 있는데 매년 세 차례 '산 제나로의 기적' 미사를 드릴 때 이 응고된 피가 액체로 변하지 않으면 나폴리에 큰 재앙이 닥친다고 전해진다.

- 메트로 2호선 Cavour역에서 도보 10분
- 월~토요일 08:30-13:30, 14:30-19:30, 일요일 08:00-13:00, 16:30-19:30
- € 무료

산타 키아라 성당과 수도원
Chiesa e Monastero di Santa Chiara

14세기에 지어진 산타 키아라 성당과 수도원, 박물관이 함께 있으며 성당 뒤편의 수도원 정원은 마졸리카Majolica타일로 장식된 의자와 기둥이 곳곳에 있는 레몬 나무와 어우러져 이국적 분위기가 물씬 풍긴다.

- 제수 누오보 성당 맞은편에 위치
- **성당** 월~토요일 08:00-12:45, 16:30-20:00, 일요일 09:00-12:45, 16:30-20:00 **수도원** 월~토요일 09:30-17:30, 일요일, 공휴일 10:00-14:30
- € **성당** 무료 **수도원** €6, 6세 미만 무료

국립 고고학 박물관

Museo Archeologico Nazionale di Napoli(MANN)

유럽 최고의 고고학 박물관으로 손꼽히는 박물관으로 부르봉Bourbon 왕가의 카를로스 3세Carlos III의 고대 예술품을 기반으로 문을 열었다. 알렉산더 대왕과 다리우스 3세의 전투를 묘사한 벽화 <이소스 전투Battaglia di Isso>, 카라칼라 욕장Terme di Caracalla에서 발견된 <파르네세 황소Toro Farnese> 등이 유명하다. 중간층에 있는 가비네토 세그레토Gabinetto Segreto(비밀의 방)에는 폼페이와 헤르쿨라네움에서 출토된 선정적인 벽화, 부조, 조각품 등이 따로 전시되어 있다.

- 메트로 1호선 Museo역에서 도보 2분 / 제수 누오보 광장에서 도보 15분
- 수~월요일 09:00-19:30, 화요일, 1/1, 12/25 휴관, 화요일이 공휴일인 경우 수요일 휴관
- €22, 10~3월 매달 첫째 주 일요일 무료

스파카 나폴리

Spacca Napoli

스파카는 '나누다'라는 의미로 베네데토 크로체 거리Via Benedetto Croce와 산 비아지오 데이 리브라이 거리Via San Biagio dei Librai가 나폴리를 둘로 나눈 듯 보여 붙여진 이름이다. 오래된 상점과 레스토랑들이 들어서 있어 소박하고 활기찬 나폴리를 만날 수 있다.

- 메트로 1호선 Dante역에서 도보 6분

움베르토 1세 갤러리

Galleria Umberto I

1890년에 완공된 아케이드 쇼핑 거리로 밀라노의 비토리오 에마누엘레 2세 갤러리Galleria Vittorio Emanuele II를 모델 삼아 건축한 것이다. 쾌적하게 쇼핑을 하거나 쉬어 가기에 좋다.

- 메트로 1호선 Municipio역에서 도보 6분 / 누오보 성에서 도보 4분

플레비시토 광장 Piazza del Plebiscito

항구 근처에 있는 넓은 광장으로 산 프란체스코 디 파올라 성당Basilica Reale Pontificia di San Francesco di Paola과 왕궁Palazzo Reale이 마주 보고 있으며 1860년에 문을 연 감브리너스 카페도 한쪽에 자리 잡고 있다. 한적하고 조용해서 한숨 돌리기 좋다.

메트로 1호선 Municipio역에서 도보 8분

누오보 성 Castel Nuovo

항구에 있는 5개의 원통형 탑을 가진 웅장한 성. 1282년 프랑스의 샤를 1세가 세웠으며 1443년 스페인의 아라곤 왕조 때 지금의 모습으로 바뀌었다. 현재는 시립 박물관Museo Civico으로 사용되는데 13세기 모습이 남아 있는 곳은 팔라티나 예배당Cappella Palatina뿐이다.

메트로 Municipio역에서 도보 4분 / 플레비시토 광장에서 도보 6분

월~토요일 08:30-17:00, 일요일 휴무 € €6

오보 성 Castel dell'Ovo

나폴리에서 가장 오래된 성으로 성 어딘가에 묻힌 항아리 속의 달걀이 깨지면 성도 무너지고 나폴리에 위기가 닥친다는 전설이 전해져 '달걀 성'이라는 이름이 붙여졌다. 성의 테라스에서는 바다와 항구, 해안가 주변으로 들어선 건물들의 아름다운 풍경을 감상할 수 있다. 단, 현재 리노베이션 중으로 재오픈 날짜는 미정이다.

플레비시토 광장에서 도보 15분

€ 무료

NAPOLI SPECIAL

쫄깃하고 담백한 맛! 정통 '피자 나폴리타나'를 맛보고 싶다면

나폴리 3대 피자리아

Antica Pizzeria da Michele

1870년에 문을 연 유서 깊은 피자리아. 메뉴는 마르게리타Margherita와 마리나라Marinara 딱 2가지이며 크기에 따라 가격이 €0.5씩 차이가 난다. 'da Michele'라고 이름 붙인 유사 피자리아들이 많으니 주소를 잘 확인하고 찾아가자.

- 나폴리 중앙역에서 도보 15분
- Via Cesare Sersale 1/3, 80139 Napoli
- +39 081 553 9204
- 매일 11:00-23:00
- 피자 €5.5

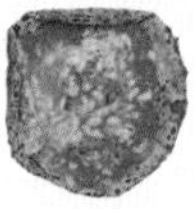

Pizzeria Di Matteo

나폴리 3대 피자리아 중 가장 소박하고 서민적 분위기를 느낄 수 있는 곳으로 가격대도 다른 곳보다 저렴한 편이다. 빌 클린턴 대통령, 프란치스코 교황이 다녀간 후 더 유명해졌다. 아란치니, 프리타티나(크림소스에 버무린 마카로니 튀김) 등도 판매한다.

- 메트로 Dante역에서 도보 10분
- Via dei Tribunali 94, 80138 Napoli
- +39 081 455262
- 월~토요일 10:00-23:00, 일요일 휴무
- 피자 €6~10, 아란치니, 프리타티나 €2

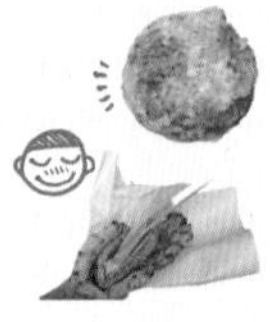

Pizzeria Brandi

1889년에 사보이의 여왕 마르게리타Margherita가 움베르토 1세Umberto I와 함께 나폴리를 방문했을 때 여왕을 위해 마르게리타 피자를 처음으로 만든 곳이다. 다른 피자리아보다 더 쫄깃한 도우를 자랑하는데 가격은 약간 높은 편이다. 명성에 비해 호불호가 갈리니 참고하자.

- 플레비시토 광장에서 도보 4분
- Salita Sant'Anna di Palazzo 1/2, 80132 Napoli
- +39 081 416928
- 화~일요일 12:30-16:00, 19:30-23:30, 월요일 휴무
- 피자 €6~12

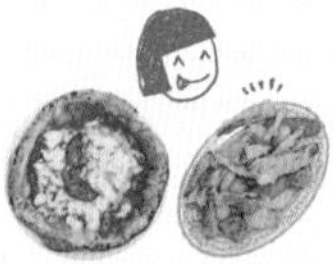

Restaurant & Café

Gran Caffè Gambrinus

1860년에 문을 연 나폴리에서 제일 오랜 역사를 지닌 카페이다. 잠시 시간을 보낼 거라면 자릿세 €6가 추가되지 않는 바에서 마시는 것을 추천한다. 유명한 메뉴는 진한 에스프레소에 설탕을 넣어 커피 크림을 만든 후 카카오 가루를 듬뿍 뿌려주는 카페 스트라파짜토Caffè Strapazzato이다.

- 메트로 Municipio역에서 도보 8분
- Via Chiaia 1/2, 80132 Napoli
- +39 081 417582
- 07:00-01:00
- 카푸치노 €5.5, 카페 스트라파짜토 €6, 그 외 커피 €4~7

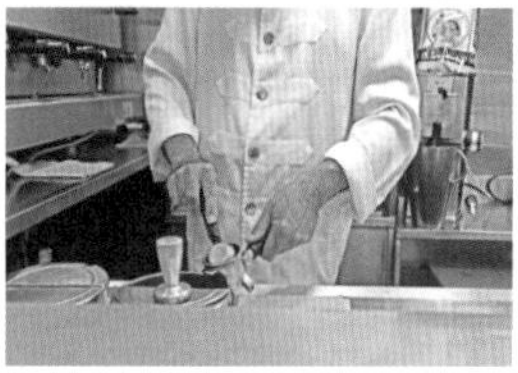

Mexico

나폴리 중앙역 앞에 있어 잠깐 들러 커피 한잔 하기에 좋다. 진하면서도 고소한 맛이 일품인 에스프레소가 유명한데 테이블은 없고 바에서 마시면 된다. 원두 및 다양한 베이커리도 판매한다. 단테 광장Piazza Dante에 자리한 바 멕시코도 인기가 좋다.

- 나폴리 중앙역에서 도보 2분
- Piazza Giuseppe Garibaldi 72, 80142 Napoli
- +39 081 283121
- 월~토요일 06:00-19:00, 일요일 휴무
- 커피 €1.1~2.5

HOT **TIP**

커피와 함께 곁들여 먹으면 좋은 나폴리 전통 돌체

스폴리아텔레Sfogliatelle

얇은 반죽을 겹겹이 말아 조개 모양으로 만들어 구운 페이스트리. 리코타 치즈나 오렌지 같은 과일을 넣기도 한다.

바바Babà

부드러운 케이크를 럼주로 만든 시럽에 담근 송이버섯 모양의 돌체. 크림이나 과일을 안에 채우거나 올려 먹기도 한다.

나 폴 리
시외 버스 터미널
나폴리 중앙역
나폴리 가리발디역
Garibaldi
Mexico
가리발디 광장
Piazza Garibaldi
Via G. Ferraris
Corso Giuseppe Garibaldi
Via Nuova Marina
Piazza San Francesco
Piazza del Mercato
Castel Capuano
Corso Umberto I
Via Forcella
Via Cesare Sersale
Via Giudecca Vecchia
Antica Pizzeria da Michele
두오모
Duomo di Napoli
Via dei Tribunali
Via Duomo
Pizzeria di Matteo
Via San Biagio Dei Librai
Via Benedetto Croce
스파카 나폴리
Spacca Napoli
Universita'
Piazza Bovio
Calata Porta di Massa
Via Agostino Depretis
몰로 베베렐로 항구
Molo Beverello
(카프리행 페리 선착장)
Cavour
Via Foria
Museo
산세베로 예배당 박물관
Museo Cappella Sansevero
Piazza San Domenico Maggiore
산타 키아라 성당과 수도원
Chiesa e Monastero di Santa Chiara
제수 누오보 성당
Chiesa del Gesu Nuovo
Via S. M. di Costantinopoli
Dante
Piazza Dante
Toledo
Via Medina
Municipio
Piazza Municipio
Via Acton
Via Ammiraglio Ferdinando Acton
누오보 성
Castel Nuovo
Piazza Museo
Via Toledo
Piazza Carità
Via Paolo Emilio Imbriani
Via Cesario Console
Via Nazario Sauro
Via Santa Lucia
Palazzo Reale
산 카를로 극장
Teatro di San Carlo
Gran Caffè Gambrinus
플레비시토 광장
Piazza del Plebiscito
산타 루치아 항구
Porto Santa Lucia
Via Chiatamone
Via Partenope
오보 성
Castel dell'Ovo
Via S. Teresa degli Scalzi
국립 고고학 박물관
Museo Archeologico Nazionale di Napoli, MANN
Via Materdei
Via Salvator Rosa
Via Montesanto
Augusteo
움베르토 1세 갤러리
Galleria Umberto I
Via Nardones
Via Chiaia
Strada Monte di Dio
Montesanto
Scala Montesanto
Corso Vittorio Emanuele
Pizzeria Brandi
Petraio
Via G. Nicotera
Materdei
Via Renato Imbriani
Via Matteo Renato Imbriani
Corso V. Emanuele
Museo Nazionale di San Martino
Via Gaetano Filangieri
Piazza dei Martiri
Via D. Morelli
Piazza Vittoria
Via Cavallerizza
Via dei Mille
Via Carlo Poerio
산 텔모 성
Castel Sant'Elmo
Via Francesco Caracciolo
Via Tito Angelini
Via Giacinto Gigante
Salvator Rosa
Morghen
Margherita
Via Vittoria Colonna
Villa Comunale
Fuga
Amedeo
Riviera di Chiaia
Via Cimarosa
Cimarosa
Via Giuseppe Orsi
Via Gennaro Ad Antignano
Via Gian Lorenzo Bernini
Piazza Medaglie d'Oro
Via Ugo Niutta
Vanvitelli
Parco di Villa Floridiana
Viale Anton Dohrn
Medaglie D'Oro
Via Giotto
Corso Vittorio Emanuele
Via Francesco Crispi
Via Pietro Castellino
Quattro Giornate
Via Saverio Altamura
Via Simone Martini
Via Aniello Falcone
Via Tasso
Via Piedigrotta
Via Giordano Bruno
Via Antonio Gramsci
Viale Antonio Gramsci
Via Francesco Caracciolo
Mergellina

Sorrento 소렌토

이탈리아 민요 '토르나 아 수리엔토Torna a Surriento(돌아오라 소렌토로)'로 유명한 낭만적인 항구도시로 야자수가 즐비한 이국적 거리와 비토리아 광장Piazza della Vittoria에서 바라보는 시원한 쪽빛 바다의 풍경이 매력적이다. 아말피 해안에 있는 포지타노, 아말피 등의 마을로 가는 SITA 버스가 소렌토에서 출발하며, 카프리섬과 나폴리로는 페리로도 이동할 수 있다.

• 찾아가기 •

기차

나폴리 공항 → 소렌토 사철역
사철로 약 50분~1시간 10분 소요
€4.9(급행은 €15)

버스

포지타노 → 소렌토
SITA 버스로 약 40~50분, 편도 €2.2

페리

카프리 마리나 그란데 항구 → 소렌토
고속 페리로 20~30분 소요
€16.4~

나폴리 몰로 베베렐로 항구 → 소렌토
고속 페리로 약 40분 소요
€15.2~

렌터카

나폴리 공항 → 소렌토
약 1시간 10분 소요
A56 고속도로와 SS145 도로 이용

• 시내 교통 •

소렌토는 도보로 충분히 관광할 수 있어 버스를 탈 일은 거의 없다. 단, 사철역에서 마리나 피콜라 항구로 바로 이동하거나 중심지에서 약간 떨어져 있는 소렌토 힐튼 호텔, 소렌토 인근 마을들(Meta, Piano, Sant'Agnello 등)로 이동할 때는 EAV 버스(주황색, 빨간색)를 이용하면 된다. 티켓 가격은 €1.2이며 타비키나 사철역에서 구입할 수 있다. 마리나 피콜라 항구로 가는 것은 B, C 노선을 타면 되고 이 외에도 여러 노선이 있으니 목적지를 확인하고 이용하자.

HOT TIP

- 소렌토에서 아말피 해안으로 가는 SITA 버스 티켓은 소렌토 사철역에서 나와 왼쪽에 있는 타바키에서 구매하면 된다.
- 버스 티켓 구입 후 바로 SITA 버스 정류장으로 이동해 버스를 기다리도록 하자. 특히 성수기에는 줄이 길어 서서 가야 하는 상황이 생길 수도 있다.
- 소렌토에서 포지타노, 아말피로 갈 때는 버스 진행 방향 오른쪽(특히 맨 앞 좌석)에 앉아야 바다 풍경이 잘 보인다.
- 소렌토 항구로 갈 때는 비토리아 광장, 임페리얼 트라몬타노Imperial Tramontano 호텔 쪽에 있는 엘리베이터(편도 €1.1, 왕복 €2)를 타면 편하게 이동할 수 있다.

타소 광장 Piazza Tasso

소렌토 여행의 시작점이자 중심지인 타소 광장은 소렌토 출신의 가장 위대한 시인, 토르콰토 타소Torquato Tasso의 이름을 따온 것이다. 바, 레스토랑, 상점이 광장을 둘러싸고 있으며 광장 앞으로 살짝 드러난 바다가 운치를 더한다. 광장에 자리한 바에 앉아 여유로움을 즐겨도 좋지만 타소 광장을 중심으로 사방으로 뻗어 있는 거리를 누비는 시간도 떼어두자. 소렌토 레몬이라 알려진 Femminello Santa Teresa 레몬으로 만든 제품이 코끝을 자극하고 알록달록한 도자기 제품을 보는 재미도 쏠쏠하다. 소렌토는 예전부터 목공예 고장으로도 유명했으며 상감세공품을 볼 수 있는 작은 박물관 겸 숍 Museo Bottega della Tarsia Lignea도 산 니콜라 거리Via S. Nicola에 숨어 있다.

📍 소렌토 사철역에서 도보 7

Ristorante Zi Ntonio

타소 광장에 있는 가성비 최고의 레스토랑으로 €15에 선보이는 3코스 메뉴가 있다. 해산물 요리, 파스타 등 다양한 음식이 있으며 메뉴에 사진이 있어 주문이 편리하다. 푸짐한 스페셜 해산물 리조토Risotto alla Pescatora 'Special' con Crostacei, 문어 샐러드Insalata di Polipo 등이 맛있다. 홈페이지(www.ristorantezintonio.it)에서 예약이 가능하다.

- Via Luigi de Maio 11, 80067 Sorrento
- +39 081 878 1623
- 목~화요일, 12:00-15:30, 18:00-24:00, 수요일 휴무
- € 파스타, 리조토, 메인 요리 €14~30

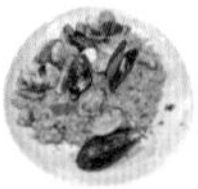

Gelateria David

소렌토 사철역 앞에 위치한 젤라테리아로 수제 젤라토를 비롯하여 와플, 샌드위치, 핫도그 등의 간단한 먹거리를 판매한다. 주민, 특히 학생들이 자주 찾는 만남의 장소이기도 하며 콘에 담아 주는 젤라토는 콘의 종류와 크기에 따라 가격이 달라진다.

- Via Marziale 19, 80067 Sorrento
- +39 081 807 3649
- 목~화요일 08:30-01:00, 수요일 휴무
- € 콘 젤라토 €2~6

Pompeii 폼페이

서기 79년 8월 24일 베수비오 화산의 폭발로 화산재에 묻힌 비운의 도시. 당시 로마 귀족들의 별장이 있던 화려하고 세련된 문화생활을 누리던 휴양도시로 공회장, 목욕탕, 대극장, 원형경기장 등 수많은 유적이 발굴되었다. 미처 대피하지 못한 2000명 정도의 주민들은 하늘에서 쏟아지는 화산 분출물에 자신이 있던 그 자리에 묻혀 버리고 말았다.

- 4~10월 09:00-19:00, 11~3월 09:00-17:00, 1/1, 5/1, 12/25 휴무
- € €19, 18세 미만은 여권 소지 시 무료
- @ www.pompeiisites.org

• 찾아가기 •

기차

나폴리
피아차 가리발디역

사철로 약 25~37분 소요, €3.2(급행은 €15)
→
자세한 운행 시간은 www.eavsrl.it 참고

폼페이 스카비
빌라 데이 미스테리역

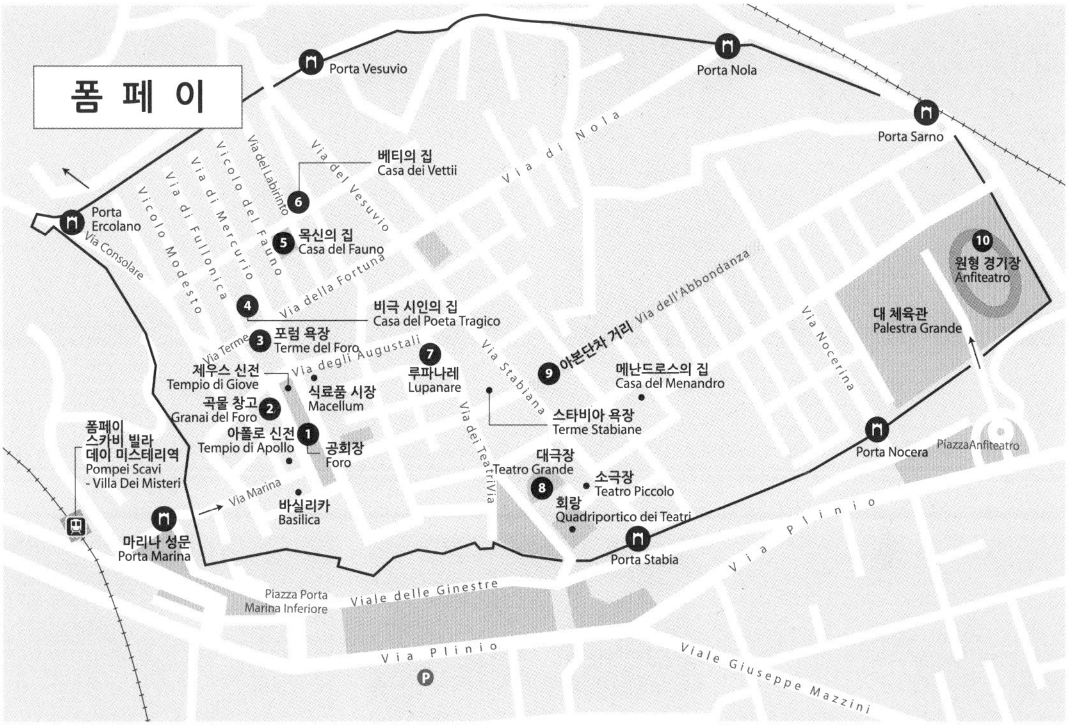

❶

폼페이의 중심지였던 직사각형 모양의
널찍한 공회장Foro

❷

발견된 유물과 죽은 사람들의 석고상이 전시되어 있는
곡물 창고Granai del Foro

3

온탕과 사우나까지 갖춘 대중 목욕탕 포럼 욕장Terme del Foro

4

현관에 사나운 개의 모자이크와 라틴어로 CAVE CANEM(개 조심)이라는 경고문이 있는 비극 시인의 집Casa Del Poeta Tragico

5

춤추는 파우노(목신) 상이 발견된 귀족의 저택인 목신의 집Casa del Fauno

6

보존 상태가 좋은 부유한 상인 저택인 베티의 집
Casa dei Vettii

7

선정적인 벽화가 그려져 있는 유곽 루파나레
Lunapare

8

5000명을 수용할 수 있는 그리스식 극장인 대극장
Teatro Grande

9

폼페이의 중심 대로였던 아본단차 거리
Via dell'Abbondanza

10

1만 명까지 수용할 수 있었던 원형경기장Anfiteatro과 야외 대 체육관Palestra Grande

Capri

카프리

나폴리 만에 숨겨진 화려한 보석 같은 매혹적인 섬. 로마 시대에는 황제들의 별장지로 사랑받았고 지금은 하루 1만 명 이상 방문하는 고급 휴양지로 거듭났다. 푸른 동굴과 카프리 마을, 아나카프리 마을까지 모두 둘러보려면 당일 여행으로는 시간이 부족할 수 있기 때문에 꼭 보고 싶은 스폿 위주로 보는 것이 좋다. 겨울에는 대부분의 레스토랑과 숙소들이 문을 닫으니 참고하자.

카프리 여행 정보 | www.capritourism.com / www.capri.net

• 찾아가기 •

페리

나폴리 몰로 베베렐로 페리 선착장 → 카프리 마리나 그란데 페리 선착장

약 50분~1시간 소요, 편도 €22.8~27(온라인 예약 시, 예약비 별도)

자세한 운행 시간은 www.capri.net 참고

소렌토 마리나 피콜라 페리 선착장 → 카프리 마리나 그란데 페리 선착장

약 20~30분 소요, 편도 €18.9~23.5(온라인 예약 시, 예약비 별도)

자세한 운행 시간은 www.capri.net 참고

푸른 동굴 Grotta Azzurra

카프리 섬의 상징이라고도 할 수 있는 푸른 동굴은 날씨, 파도의 영향으로 1년에 100일 정도만 들어갈 수 있다. 넓이 2m, 높이 1.3m에 불과한 입구를 배에 눕다시피 통과하여 잠시 숨을 죽이면 세상 어디에서도 볼 수 없는 푸른 황홀경으로 빠져든다. 말로 형용할 수 없는 오묘한 푸른색은 카메라에도 고스란히 담을 수 없으므로 동굴 안에서 머무는 3~5분 동안 모든 감각을 동원하여 온전히 집중하는 것이 현명하다. 뱃사공들이 노골적으로 팁을 요구하니 잔돈(2인 기준 약 €5)을 미리 준비해두자. 오픈 시간은 09:00~17:00이지만 기상 상황에 따라 유동적이다.

푸른 동굴 가는 방법

1 **마리나 그란데 항구 출발** 마리나 그란데 항구에서 푸른 동굴 입구까지 보트로 이동(€15~18)→ 푸른 동굴 앞에서 작은 배로 환승한 후 푸른 동굴 입장(€15) : 총 금액 €30~33

2 **아나카프리 출발** 푸른 동굴행 버스를 타고 이동(€2.4 / 승차하여 구입 시 €2.9)→ 동굴 입구까지 계단으로 내려가 작은 배로 동굴 입장(€15) : 총 금액 €17.4

카프리 Capri

섬 동쪽에 자리 잡은 마을로 중심에 시계탑, 바로크 양식의 성당, 카페, 부티크 상점들이 있는 움베르토 1세 광장Piazza Umberto I이 있다. 카프리 섬의 아름다운 풍경을 감상하고 싶다면 아우구스투스 정원Giardini di Augusto으로 향하자. 바다 쪽으로 난 정원 벤치에 앉아 곱디고운 푸른 바다를 마주하다보면 모든 것이 잊힌다.

마리나 그란데 항구에서 푸니콜라레(€2.2)로 4~5분

아나카프리 Anacapri

카프리 마을보다 평균 150m 더 높은 곳에 있는 마을로 소박하고 정겨운 매력을 풍긴다. 이곳에서 카프리 섬의 최고봉, 솔라로 산Monte Solaro 전망대에 오를 수 있는데 전망대행 1인용 리프트(왕복 €14)를 이용하면 약 10분 동안 아름다운 경치와 함께 스릴을 만끽할 수 있다.

마리나 그란데 항구에서 미니버스로 25분

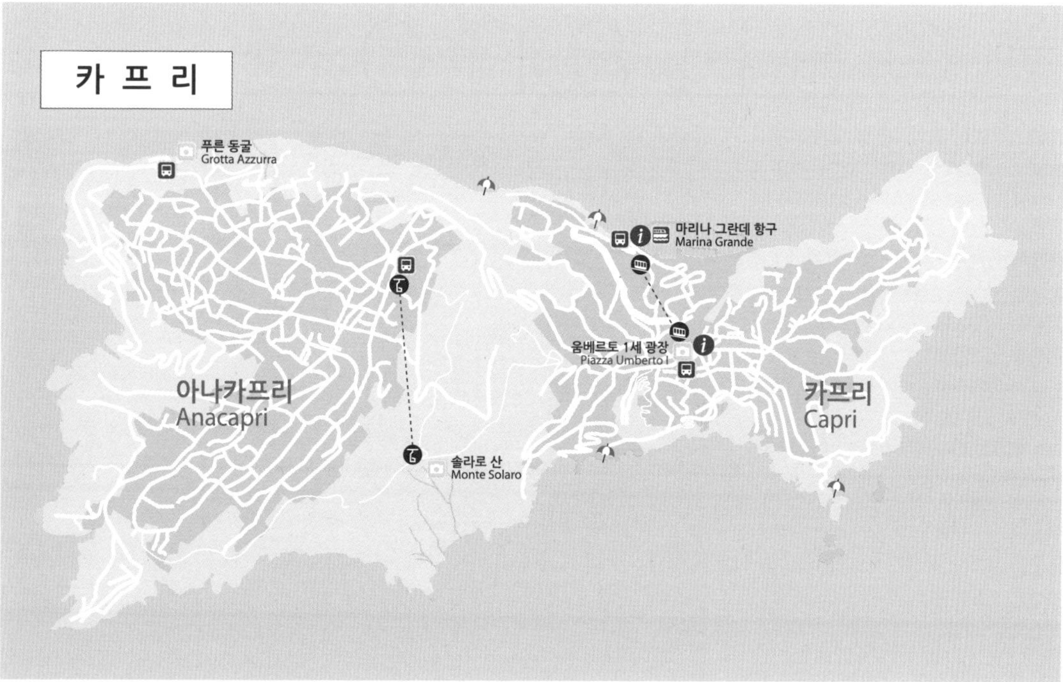

Positano 포지타노

50km에 이르는 아말피 해안을 따라 들어선 마을 중 가장 환상적인 경치를 자랑하는 마을. 누구나 꿈꾸는 휴양지로 깎아지른 절벽을 따라 이어진 곡선 도로에 고운 빛깔의 집들이 층층이 들어서 비경을 만들어낸다. 마졸리카 타일로 화려하게 장식된 돔이 있는 산타 마리아 아순타 성당 Chiesa di Santa Maria Assunta과 바다가 어우러진 절경을 한눈에 담고 싶다면 콜롬보 거리Via Cristoforo Colombo를 따라 걸어보자. 소렌토에서 포지타노로 향할 때는 오른쪽 앞좌석이 명당자리이며 소렌토에서 당일 여행으로 다녀올 경우 버스 왕복 티켓을 구입하는 것이 편하다.

찾아가기

버스

소렌토 역 앞 SITA 버스 정류장 → 포지타노 SITA 버스 정류장

SITA 버스로 약 50분~1시간 소요, 편도 €2.2 (일일권 €10)

자세한 운행 시간은 www.sitasudtrasporti.it/orari 참고

페리

소렌토 마리나 피콜라 페리 선착장 → 포지타노 페리 선착장

약 30~40분 소요, 편도 €16

자세한 운행 시간은 www.alilauro.it/en 참고
(4~10월만 운행)

Da Vincenzo

1958년에 문을 연 전통 있는 레스토랑으로 음식도 맛있고 친절하다. 봉골레 파스타, 문어, 홍합 요리 등의 해산물 요리를 추천한다. 테라스 좌석은 분위기는 좋지만 차도 바로 옆이라 차가 많이 지나가는 점은 감안해야 한다. 성수기 저녁 시간에는 미리 예약을 하고 방문하는 것이 좋다.
직원이 영어를 잘해 주문하기도 편하다.

- Viale Pasitea 172, 8401 7 Positano
- +39 089 875 128
- 목~화요일 12:15-14:25, 18:15-22:45, 수요일 휴무
- 파스타 €13~25, 메인 €25~50

Amalfi 아말피

아말피 코스트의 중심이 되는 마을로 헤라클레스가 자신의 연인이 죽자 세상에서 가장 아름다운 장소에 묻어주고 그녀의 이름을 붙인 곳이 바로 아말피라는 전설이 전해진다. 3시간이면 구석구석까지 다 둘러볼 수 있으며 산책하다가 간식이 생각날 때는 상큼한 레몬 크림 케이크Delizie al Limone를 맛보자. 소렌토에서 아말피로 이동할 때는 버스 오른쪽, 살레르노에서 아말피로 이동할 때는 버스 왼쪽에 앉아야 해안 풍경을 감상할 수 있다.

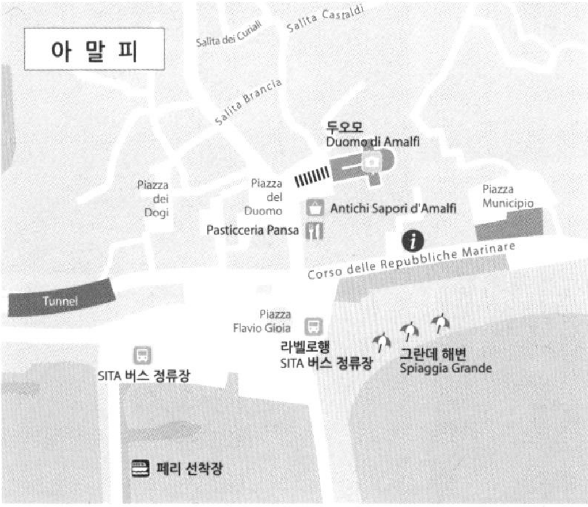

찾아가기

버스

소렌토 역 앞 SITA 버스 정류장 → SITA 버스로 약 1시간 40분 소요, 편도 €2.9 → 아말피 플라비오 조이아 광장 SITA 버스 정류장

자세한 운행 시간은 www.sitasudtrasporti.it/orari 참고

페리

포지타노 페리 선착장 → 약 25분 소요, 편도 €10 → 아말피 페리 선착장

살레르노 콩코르디아 광장 앞 페리 선착장 → 약 35~40분 소요, 편도 €10 → 아말피 페리 선착장

자세한 운행 시간은 www.travelmar.it/en 참고

두오모 Duomo di Amalfi

아말피 마을의 두오모인 성 안드레아 대성당Cattedrale di Sant'Andrea은 아말피의 수호성인인 성 안드레아의 유해를 모신 곳으로 9세기에 지어졌다. 여러 가지 건축 양식이 혼합되어 이국적인 정취를 풍기는데 특히 화려한 파사드와 종탑, 성당 왼쪽에 있는 무어 양식의 천국의 회랑Chiostro del Paradiso이 압권이다. 두오모 광장 분수대에는 X자형 십자가를 지고 있는 성 안드레아 조각상이 있다. 여름철 10:00-17:00에는 천국의 회랑을 통해서만 성당에 입장할 수 있다.

- 플라비오 조이아 광장Piazza Flavio Gioia에서 도보 2분
- 여름철 09:00-19:00, 겨울철 10:00-15:15, 1~2월은 보통 미사 시간에만 오픈 € 입장료 €3

Pasticceria Pansa

1830년에 문을 연 카페로 캄파니아 주를 대표하는 디저트인 스폴리아텔레 Sfogliatelle를 비롯하여 티라미수, 크루아상 등 다양한 디저트와 초콜릿, 커피 등을 판매한다. 레몬 크림 케이크는 꼭 맛보도록 하자. 건물에는 'ANDREA PANSA'로 되어 있다.

- 두오모 계단 Antichi Sapori d'Amalfi 옆
- Piazza Duomo 40, 84011 Amalfi
- +39 089 871 065 07:30-24:00
- € 레몬 크림 케이크 및 디저트 €5~6, 커피 €3~6

Antichi Sapori d'Amalfi

이탈리아 남부의 특산물인 레몬을 이용한 리몬첼로, 초, 비누, 초콜릿 등 다양한 제품을 생산하고 판매하는 곳이다. 레몬 중에서도 뛰어난 풍미와 진한 향으로 가장 높은 평가를 받는 스푸사토 아말피타노Sfusato amalfitano를 사용하여 제품을 만들며 중개인 없이 가족이 직접 경영하고 있어 비교적 저렴한 가격으로 구입할 수 있다.

- 두오모 계단 오른쪽 바로 옆
- Piazza Duomo 39, 84011 Amalfi 09:30-21:30
- @ www.antichisaporidamalfi.it

Ravello

라벨로

아말피에서 버스로 굽이진 길을 따라 30여 분 가야 나오는 라벨로는 해발 350m 높이에 자리하고 있다. 버스에서 내려 마을 입구로 통하는 짧은 터널을 지나면 왼쪽에 빌라 루폴로가 나오고 오른쪽으로 더 걸어가면 라벨로의 수호성인인 산 판탈레오네San Pantaleone에게 봉헌된 두오모가 나타난다. 두오모에는 바리사노 다 트라니Barisano da Trani가 1179년에 제작한 청동 문이 있는데 이탈리아에서 손꼽히는 희귀한 문화재다. '시타 델라 무지카Cittàdella Musica', 즉 음악의 도시로도 잘 알려진 라벨로에는 세계적인 건축가 오스카니마이어Oscar Niemeyer가 설계한 순백색의 오디토리움도 들어서 있는데 아말피 해안의 유일한 현대 건축물이다. 리하르트 바그너Richard Wagner를 기념하기 위해 1953년부터 시작된 라벨로 음악 축제는 봄부터 가을까지 이어지며 가장 인기 있는 것은 빌라 루폴로에서 펼쳐지는 공연이다.

라벨로 여행 정보 | www.ravello.com

• 찾아가기 •

버스

아말피 플라비오조이아 광장Piazza FlavioGioia → 시타 버스로 30분 소요, €1.3 → 라벨로

렌터카

아말피 → 20~30분 소요 / SS163과 SS373 도로 이용 → 라벨로

* 좀 더 자세한 버스 스케줄은 www.sitasudtrasporti.it/orari 참고

* 마을 내에는 ZTL Zone이 있어 차는 마을 입구에 세워야 한다.
* 라벨로 음악 축제가 열리는 시기인 봄부터 가을, 특히 여름에는 많이 붐벼 버스로 가는 것을 추천한다.

빌라루폴로 Villa Rufolo

1200년대에 지어진 우아한 건물인 빌라 루폴로는 당시 재력과 권력을 겸비하고 있던 루폴로 가문의 저택이었으며 19세기 중반에 복구 작업을 통해 지금의 모습을 갖추게 되었다. 예전에 감시탑으로 사용되었던 빌라 루폴로의 입구로 들어서면 아랍 문화의 영향을 받은 무어식 회랑, 잘 정돈된 정원, 오랜 세월의 흔적이 묻어 있는 저택이 반겨준다. 봄이면 색색의 꽃으로 단장하는 생동감 넘치는 정원은 겨울에는 다소 삭막하다. 빌라 루폴로는 독일의 작곡가 바그너가 은둔하면서 오페라 <파르지팔Parsifal>을 완성한 곳이기도 하다. 매년 정원 2층에는 돌출 형 임시 무대가 설치되며 그 뒤로 펼쳐지는 아름다운 바다 풍경은 클래식 선율과 어우러져 감동적인 시간을 선사한다.

- 라벨로 버스 정류장에서 도보 3분
- 여름 09:00-20:00, 겨울 09:00-일몰(타워-뮤지엄 09:00-17:00)
- €8, 12세 미만 및 65세 이상 €6

빌라침브로네 Villa Cimbrone

11세기에 지어진 저택인 빌라 침브로네는 현재 5성 고급 호텔로 정원은 입장료를 지불하면 투숙객이 아니더라도 들어갈 수 있다. 정원은 회랑, 조각상, 분수, 우거진 나무들과 갖가지 꽃으로 수놓아져 있어 5월~10월 초에 방문하는 것을 추천한다. 빌라 침브로네의 백미는 '무한의 테라스'라는 의미의 테라짜 델 인피니토Terrazzadell'Infinito에서 바라다보이는 풍경이다. 이곳에 서면 하늘과 바다가 맞닿아 그려내는 풍경에 마음이 평온해지고 바다를 향해 쏟아질 듯 놓여 있는 계단식 포도밭과 그 사이사이에 놓여진 집들 그리고 해안선을 따라 들어선 마을이 펼쳐진다. 수확의 여신인 세레스Ceres 상이 놓여 있는 세레스 신전을 지나면 하얀 조각상이 죽 늘어선 무한의 테라스가 나타난다.

- 두오모에서 도보 10분
- 09:00-일몰(행사가 있을 경우 오픈 시간 변동)
- €10(그룹 및 12세 이하 할인 있음)

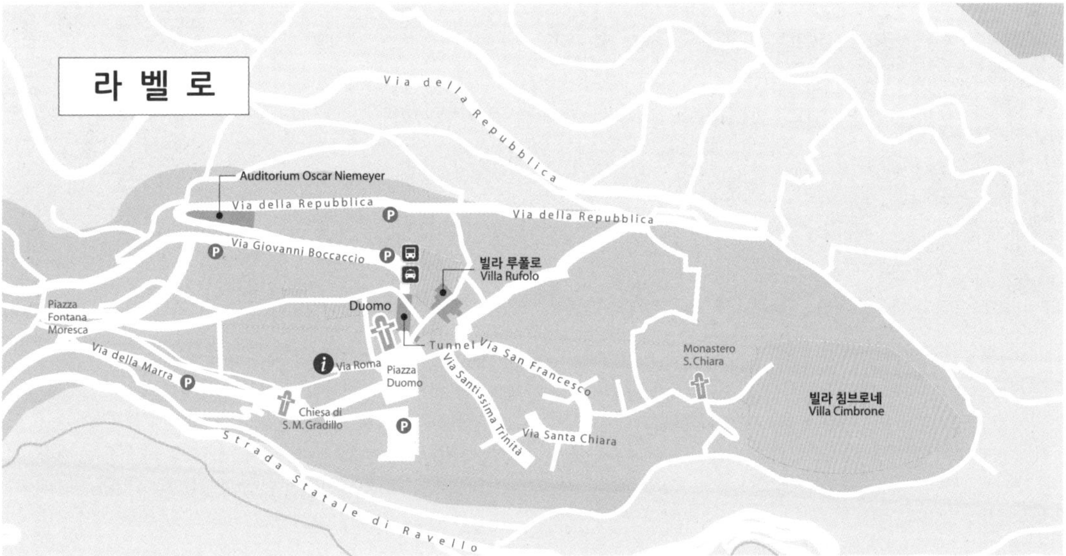

Bari 바리

이탈리아 남부, 장화의 뒷굽 부분에 위치하는 풀리아 주의 주도인 바리는 아름다운 아드리아해에 면해 있는 항구도시이다. 이탈리아와 발칸반도를 연결하는 특별한 지리적 위치 덕분에 고대부터 해상 교통의 요지로 발달하였다. 지금은 중세 분위기가 물씬 풍기는 구시가지와 세련되고 잘 정돈된 신시가지, 2개의 항구와 운치 있는 해안 산책로를 모두 가진 도시이며 유서 깊은 대학 도시로도 잘 알려져 있다. 우리나라 여행자들은 대부분 그리스나 크로아티아에서 오는 페리에서 내리거나 페리를 타기 위해 바리를 찾기 때문에 바리 관광은 건너뛰는 경우가 많지만 반나절 정도만 시간을 내면 오래된 역사 유적이 몰려 있는 바리 구시가지를 충분히 둘러볼 수 있다. 바리는 또한 알베로벨로, 마테라 등 주변의 작은 마을을 기차와 버스로 연결하는 교통의 허브 역할도 담당하고 있다.

바리 여행 정보 | www.viaggiareinpuglia.it

• 관광 안내소 •

Infopoint Stazione

- 바리 신시가 마르게리타 극장 건너편 페라레세 광장에 위치
- Piazza del Ferrarese 29, 70122 Bari
- 10:00-18:00

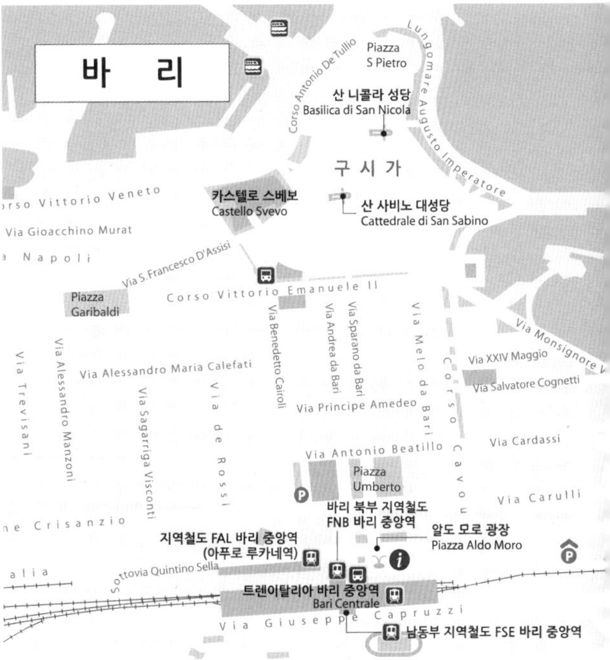

• 찾아가기 •

1 | 항공

바리 시내에서 북서쪽으로 약 8㎞ 떨어진 바리 카롤 보이티와 공항Aeroporto Internazionale di Bari-Karol Wojtyla은 이탈리아 동남부 지역을 대표하는 국제 공항으로 공항이 위치한 지역의 이름을 따서 팔레세 공항Aeroporto di Palese이라고도 불린다. 로마, 밀라노, 피렌체, 베네치아 등에서는 ITA항공, 볼로테아, 부엘링, 라이언에어 등의 항공사를 이용할 수 있으며 취리히, 파리, 런던, 바르셀로나 등 주요 도시에서도 다양한 항공편을 이용할 수 있다. 좀 더 자세한 정보는 www.aeroportidipuglia.it 참고.

공항에서 시내로

지역 철도

바리 공항역 → 바리 중앙역

약 20분, 편도 약 €5.2

자세한 운행 시간은 www.ferrovienordbarese.it 참고

버스

바리 공항 → 바리 중앙역 앞 알도 모로 광장

약 30분, 편도 약 €4

자세한 운행 시간은 www.autoservizitempesta.it참고

2 | 기차

바리 중앙역과 로마 사이에는 직행기차(4시간~4시간 15분)가 운행되어 빠르고 편리하게 이동할 수 있다. 밀라노에서는 기차로 7시간 이상 소요되기에 야간열차를 이용하는 것이 낫다. 나폴리에서 저녁에 운행하는 직행기차가 있으며 그 외 기차는 카세르타Caserta에서 한 번 환승해야 한다. 바리 중앙역에서 레체까지는 고속열차를 포함하여 기차가 자주 운행하고 1시간 27분~1시간 40분, 마테라 중앙역까지는 1시간 40분~1시간 50분 소요된다. 자세한 시간표는 www.trenitalia.com 및 ferrovieappulolucane.it(바리-마테라)를 참고하자.

3 | 버스

로마나 볼로냐 등 다른 이탈리아 대도시들에서 바리로 이동할 때는 기차를 이용하는 것이 편리하지만 나폴리와 바리 사이에는 직행기차 운행 횟수가 적어 장거리 버스를 이용하는 것을 고려해볼 만하다. Marino autolinee(www.marinobus.it)의 장거리 버스가 두 도시 사이를 운행하며 이동에는 3시간 25분~3시간 50분 소요된다. 알베로벨로는 바리에서 직행버스로 1시간 남짓 소요되며 바리 중앙역 뒤쪽 바리 라르고 소렌티노Bari Largo Sorrentino 정류장에서 출발한다.

4 | 페리

유럽에서 발칸반도와 중동으로 향하는 관문 역할을 했던 바리 항구는 그리스, 크로아티아, 알바니아 등에서 오는 페리가 도착하는 곳으로 많은 여행자들이 이곳에 도착하여 이탈리아 여행을 시작한다. 2개의 항구 중 구항구Porto Vecchio는 지금은 어선이나 보트 등 작은 배들이 사용하며 페리나 크루즈 등 대형 선박은 모두 신항구Porto Nuovo를 이용한다. 많은 페리 회사들이 발칸반도와 바리 사이를 운항하고 있는데 그중 우리나라 여행자들이 가장 많이 이용하는 페리는 크로아티아의 두브로브니크Dubrovnik에서 바리까지 운행되는 Jadrolinija(www.jadrolinija.hr)로 3월 말~10월 중순에만 운행하며 홈페이지를 통해 예약할 수 있다. 그리스의 파트라스Patras나 코르푸Corfu에서 바리로는 야간 페리가 운항하며 Superfast Ferries(www.superfast.com)에서 스케줄 확인과 예약이 가능하다.

5 | 렌터카

로마에서 바리까지 이동할 경우에는 A1 고속도로와 A16 고속도로를 이용하며 나폴리에서는 A16 고속도로를 이용한다. 볼로냐Bologna를 비롯하여 이탈리아 동부 해안 도시들에서는 A14 고속도로를 타고 해안을 따라 이동하면 된다. 바리에서 알베로벨로까지 렌터카로 이동한다면 SS16 도로를 따라 이동하다가 알베로벨로 출구로 나가는 것이 가장 쉽고 편리하다. 구시가지에는 차를 가지고 들어갈 수 없으므로 자동차는 기차역 또는 항구 근처의 유료 주차장에 세워두고 도보로 관광을 하여야 한다.

HOT TIP

주요 도시-바리 자동차 이동 시간

로마 5시간 **나폴리** 3시간 **마레타** 1시간

• 시내 교통 •

바리 중앙역에서 관광지가 몰려 있는 구시가지나 신항구까지는 도보로 20~25분 정도 소요되며 걷는 것이 부담된다면 기차역 앞 알도 모로 광장에서 출발하는 시내버스 50 번을 이용하면 된다. 티켓 가격은 1회권 €1(기사에게 구입 시 €1.5)이다. 그 외 90분간 유효한 티켓은 €1.2, 1일권은 €2.5이다. 자세한 운행 노선 및 시간표는 www.amtab.it 참고.

카스텔로 스베보

Castello Svevo

바리 구시가지로 들어가는 입구에 있는 스베보 성은 1131년 노르만 왕 루지에로 2세가 도시 방어용으로 세운 것으로 1156년 무너진 이후 1233~1240년 페데리코 2세가 재건하면서 이 지역에서 가장 중요한 전략적 요충지 역할을 하게 되었다. 지금까지도 견고한 중세 성채의 모습을 그대로 간직하고 있는데 바다와 면해 있었던 북쪽을 제외하고는 모두 해자로 둘러싸여 있어 남쪽 면에 있는 다리와 문을 통해서만 내부로 들어갈 수 있다. 1831년 이후에는 감옥과 병영으로 사용되다가 현재는 전시회장과 문화 이벤트 홀 등으로 사용되고 있다.

- 바리 구시가지 입구, 바리 중앙역에서 도보 20~25분
- 화~일요일 09:00-18:00, 월요일 휴무
- €6

산 사비노 대성당
Cattedrale di San Sabino

스베보 성에서 멀지 않은 바리 구시가지 중심부에 위치한 산 사비노 대성당은 바리의 수호성인인 성 사비노에게 봉헌된 성당으로 6세기의 기독교 바실리카가 있던 자리에 12세기 후반~13세기에 다시 세워진 성당이다. 대표적인 풀리아 로마네스크 양식의 건축물 중 하나로 바로 전에 건축된 산 니콜라 성당의 건축양식을 그대로 반영하여 지었기 때문에 두 성당이 쌍둥이처럼 닮았다. 세 부분으로 나누어진 성당의 파사드는 단순하고 수수한 아름다움을 뽐내며 내부 역시 우아한 아치를 받치고 있는 16개 기둥에 의해 세 부분으로 나뉘어 있다. 성 사비노의 유해가 모셔져 있는 17세기 크리프트는 인도자 성모Madonna Odegitria의 이콘화로 아름답게 장식되어 있다.

카스텔로 스베보에서 도보 2분 07:30-12:00, 16:30-20:30 €6

산 니콜라 성당
Basilica di San Nicola

1087년 터키에 있던 성 니콜라의 유해를 바리로 옮겨와 안치하면서 지어진 성당으로 풀리아 로마네스크 양식 건축물의 원형으로 여겨진다. 성 니콜라는 산타클로스의 유래가 된 가톨릭의 성인으로 가난한 교구 사람을 돕기 위해 한밤중에 몰래 창문으로 들어가 황금이 들어 있는 자루를 놓고 갔다는 이야기가 수 세기 동안 전해지면서 니콜라 성인의 축일인 12월 6일에 선물을 주는 관습이 생겼다고 한다. 세 부분으로 나누어진 성당 파사드의 양쪽에는 견고한 탑이 있어 전체적인 분위기가 성당보다는 성채를 연상시킨다. 내부로 들어서면 아름다운 그림들로 장식된 화려한 금빛 천장이 먼저 눈길을 사로잡으며 11세기 엘리야 주교를 위해 대리석으로 만든 <주교의 보좌Cattedra di Elia>는 남부 이탈리아에서 가장 주목할 만한 로마네스크 조각 작품으로 여겨질 정도로 정교하고 아름답다. 니콜라 성인의 묘는 계단 아래의 지하 묘지에 있다.

산 사비노 대성당에서 카르미네 거리Strada del Carmine를 따라 도보 5분
07:15-20:30
€ 무료

폴리냐노 아 마레

Polignano a Mare

바리에서 남쪽으로 약 30㎞, 크리스탈처럼 맑고 푸른 바다의 해안 절벽 위에 아슬아슬하게 얹혀 있는 작은 마을 폴리냐노 아 마 레는 '아드리아해의 진주'라는 별명이 너무나 잘 어울리는 곳이다. 기차역에서 구시가지까지는 약 10분 정도를 걸어가야 하는데 구시가지 입구 근처의 라마 모나칠레 다리Ponte Lama Monachile 위에 서면 작은 만 안에 숨어 있는 그림 같은 해변이 한눈에 들어온다. 아치형 성문인 아르코 델라 포르타Arco della Porta를 지나 구시가지 안쪽으로 들어가면 남부 이탈리아 특유의 밝고 경쾌한 느낌이 넘쳐나는 비토리오 에마누엘레 2세 광장Piazza Vittorio Emanuele II이 나오는데 이곳에 이전에 대성당으로 사용되었던 13세기 교회 Chiesa Matrice와 18세기 시계가 있는 구시청 건물, 다양한 레스토랑이 모두 모여 있다.

광장에서 좁은 골목을 따라 구시가지 끝까지 가면 눈부시게 아름다운 바다와 폴리냐노 아 마레의 드라마틱한 해안 절벽을 감상할 수 있는 전망대들이 있다. 이 해안 절벽에는 수많은 동굴이 숨어 있는데 이 동굴 중 하나에 세계에서 전망이 가장 아름답기로 유명한 레스토랑 Grotta Palazzese(www.grottapalazzese.it)가 있다. 이 레스토랑의 동굴 야외석은 독특하고 낭만적인 저녁 식사를 즐기기에 최고의 장소로 사전 예약은 필수이며 격식을 갖춘 옷차림이 요구된다. 여름철에는 해변을 비롯하여 마을 전체가 관광객들로 매우 붐비기 때문에 해수욕을 할 예정이 아니라면 봄, 가을에 방문하는 것이 마을을 더 여유 있게 둘러볼 수 있다.

바리 중앙역에서 지역 열차를 타고 폴리냐노 아 마레 하차(약 30분 소요)

Alberobello

알베로벨로

바리에서 남쪽으로 약 50㎞ 떨어진 곳에 있는 알베로벨로는 풀리아 주의 마스코트 역할을 하는 상징적인 마을로 세계적으로 손꼽히는 독특하고 사랑스러운 풍경을 자랑하는 곳이다. 알베로벨로의 이 특별한 마을 풍경은 트룰리Trulli(단수형은 트룰로Trullo)라 불리는 풀리아 남부 특유의 전통 가옥들이 만들어내는 것으로 구시가지에 발을 들여놓은 순간 마치 동화 속 세계로 빨려 들어간 듯한 착각에 빠지게 된다. 트룰리는 이 지역에 선사시대부터 전해 내려온 전통 방식으로 지은 집을 말하는데, 자연석만을 쌓아 원통 또는 사각형의 벽을 만든 후 그 위에 납작하고 평평한 석회암으로 원추형 지붕을 만들어 얹은 형태이며 지붕에 그려져 있는 십자가, 태양, 달, 황도12궁 등의 신비로운 문양에는 주술적, 종교적 의미가 담겨 있다고 한다. 트룰리의 대부분은 지금까지도 상점, 레스토랑 또는 주거용으로 사용되며 알베로벨로에만 있는 숙박 시설인 트룰리 호텔에서 1박을 해보는 것도 잊지 못할 추억이 될 것이다. 알베로벨로의 트룰리 지구는 건축학적, 역사적 가치를 인정받아 1996년 유네스코 세계 문화유산에 등재되었다.

알베로벨로 여행 정보 | www.prolocoalberobello.it

• 찾아가기 •

1 | 버스

바리에서 직행버스가 다녀 당일 여행으로 다녀오기 좋다. 시즌에 따라 버스 운행 간격은 달라지며 성수기에는 1일 10~13회 정도 운행한다. 바리 라르고 소렌티노Bari Largo Sorrentino 정류장에서 알베로벨로까지 1시간 5분~1시간 35분 소요된다. 버스는 남동부 지역 철도 FSE(Ferrovie Sud Est)에서 운행하며 버스 스케줄 검색 및 구매는 트렌이탈리아 사이트 www.trenitalia.com에서 가능하고 FSE 사이트 ww.fseonline.it 에서도 검색할 수 있다. 성수기에는 미리 사이트에서 예약해야 낭패를 면할 수 있다. 참고로, 알베로벨로에서 푸티냐노Putignano까지 기차로 이동 후 푸티냐노에서 버스 혹은 기차로 이동하는 방법도 있다.

2 | 렌터카

바리에서 알베로벨로까지는 SS16 도로를 따라 이동하다가 알베로벨로 출구로 나가거나 SS100과 SS172 도로를 이용하는 것이 가장 빠르다(약 1시간 소요). 리오네 몬티의 입구인 라르고 마르텔로타Largo Martellotta 근처의 인디펜덴차 거리Via Indipendenza에는 야외 주차장이 있어 이곳에 차를 세우는 것이 가장 편리한데 성수기에는 관광객이 많아 주차가 힘들 수도 있다.

• 시내 교통 •

알베로벨로 정류장에서 가장 오래된 구시가지인 리오네 몬티와 아이아 피콜라Rione Monti e Aia Piccola까지 도보 5분이면 닿는다. 알베로벨로 기차역에서 이동할 경우 중심지까지는 도보로 10분이면 충분히 이동할 수 있다. 먼저 마치니 거리Via Mazzini와 가리발디 거리Via Garibaldi를 따라 신시가지의 중심인 포폴로 광장Piazza del Popolo까지 이동한 후 이곳에서 지안지롤라모 광장Piazza Giangirolamo 쪽으로 가면 트룰리의 원추형 지붕들이 모여 바다를 이루고 있는 리오네 몬티의 전경을 감상할 수 있는 전망 포인트가 있다. 그곳에서 계단을 내려가면 구시가지 입구인 라르고 마르텔로타가 나온다.

리오네 몬티와 아이아 피콜라

Rione Monti e Aia Piccola

알베로벨로에서 관광객들에게 가장 인기 있는 지구인 리오네 몬티는 1000개가 넘는 트룰리가 미로같이 좁은 골목길을 따라 서로 어깨를 맞대고 줄지어 늘어서 있는, 알베로벨로에서 가장 오래된 구시가지이다. 리오네 몬티의 트룰리 내에는 전통 기념품을 파는 상점과 로컬 와인, 맛있는 식사를 즐길 수 있는 작은 바와 레스토랑들이 자리 잡고 있어 좁은 골목길을 신나게 구경하며 돌아다니다 보면 어느새 몇 시간이 훌쩍 지나간다. 몬테 네로 거리Via Monte Nero에는 눈이 부시도록 하얀 벽의 트룰리 사이에서 돌담이 그대로 드러나 있는 독특한 트룰로 하나가 눈에 띄는데 이것이 바로 알베로벨로에서 가장 오래된 트룰로 중 하나인 트룰로 시아메세Trullo Siamese이다. 15세기에 지어진 이 트룰로는 2개의 지붕이 하나로 이어져 있는 독특한 형태인데 한 여자를 사랑했던 두 형제가 처음에는 이 집에서 같이 살다가 결국은 싸움이 나서 중간에 벽을 세우고 집을 둘로 나누었다는 재미있는 전설이 전해진다. 복잡한 상업 지구를 지나 몬테 산 미켈레 거리Via Monte San Michele를 따라 오르막길 끝까지 올라가면 1927년에 지어진 트룰리 성당인 산 안토니오 성당Chiesa di Sant'Antonio이 있어 한숨 돌리며 쉬어갈 수 있다. 리오네 몬티와 인디펜덴차 거리를 사이에 두고 건너편에 있는 두 번째 트룰리 지구 아이아 피콜라에는 400개 정도의 트룰리가 남아 있는데 이곳에 있는 트룰리는 리오네 몬티와는 달리 벽을 하얗게 칠하지 않고 돌을 쌓은 그대로 남겨두어 좀 더 자연스러운 느낌이다. 상점보다는 주택으로 사용되는 트룰리가 많기 때문에 리오네 몬티에 비해 관광객이 훨씬 적어 한적하게 주택가를 걷는 듯한 느낌으로 둘러볼 수 있다.

알베로벨로 버스 정류장에서 도보 5분, 알베로벨로 기차역에서 포폴로 광장을 지나 도보 10분

성 코스마와 성 다미아노 형제 성당

Chiesa dei Santi Medici Cosma e Damian

1814년 알베로벨로 교구 성당으로 지정된 곳으로 두 개의 탑이 눈길을 끈다. 이곳 출신의 건축가 안토니오 쿠리Antonio Curri가 1885년에 파사드를 시작으로 개조와 확장을 이어나갔으며 1900년대 중반에 지금의 모습으로 거듭났다. 17개의 계단을 올라 내부로 들어가면 성 코스마와 성 다미아노에게 헌정된 화강암 제단이 있다. 전해지는 일화에 따르면 의사였던 쌍둥이 형제는 복음 전파를 위해 환자를 무료로 치료해 주며 모든 이의 존경을 받았다고 한다. 두 형제는 기독교 박해가 심했던 3세기 말에 끝내 참수형을 당했으며 형제가 순교한 뒤에도 이들에게 기도하면 환자가 치유되는 기적이 종종 일어났다고 전해진다. 메디치 가문에서도 두 성인을 수호성인으로 모셨으며 성당에는 두 성인의 유골 일부가 들어 있는 성물함이 있다. 매년 9월 26일 전후로 알벨로벨로와 인근 마을은 두 성인을 기리는 다양한 축일 행사로 북적인다.

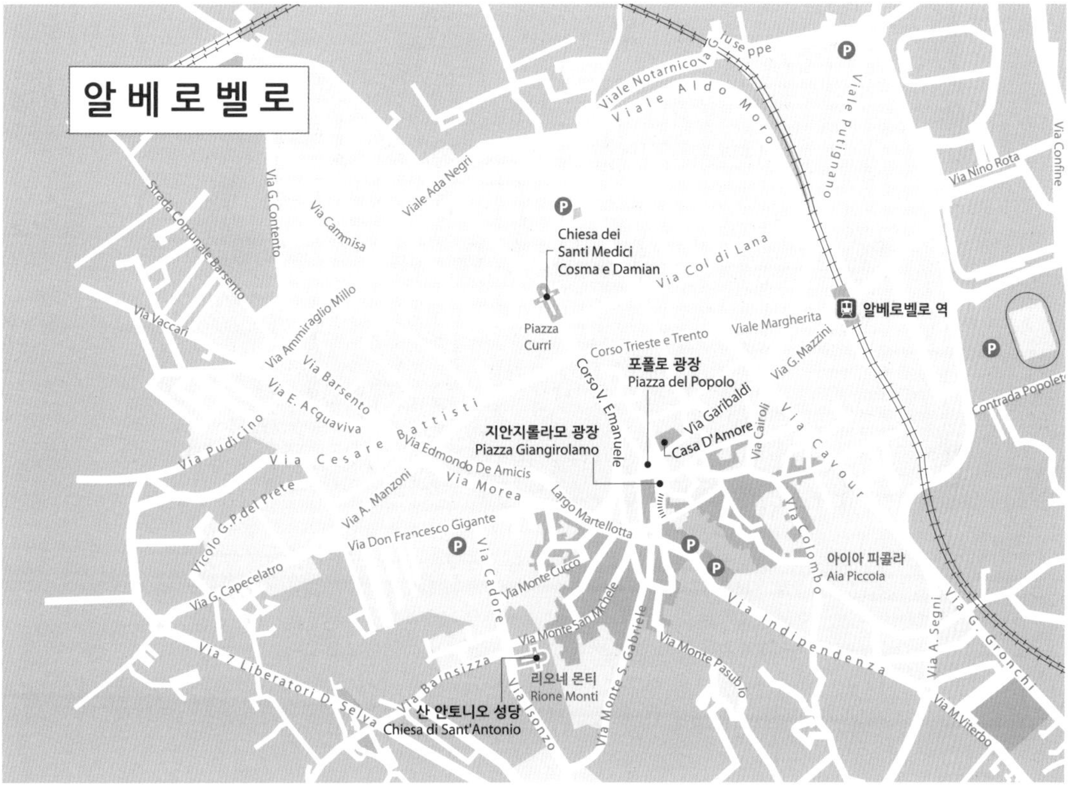

Matera 마테라

이탈리아 남부, 바실리카타Basilicata 주에는 독특한 매력의 소도시를 좋아하는 여행자라면 절대 놓칠 수 없는 '마테라'가 숨어 있다. 해발 약 440m의 그라비나Gravina 협곡을 따라 자리 잡은 마테라는 '사시Sassi'라 불리는 동굴 주거지로 유명하다. 고대의 시간 속에 박제된 듯한 사시의 전경은 보는 순간 누구나 탄성이 절로 터져나오는 경이로움으로 사람을 압도한다. 사시는 두오모가 있는 치비타Civita를 중앙에 두고 사소 바리사노Sasso Barisano와 사소 카베오소Sasso Caveoso라는 2개 구역으로 나뉘는데, 좁은 골목과 돌계단이 미로처럼 교묘하게 얽히며 두 구역을 연결하고 있다. 사시의 이런 독특한 모습은 2000년 전 예루살렘의 풍경과도 매우 흡사하여 영화 '패션 오브 크라이스트The Passion of the Christ'가 이곳에서 촬영되기도 하였다. 마테라의 낭만을 제대로 느끼고 싶다면 사시에 있는 동굴 호텔에 숙박하며 야경을 감상해보자. 저녁 어스름이 짙게 깔리고 집집마다 불이 밝혀진 사시의 밤 풍경은 말로 형용할 수 없을 정도로 신비롭고 로맨틱하다.

마테라 여행 정보 | www.aptbasilicata.it

• 찾아가기 •

1 | 기차

바리 중앙역에서 마테라 중앙역까지는 지역 철도 FAL로 약 1시간 50분 소요되며 바리 중앙역에서 나와 앞 광장의 왼쪽에 있는 아푸로 루카네역(Ferrovie Appulo Lucane=F.A.L.)에서 이용하면 된다. 기차는 2층에 있는 승강장에서 출발하니 티켓 구입 후 2층으로 올라가 탑승하면 된다. 일요일과 공휴일에는 기차를 운행하지 않으므로 같은 회사에서 운행하는 버스를 타고 이동해야 하는데 버스는 기차역 뒤편에 있는 버스 정류장에서 탑승하면 된다. 단, 버스 정류장이 명확하지 않아 자칫 헤맬 수 있으니 FAL 사이트에서 스케줄 검색 후 상세루트에서 주소를 확인하고 현지에서 재확인하자. 2023년 여름 기준 버스 타는 곳 주소는 중앙역 뒤쪽 주세페 카프루치 거리 236번지Bari Via Capruzzi(fronte civ. 236)이다. 기차와 버스의 자세한 운행 시간표는 ferrovieappulolucane.it 참고.

2 | 버스

바리 공항에서 마테라까지 2개 회사(SITA / CO.TR.AP) 버스가 다니며 약 1시간 15분 소요된다. 하루에 4~5편 운행하며 요금은 버스 회사에 따라 다르다. 버스 티켓은 기사 혹은 버스회사 홈페이지 www.marozzivt.it에서 구매할 수 있다.

3 | 렌터카

바리에서 마테라까지는 A14 고속도로와 SP235, SP236 도로를 이용하여 1시간 10분 정도면 이동할 수 있으며 나폴리나 살레르노에서 올 경우에는 A3 고속도로를 이용하는 것이 편리하다. 나폴리에서 마테라까지는 약 3시간, 살레르노에서는 약 2시간 30분이 소요된다. 마테라 신시가지에는 기차역 앞 마테오티 광장을 비롯하여 여러 개의 유료 주차장이 있으므로 이 중 하나에 차를 세우면 된다.

• 시내 교통 •

마테라 신시가지에 있는 중앙역에서 구시가지인 사시 입구까지는 도보로 약 10분 소요되며 사시도 충분히 도보로 돌아볼 수 있다. 마테라 중앙역은 신시가지의 자코모 마테오티 광장Piazza Giacomo Matteotti에 있으며 마테오티 광장에서 로마 거리Via Roma나 돈 민초니 거리Via Don Minzoni를 따라 걸어 내려가면 신시가지와 구시가지의 경계인 비토리오 베네토 광장Piazza Vittorio Veneto에 이르게 되는데 여기서 본격적인 사시 관광을 시작하면 된다. 비토리오 베네토 광장에서 베케리 거리Via delle Beccherie와 두오모 거리Via Duomo로 가면 치비타에 있는 두오모로 바로 갈 수 있다. 또한 광장에서 가장 왼쪽으로 나 있는 산 비아지오 거리Via San Biagio는 사소 바리사노 구역으로, 오른쪽으로 나 있는 코르소 거리Via del Corso는 사소 카베오소 구역으로 바로 연결되므로 원하는 쪽으로 먼저 이동하여 사시 내에 있는 관광지를 다 돌아본 후 반대 방향으로 돌아서 나오면 된다.

Travel Highlight

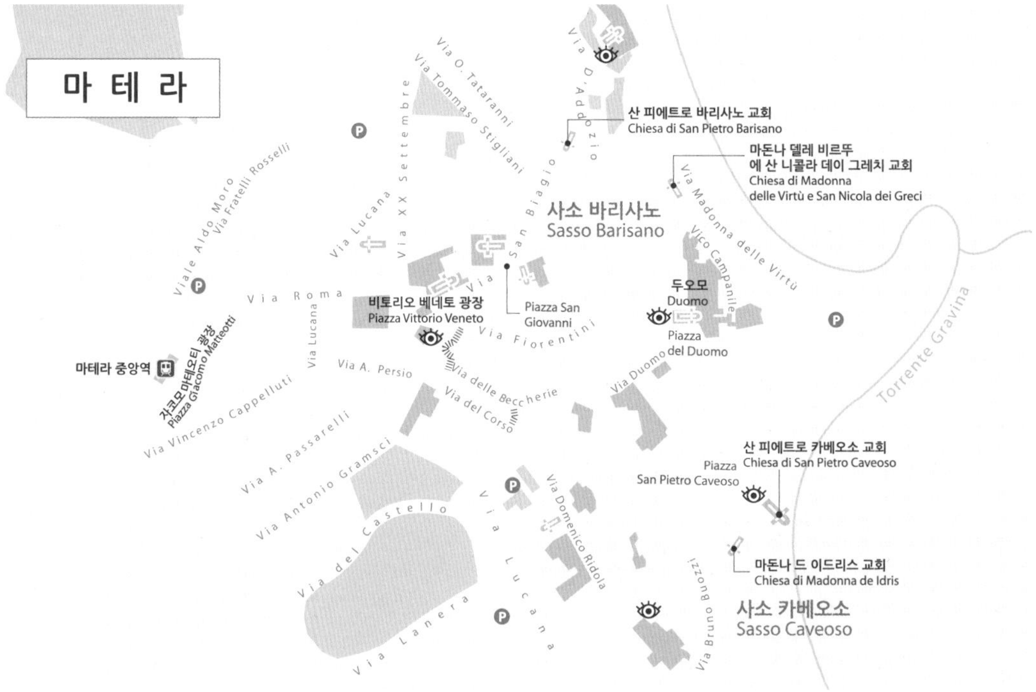

1

사시 디 마테라

Sassi di Matera

2

3

마테라의 구시가지에 해당되는 사시 디 마테라는 그라비나 협곡 내에 형성된 동굴 주거지를 뜻하는 것으로 선사시대부터 사람들이 거주했던 곳이다. 사시의 기이하고 운치 있는 풍경은 가파른 석회암 절벽의 동굴 위에 집들이 겹겹이 포개져 지어지고 그 사이에 미로처럼 복잡한 길이 이리저리 얽혀 있다. 마을 곳곳에 있는 전망 포인트에 서서 사시의 전경을 바라보면 시간이 멈춘 듯한 묘한 느낌이 든다. 19세기와 20세기 초에는 사시에 빈민들이 모여 살게 되었는데 1952년 위생상의 이유로 이탈리아 정부가 이곳에 살던 주민을 다른 곳으로 강제 이주시킬 당시 그 수가 약 15000명이었다고 한다. 1993년에는 유네스코 세계 문화유산에도 등재되면서 지금은 비어 있던 집들이 거의 다 호텔, 레스토랑, 바, 기념품 상점으로 개조되어 관광지의 면모를 보여준다. 사시에서 가장 눈에 띄는 곳은 치비타에 자리 잡고 있는 로마네스크 양식의 성당 두오모로 이 성당의 종탑은 마을 어디에서나 보이는 랜드마크 역할을 한다. 사시에는 또한 동굴을 깎아 만든 여러 개의 암석 교회Chiese Rupestri가 남아 있는데 사소 바리사노에 있는 ❶산 피에트로 바리사노 교회Chiesa di San Pietro Barisano와 사소 카베오소에 있는 ❷산 피에트로 카베오소 교회Chiesa di San Pietro Caveoso가 대표적이다. 이 밖에 아름다운 프레스코화가 남아 있는 ❸마돈나 델레 비르뚜 에 산 니콜라 데이 그레치 교회Chiesa di Madonna delle Virtù e San Nicola dei Greci와 마돈나 드 이드리스 교회Chiesa Rupestre di Santa Maria di Idris 등도 유명하다.

📍 마테라 중앙역에서 로마 거리를 따라 도보 10분

Firenze 피렌체

르네상스의 서막이 시작된 '꽃의 도시' 피렌체는 도시 자체가 하나의 거대한 예술 작품이다. 도보로 관광하기에 무리가 없을 정도로 작은 도시를 빼곡히 메우고 있는 유산들은 메디치가의 든든한 후원을 바탕으로 수백 년의 시간을 넘어와 지금도 연간 300만 명의 발길을 끌어들이고 있다. 붉은 테라코타 지붕들 사이로 우뚝 솟아오른 두오모 쿠폴라는 낯선 여행자들에게 지표가 되어주고 수십 개의 조각상이 인사를 건네는 시뇨리아 광장은 야외 전시장을 방불케 한다. 석양이 질 무렵 미켈란젤로 언덕에 오르면 단테가 운명의 여인 베아트리체를 만났던 도시, 그리고 영화 '냉정과 열정 사이'에서 연인들이 다시 만날 것을 약속했던 사랑의 도시 피렌체의 진면목을 만날 수 있다.

피렌체 여행 정보 | www.firenzeturismo.it

• 관광 안내소 •

Infopoint Stazione

- 산타 마리아 노벨라역 광장 건너편에 위치
- Piazza della Stazione 4, 50123 Firenze
- 월~토요일 09:00-19:00, 일요일, 공휴일 09:00-14:00

• 찾아가기 •

1 | 항공

피렌체 아메리고 베스푸치 공항Amerigo Vespucci Airport은 작은 규모의 공항으로 시내에서 5㎞ 정도 떨어진 곳에 있으며 우리나라에서 직항 편은 없다. 에어프랑스, KLM 네덜란드항공, 루프트한자, 알이탈리아항공 편으로 경유하여 갈 수 있다. 아메리고 베스푸치 공항에 대한 좀 더 자세한 정보는 www.aeroporto.firenze.it/en 참고.

아메리고 베스푸치 공항에서 피렌체 시내로

트램 라인 2 Tramway Line 2

공항 터미널 외부 트램 정류장 → 15~20분 소요, 편도 €1.7 / 05:00-24:00/01:30 (요일에 따라 상이) / 좀 더 자세한 사항은 www.gestramvia.it 참고 → · 알라마니 - 산타 마리아 노벨라역 (종점 전 정류장) · 우니타 (종점)

택시

공항 도착 층 택시 승강장 → 약 20~30분 소요 / 공식 요금 €22, 공휴일 €24, 야간 €25.3, 짐 1개당 €1 추가 → 호텔 등 원하는 목적지

2 | 기차

피렌체의 중앙역은 피렌체 산타 마리아 노벨라Firenze Santa Maria Novella(S.M.N)역으로 직행 고속 열차를 비롯한 거의 모든 기차가 이 역에서 발착한다. 역 내에는 트렌이탈리아 티켓 오피스, 약국, 상점, 음식점, 경찰서, 은행 및 환전소, 유인 짐 보관소, 외부 주차장 등이 있다. 기차역 유인 짐 보관소는 16번 플랫폼 옆에 있으며 07:00-21:00까지 운영한다. 요금은 5시간까지 €6, 이후 6~12시간까지 시간마다 €1, 그 이후는 €0.5씩 추가 요금이 부과된다. 산타 마리아 노벨라역에 대한 좀 더 자세한 정보는 www.firenzesantamarianovella.it참고.

HOT TIP

주요 도시-피렌체 기차 이동 시간

로마 1시간 36분(직행)
밀라노 1시간 50분(직행)
베네치아 2시간 14분(직행)
시에나 1시간 30분~1시간 50분(직행 또는 엠폴리 경유)
아시시 2시간 30분~3시간 10분(직행 또는 1~2번 경유)
라 스페치아 2시간 10분~2시간 30분(직행 또는 1번 경유)
피사 50분~1시간 10분(직행)

3 | 버스

피렌체는 토스카나의 주도인 만큼 주변 소도시와 연결된 버스 노선이 많다. 시에나 등 여행자들이 많이 이용하는 노선이 다니는 Busitalia(www.fsbusitalia.it)의 버스 터미널Autostazione Busitalia은 산타 마리아 노벨라역을 정면으로 바라보고 왼쪽에 있다. 버스 터미널로 들어서면 왼쪽에 티켓 오피스가 있으며 티켓 구입 후 해당 버스 승차 플랫폼에서 타면 된다. 버스 승차 전 티켓을 각인하는 것도 잊지 말자.

HOT TIP

주요 도시-피렌체 버스 이동 시간

시에나 1시간 15분~1시간 35분(직행 또는 완행)
산 지미냐노 1시간 20분~1시간 55분(포지본시Poggibonsi에서 환승)

4 | 렌터카

피렌체는 구시가지뿐만 아니라 주변의 넓은 지역까지 ZTL Zone, 즉 차량 진입 제한구역에 속하며 ZTL Zone에 허가증 없이 진입할 경우 최소 €80 이상의 벌금이 부과된다. 피렌체에서 ZTL 단속이 적용되는 시간은 주중 07:30-20:00, 토요일 07:30-16:00이고 이 외에는 ZTL 진입 허가증 없이 ZTL Zone으로 들어갈 수 있다. 허가증 없이 들어갈 수 있는 시간에 진입한다고 해도 주차할 곳을 찾기 어렵다. 또한 4월 첫째 주 목요일부터 10월 첫째 주 일요일까지는 목, 금, 토요일 23:00-03:00까지 단속이 연장되기 때문에 가능한 한 렌터카로 움직이지 않는 것이 좋다. 렌터카 여행 중에 예약한 숙소가 ZTL Zone 안에 있다면 근처 ZTL Zone 밖에 있는 주차장에 차를 세우고 도보로 이동해야 한다. 주차 요금은 1시간에 €2, 1일 €20 정도이며 시내 중심에 가까울수록 요금이 비싸다.

HOT TIP

주요 도시-피렌체 자동차 이동 시간

로마 3시간 20분 **베네치아** 3시간 30분
시에나 1시간 40분 **아레초** 1시간 30분

시내 교통

피렌체 관광지는 대부분 도보로 다닐 수 있어 버스를 탈 일이 많지 않지만 미켈란젤로 광장이나 근교 피에솔레Fiesole로 갈 때는 버스를 이용하는 것이 좋다. 미켈란젤로 광장은 12, 13번 버스가 다니며 두 버스의 노선은 비슷하지만 진행 방향이 반대이다. 티켓은 기차역 내 ATAF 창구, 타바키, 티켓 머신, at bus 어플리케이션 등에서 구입할 수 있는데 90분간 유효한 1회권은 €1.7, 1회권 10장에 해당하는 까르네Carnet의 가격은 €15.5이다. 피에솔레로 가는 7번 버스는 산 마르코 광장Piazza San Marco에서 출발하며 약 20분 정도 소요된다. 승차 후 노란색 기계에 티켓을 각인하는 것도 잊지 말자. 자세한 버스 노선은 www.at-bus.it/en 참고.

HOT TIP

피렌체 카드

72개의 박물관과 미술관을 포함한 피렌체 관광지의 우선 입장(두오모 쿠폴라 제외)이 가능한 피렌체 카드는 3일 이상 피렌체에 머물며 박물관, 미술관을 5개 이상 방문할 여행자라면 구입을 고려해볼 만하다. 대기 줄이 길기로 유명한 우피치 미술관, 아카데미아 미술관 등을 방문할 때 전용 입구로 입장할 수 있어 매우 유용하나 사전 예약이 필수다. 처음 이용한 시점부터 72시간 유효하며 가격은 €85이다. 홈페이지(www.firenzecard.it)에서 온라인으로 구입한 후 픽업하거나 공식 판매소에서 구입할 수 있다. 좀 더 자세한 정보는 홈페이지 참고.

피렌체 1일 관광 루트

아카데미아 미술관 → 도보 7분 → 산 로렌초 성당·중앙 시장 → 도보 5분 → 두오모·조토의 종탑 → 도보 1분 → 두오모 오페라 박물관 → 도보 7분 → 시뇨리아 광장·베키오 궁전 → 도보 2분 → 우피치 미술관 → 도보 3분 → 베키오 다리 → 도보 20분 → 미켈란젤로 광장

Travel Highlight

두오모(산타 마리아 델 피오레 성당)

Duomo(Basilica di Santa Maria del Fiore)

피렌체의 두오모인 산타 마리아 델 피오레 성당은 '꽃의 성모 마리아 성당'이라는 뜻의 이름에 걸맞게 분홍색, 흰색, 녹색 대리석으로 된 화려하고 아름다운 외관을 지니고 있다. 아르놀포 디 캄비오Arnolfo di Cambio의 설계로 1296년에 건축이 시작되어 여러 건축가들을 거치면서 최대 3만 명이 들어갈 수 있는 규모로 지어졌다. 성당이 지어졌을 당시인 15세기에는 유럽에서 가장 큰 성당이었으며 필리포 브루넬레스키Filippo Brunelleschi의 걸작인 높이 106m, 지름 45.5m에 이르는 쿠폴라가 올려지면서 1436년에 완성되었다. 쿠폴라는 비계 없이 이중 돔 구조의 혁신적인 공법을 사용하여 세운 최초의 팔각형 돔으로 400만 개 이상의 벽돌이 사용되었다. 쿠폴라 내부 천장화인 <최후의 심판Giudizio Universale>은 조르조 바사리Giorgio Vasari와 페데리코 주카리Federico Zuccari가 그린 것으로 5단으로 되어 있어 아래에서는 천국의 모습이, 올라갈수록 지옥의 모습이 더 잘 보인다. 좁다랗고 빙빙 도는 463개 계단을 올라야만 정복할 수 있는 쿠폴라에 오르면 조토의 종탑과 피렌체의 시원한 파노라마가 눈앞에 펼쳐진다. 쿠폴라는 통합 입장권을 구입한 후 시간 예약(duomo.firenze.it/en/home)을 해야만 올라갈 수 있다. 성당은 복장 규제가 있으니 미니스커트, 민소매, 무릎 위로 올라오는 반바지 등을 입을 경우 카디건, 스카프 등을 준비하도록 하자.

- 산타 마리아 노벨라역에서 도보 10분
- 월~토요일 10:15-15:45, 일요일, 1/1, 1/6, 부활절, 12/25 휴무
- € 성당은 무료, 쿠폴라는 통합 입장권(예약 필수)

조토의 종탑 Campanile di Giotto

두오모 옆에 있는 85m의 종탑은 14세기의 위대한 거장 조토 디 본도네Giotto di Bondone가 설계하여 조토의 종탑으로 불린다. 1337년 조토가 죽은 이후에도 한참 동안 건축이 미뤄지다가 14세기 후반에 이르러서야 완공되었다. 414개의 좁은 계단을 오르면 도착할 수 있는 정상 테라스에 서면 피렌체가 왜 꽃의 도시라 불리는지 알게 된다. 손에 잡힐 듯 잡히지 않는 단아한 자태의 쿠폴라와 붉은 지붕들의 어우러짐은 물결치듯 다가와 발의 고단함을 녹여준다. 단, 안전을 위해 철조망이 있어 탁 트인 전망을 감상할 수 없다는 점이 아쉽다.

두오모 정면을 바라보고 오른쪽에 위치 08:15-18:45, 오픈 시간은 유동적이며 마지막 입장은 마감 40분 전까지 가능. 1/1, 부활절 기간, 9/8, 12/25 휴무

€ 통합 입장권

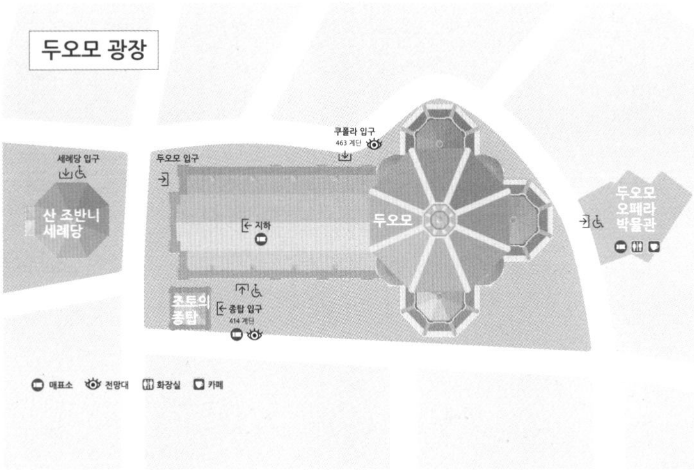

산 조반니 세례당

Battistero di San Giovanni

두오모 앞에 있는 팔각형 모양의 세례당은 현재 모습은 11~12세기의 것이지만 5세기 이전부터 있었던 것으로 추정되는, 피렌체에서 가장 오래된 건축물이다. 단테와 메디치 가문 사람을 비롯하여 많은 사람들이 여기서 세례를 받았고 19세기 말까지 세례식이 거행되었다. 외관은 기하학적 디자인의 초록색과 흰색 대리석으로 덮여 있으며 3개의 청동 문이 있는데 가장 유명한 것은 두오모를 향하고 있는 동문으로 기베르티Ghiberti가 27년에 걸쳐 만든 것이다. 미켈란젤로가 '천국의 문'이라고 부를 정도로 아름다운 동문은 구약성서의 중요한 내용을 묘사하고 있는데, 진품은 두오모 오페라 박물관에 보관되어 있다. 내부에 들어가면 돔 내부에 그려져 있는 최후의 심판을 주제로 한 화려한 모자이크가 눈길을 사로잡는다.

두오모 입구 정면에 위치 € 통합 입장권

월~금요일 08:15-10:15, 11:15-18:30, 토요일 08:15-19:30(겨울철 08:15-18:30), 일요일 08:15-13:30, 종교 행사 진행 시 시간 변동, 1/1, 부활절, 9/8, 12/24~25 휴무

두오모 오페라 박물관 Museo dell'Opera del Duomo

두오모, 조토의 종탑, 산 조반니 세례당을 장식하고 있는 모조 예술 작품들의 진품을 전시하고 있는 두오모의 부속 박물관이다. 기베르티의 '천국의 문' 진품(1층 6번 방 Salone del Paradiso)을 비롯해 아르놀포Arnolfo, 도나텔로Donatello, 베로키오Verrocchio, 미켈란젤로Michelangelo 등 거장들의 조각품을 감상할 수 있고 두오모 쿠폴라 건축 과정을 나타낸 모형도 전시하고 있다. 꼭 봐야 할 첫 번째 작품은 1층 8번 방 Sala della Maddalena에 있는 도나텔로의 <막달라 마리아Maria Maddalena>로 도나텔로는 막달라 마리아를 아름다운 성녀가 아닌 쇠약하고 비참한 모습으로 묘사함으로써 그녀의 참회하는 심정을 극대화했다. 두 번째 작품은 1층 10번 방 Tribuna di Michelangelo에 있는 미켈란젤로의 <반디니 피에타Pietà Bandini>이다. <피렌체의 피에타>라고도 불리는 이 작품은 십자가에서 내려진 그리스도를 니코데무스(니고데모), 막달라 마리아, 성모 마리아가 받쳐 들고 있는 모습을 묘사한 것으로 미켈란젤로는 슬픔이 깃든 니코데무스의 얼굴에 자신의 얼굴을 그대로 투영하여 예수그리스도에 대한 사랑을 표현하였다. 작품의 강렬한 감동에 매료되다보면 예수그리스도의 다리 하나가 없다는 것조차 눈치채지 못한다. 좀 더 자세한 정보는 duomo.firenze.it/en/discover/opera-duomo-museum 참고.

- 두오모 쿠폴라 뒤쪽 노란색 건물
- 08:30-19:00, 매달 첫째 주 화요일, 1/1, 부활절, 12/25 휴관
- € 통합 입장권

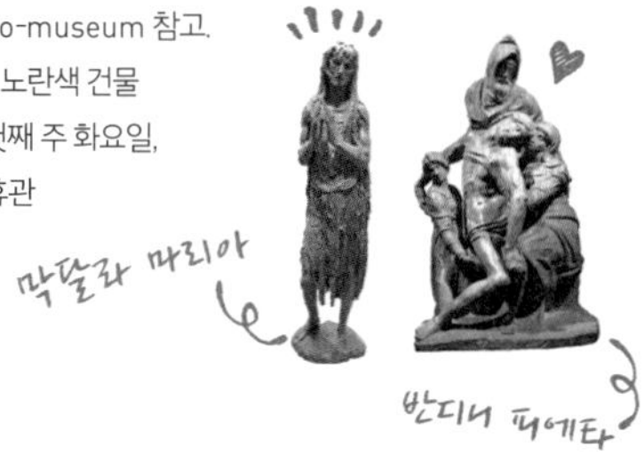

HOT TIP

두오모 광장 통합 입장권

두오모 광장에 있는 두오모의 쿠폴라와 지하 산타 레파라타 성당 유적, 조토의 종탑, 세례당, 두오모 오페라 박물관을 볼 수 있는 브루넬레스키 패스를 판매한다. 가격은 €30이며 첫 번째 사용 후 72시간 유효하다. 두오모의 쿠폴라는 통합 입장권이 있어도 입장 시간을 예약해야만 올라갈 수 있으며 성수기에 긴 줄을 피하려면 온라인으로 통합 입장권을 구입하고 가는 것이 좋다. 통합 입장권 온라인 구입 및 입장 시간 예약은duomo.firenze.it/en/home에서 하면 된다.

산타 마리아 노벨라 성당

Basilica di Santa Maria Novella

1279~1357년에 지어진 도미니크 수도회의 성당으로 아름다운 기하학적 무늬로 이루어진 파사드의 하단은 로마네스크-고딕 양식, 상단은 초기 르네상스 양식이 아름답게 조화되어 있다. 성당 내부에 들어갔다면 왼쪽 측랑 세 번째 아케이드에 있는 일점 투시 원근법을 최초로 적용한 그림인 마사초Masaccio의 <성 삼위일체Trinità>와 중앙 신도석 위에 매달려 있는 가로 4.06m, 세로 5.78m 크기의 패널 템페라화인 조토Giotto의 <십자가상Crocifisso di Santa Maria Novella>은 놓치지 말자. 성당 내부를 본 다음에는 르네상스 양식의 회랑과 정원에서 한숨 돌리고 다음 목적지로 이동해보자.

- 피렌체 산타 마리아 노벨라 기차역 맞은편에 위치
- **10~3월** 월~목요일 09:00-17:30, 금요일 11:00-17:30, 토요일, 종교 축일 전날 09:00-17:30, 일요일, 종교 축일 13:00-17:30 / **4~6월** 월~목요일 09:00-19:00, 금요일 11:00-19:00, 토요일, 종교 축일 전날 09:00-17:30, 일요일, 종교 축일 13:00-17:30(9월은 12:00-17:30) / **7~9월** 월~목요일 09:00-19:00, 금요일 11:00-19:00, 토요일, 종교 축일 전날 09:00-18:30, 일요일, 종교 축일 12:00-18:30
- € 성인 €7.5, 11~18세 €5, 11세 미만 무료

산 로렌초 성당

Basilica di San Lorenzo

393년에 지어진 피렌체에서 가장 오래된 성당을 1418년 브루넬레스키의 설계로 재건하여 15세기 메디치가의 교구 성당으로 사용했던 곳이다. 성당은 브루넬레스키의 구성구 보관실, 미켈란젤로가 설계한 라우렌치아나 도서관Biblioteca Medicea Laurenziana, 메디치가 예배당Cappelle Medicee 등 건축학적으로 매우 중요한 여러 개의 부속 건물로 구성되어 있다. 메디치가 예배당은 메디치 가문의 가족 묘소인데 내부의 화려한 장식으로 유명하다. 예배당 부속 신성구 보관실 역시 미켈란젤로가 설계한 것으로 메디치가의 형제, 로렌초와 줄리아노의 묘를 장식하고 있는 조각상으로 유명하다.

- 산 조반니 세례당과 두오모를 뒤로하고 오른쪽 Borgo S. Lorenzo 거리를 따라가면 왼쪽에 위치
- 월~토요일 10:00-17:30, 일요일, 1/1, 1/6. 8/10 휴무
- € 성당 €6, 성당+라우렌치아나 성당 포함 통합 티켓 €9

시뇨리아 광장 Piazza della Signoria

14세기 이래로 피렌체 행정, 정치의 중심지 역할을 했던 시뇨리아 광장에는 피렌체공화국 당시 청사로 사용하던 베키오 궁전과 야외 조각 갤러리인 로지아 데이 란치Loggia dei Lanzi가 자리하고 있다. 광장 중앙에는 코시모 1세의 기마상이 있으며 광장의 상징인 넵튠 분수는 2018년 말까지 페라가모의 후원으로 복원 중이다. 로지아 데이 란치에 있는 대표적인 조각품, 벤베누토 첼리니Benvenuto Cellini의 <메두사의 목을 들고 있는 페르세우스Perseo con la testa di Medusa>와 잠볼로냐Giambologna의 <사비니 여인들의 강탈Ratto delle Sabine>도 그냥 지나칠 수 없다. 광장 주변으로 카페와 상점이 들어서 있고 바로 옆에 우피치 미술관까지 붙어 있어 항상 많은 관광객들로 북적거린다.

- 조토의 종탑과 두오모를 뒤로하고 왼쪽 Via dei Calzaiuoli를 따라 도보 5분

베키오 궁전 Palazzo Vecchio

아르놀포 디 캄비오가 설계한 토스카나 고딕 양식의 궁전으로 94m의 높은 탑이 랜드마크 역할을 한다. 13세기 말 피렌체공화국의 청사 건물로 지어졌으며 16세기 코시모 1세가 자신의 저택으로 사용하기 위해 조르조 바사리에게 의뢰해 건물을 개조했다. 입구 양옆으로 다비드 상의 복제품과 바치오 반디넬리 Baccio Bandinelli의 헤라클레스와 카쿠스 동상이 있으며 안으로 들어가면 조르조 바사리의 프레스코화로 화려하게 장식되어 있는 중정이 있다. 내부는 현재 시청사와 박물관으로 사용하는데, 공화국 당시 회의장으로 사용되던 500인의 방Salone dei Cinquecento, 프란체스코 1세의 방Studiolo di Francesco I, 백합방 Sala dei Gigli 등이 유명하다.

- 시뇨리아 광장에 위치
- **박물관** 금~수요일 09:00-19:00, 목요일 09:00-14:00
  탑 금~수요일 09:00-17:00, 목요일 09:00-14:00, 12/25 휴무
- € 박물관 €12.5, 탑 €12.5

바르젤로 국립박물관 Museo Nazionale del Bargello

1255년 포폴로 궁으로 세워진 바르젤로 국립박물관은 토스카나 대공국 시대에는 경찰 본부, 그 후에는 감옥이었다가 19세기 중반부터 국립박물관으로 사용되기 시작했으며 지금은 주로 르네상스 조각 작품을 전시하고 있다. 주요 작품으로는 1층에 있는 미켈란젤로의 <바쿠스Bacco>, <성가족Tondo Pitti>, 2층에 있는 도나텔로의 <다비드David>, <성 조르조San Giorgio>, 3층에 있는 안드레아 델 베로키오Andrea del Verrocchio의 <달맞이꽃을 든 여인Dama col mazzolino> 등이 있다.

- 두오모와 시뇨리아 광장 사이
- 월, 금~일요일 08:15-18:50, 수~목요일 08:15-13:50, 1/1, 5/1, 12/25 휴관
- € €11

우피치 미술관 Galleria degli Uffizi

세계 최고 수준의 르네상스 회화 컬렉션을 감상할 수 있는 미술관으로 연간 150만 명 이상의 방문자들이 다녀간다. 1737년 메디치가의 마지막 상속녀 안나 마리아 루이자Anna Maria Luisa가 피렌체 시에 기증한 메디치가의 소장 예술품을 기반으로 시작되었다. 두 채의 궁전과 이를 이어주는 회랑이 U자 모양을 하고 있으며 그 속에 약 2500점의 작품을 소장하고 있는 것에 비해 공간이 협소하여 시간대별로 제한된 인원수만 받고 있다. 성수기에는 티켓을 구입하려면 2~3시간 줄을 서야 하기 때문에 미리 예약을 하고 가거나 피렌체 카드를 구입해서 방문하는 것이 좋다. 14세기와 르네상스 시대 거장들의 회화 작품이 2층과 3층에 나누어 전시되어 있으며 고대 그리스와 로마의 조각상 컬렉션도 있다. 미술관을 대표하는 작품인 산드로 보티첼리Sandro Botticelli의 <봄Primavera>과 <비너스의 탄생Nascita di Venere>은 3층 10~14번 방에 전시되어 있으며 그 외에 3층에 있는 유명 작품으로는 조토의 <권좌의 성모Ognissanti Maestà>, 필리포 리피의 <성모자와 두 천사Madonna col Bambino e due Angeli>, 피에로 델라 프란체스카Piero della Francesca의 <페데리코 다 몬테펠트로 공작과 공작부인의 초상Doppio ritratto dei duchi di Urbino>, 미켈란젤로의 <성가족Doni Tondo>, 라파엘로의 <오색방울새의 성모Madonna del Cardellino> 등이 있다. 티치아노Tiziano의 <우르비노의 비너스Venere di Urbino>(83번 방), 레오나르도 다빈치의 <수태고지Annunciazione>(79번 방) 등은 2층에 전시되어 있다. 티켓은 www.uffizi.it/en과 www.b-ticket.com/b-ticket/uffizi에서 예약 가능하다.

- 시뇨리아 광장의 베키오 궁전 오른쪽에 위치
- 화~일요일 08:15-18:30, 월요일, 1/1, 12/25 휴관
- € 3~10월 €25, 11~2월 €20(예약비 별도 €4)

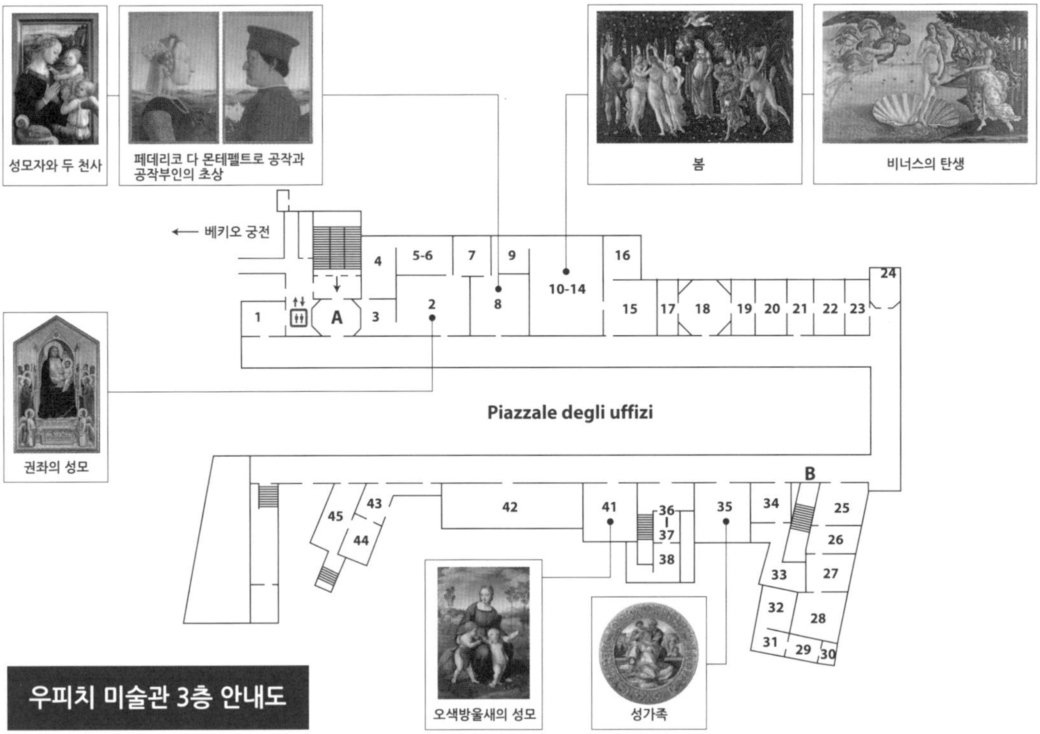

봄 Primavera

볼에 바람을 잔뜩 불어넣은 서풍의 신 제피로스가 요정 클로리스를 끌어안으려 하자 그녀의 입에서 꽃가지가 뻗어 나오면서 꽃의 여신 플로라로 변신한다. 플로라 옆에 서 있는 미의 여신 비너스는 지긋한 시선을 보내고 있으며 눈을 가린 채 비너스 위를 날고 있는 큐피트는 삼미신(에우프로시네, 탈리아, 아글라이아)을 향해 화살을 겨누고 있다. 삼미신 옆에서는 제우스의 전령인 메르쿠리우스(머큐리)가 지팡이로 구름을 걷어내고 있다.

비너스의 탄생 Nascita di Venere

<봄>과 연작으로 그려진 작품으로 서풍의 신 제피로스와 미풍의 여신 아우라가 바다 거품에서 탄생한 비너스를 바람을 불어 뭍으로 밀어내고 있으며, 뭍으로 나온 비너스를 계절의 여신 호라이가 감싸주려 다가가고 있다.

우르비노의 비너스 Venere di Urbino

티치아노가 그린 여성 누드화 중에서 가장 아름다운 작품으로 꼽힌다. 그림 속 여인은 살짝 상기된 볼에 요염한 눈길로 정면을 바라보고 있는데, 한 손에는 장미꽃을 들고 있고 반지를 낀 다른 손으로 은밀한 부위를 가리고 있는 관능적인 자태는 물 흐르듯 자연스럽게 시선을 유도한다.

수태고지 Annunciazione

레오나르도 다빈치의 초기 작품으로 대천사 가브리엘이 성모를 찾아가 수태 사실을 알리는 장면을 그린 것이다. 이 작품은 정면이 아닌 오른쪽 45도 각도에서 비스듬히 보아야 천사와 성모의 비율뿐만 아니라 뒤의 배경이 하나의 소실점으로 모아지면서 자연스럽게 보인다.

산타 크로체 성당
Basilica di Santa Croce

가장 오래된 프란체스코 수도회의 성당 중 하나인 산타 크로체 성당은 미켈란젤로, 단테, 마키아벨리, 갈릴레이 등 셀 수 없이 많은 명사들의 묘와 기념비가 있어 사람들의 발길이 끊이지 않는다. 성당은 바르디Bardi, 페루치Peruzzi, 바론첼리Baroncelli 예배당을 포함하여 작은 예배당들과 성구실, 벨 타워, 지하, 오페라 뮤지엄, 파치 예배당Cappella Pazzi, 회랑 등으로 구성되어 있다. 치마부에Cimabue의 <십자가에 못 박힌 예수Crocifisso di Santa Croce>, 성 프란체스코의 생애를 묘사한 조토의 프레스코화 등 수많은 걸작을 볼 수 있으며 초기 르네상스 건축물의 정수로 평가받는 브루넬레스키의 파치 예배당은 회랑에 자리 잡고 있다.

- 시뇨리아 광장에서 도보 7분
- 월~토요일 09:30-17:30, 일요일, 종교 축일(1/6, 8/15, 11/1, 12/8) 14:00-17:30, 1/1, 부활절, 6/13, 10/4, 12/25~26, 특별 행사 진행 시 휴무
- €8, 11~17세 €6, 11세 미만 무료

피티 궁전 Palazzo Pitti

피렌체에서 가장 큰 규모를 자랑하는 피티 궁전은 메디치가에 필적하는 부호 루카 피티Luca Pitti가 지은 궁전으로 이후 메디치가에서 인수하여 거주지로 삼았던 곳이다. 1919년 비토리오 에마누엘레 3세가 국가에 기증하면서 많은 사람들에게 사랑받는 다채로운 박물관으로 거듭나게 되었다. 내부에는 피티 궁전의 주요 미술관인 팔라티나 미술관을 비롯하여 로열 아파트먼트, 보석 세공 박물관, 근대 미술관, 의상 박물관, 도자기 박물관 등 다양하고 재미있는 박물관이 있으며 약 4만 4958㎡에 이르는 전형적인 16세기 이탈리아식 정원인 보볼리 정원이 궁전 뒤쪽에 있다.

- 우피치 미술관에서 베키오 다리를 건너 도보 7분
- 화~일요일 08:15-18:30, 월요일, 1/1, 12/25 휴무
- €17, 18세 미만은 여권 소지시 무료

베키오 다리 Ponte Vecchio

단테가 운명의 여인 베아트리체를 두 번째이자 마지막으로 만난 낭만적인 장소인 베키오 다리는 아르노 강을 가로지르는 피렌체의 다리 중 가장 오래된 다리이다. 제2차 세계대전 중에도 유일하게 파괴되지 않았으며 위층은 메디치가의 코시모 1세가 베키오 궁전과 피티 궁전을 연결하기 위해 건설했던 바사리의 회랑Corridoio Vasariano이다. 아래층 상가에는 페르디난도 1세가 기존에 있던 푸줏간, 가죽 상점 등 냄새나고 지저분한 상점들을 쫓아내고 금세공 업자를 들였으며 지금까지 금세공점과 보석 상점이 즐비하게 늘어서 있다. 산타 트리니타 다리Ponte Santa Trinita에서 아르노 강과 어우러진 베키오 다리의 풍경을 감상하면 좋다.

두오모에서 도보 7분

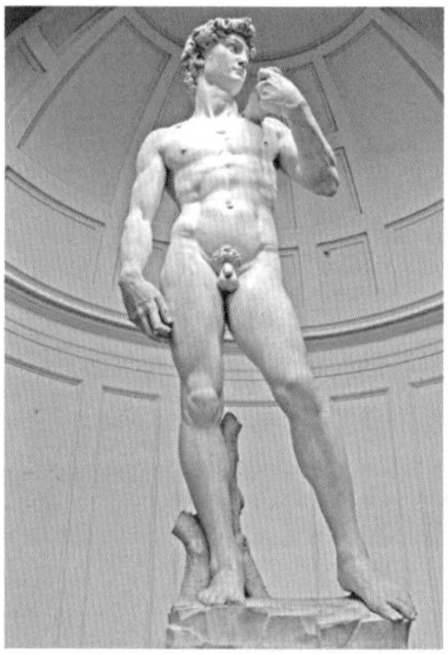

아카데미아 미술관 Galleria dell'Accademia

미켈란젤로의 <다비드>를 보기 위해 수많은 사람들이 찾는 아카데미아 미술관은 유럽 최초의 미술학교였던 곳이다. 시뇨리아 광장에 있던 <다비드>가 1873년 훼손을 막고자 이곳으로 옮겨진 후 20세기에 들어서서 미켈란젤로의 <성 마태오San Matteo>, <노예Schiavo Atlante>, <팔레스트리나의 피에타Pietà di Palestrina>와 같은 미완의 걸작들도 소장하면서 최고의 미켈란젤로 조각 컬렉션을 자랑하게 되었다. 5.2m 높이의 <다비드>는 세세한 핏줄, 힘줄, 손가락 주름까지 표현되어 있어 금방이라도 살아 움직일 것 같은 착각이 든다. 이 외에도 필리피노 리피, 기를란다요, 보티첼리 등의 작품과 여러 회화 및 종교화도 전시되어 있으며 음악 애호가들이 좋아할 만한 악기 박물관도 있다.

두오모에서 리카솔리 거리Via Ricasoli를 따라 도보 5분

화~일요일 08:15-18:50, 월요일, 1/1, 12/25 휴무 € €13 (예약비 €4 별도)

미켈란젤로 광장 Piazzale Michelangelo

피렌체가 한눈에 내려다보이는 언덕에 있는 미켈란젤로 광장은 아르노 강과 그 뒤로 펼쳐지는 피렌체 전경을 보기 위해 많은 사람들이 찾는 곳이다. 이곳에 오르면 두오모 쿠폴라와 기다란 자태를 뽐내는 종탑이 장난감처럼 보이고 피렌체는 시간의 흐름 속에 각기 다른 모습을 연출한다. 특히 노을이 질 때부터 깜깜한 하늘 아래로 점점이 켜지는 불빛을 마주한다면 다시 피렌체와 사랑에 빠질지도 모른다. 중앙에 있는 다비드 상은 모작으로 미켈란젤로 탄생 400주년을 기리기 위해 세운 것이다.

베키오 다리에서 도보 20~25분 정도 소요 / 피렌체 시내에서 12, 13번 버스를 타면 미켈란젤로 광장(종점)으로 갈 수 있다. 12, 13번 버스 모두 미켈란젤로 광장 방면 루트는 시내 방면 루트와 다르다. 좀 더 자세한 버스 루트는 www.at-bus.it/en/travel/lines-and-timetables/firenze 참고.

패션의 도시 피렌체와 딱 어울리는 특별한 박물관

살바토레 페라가모 박물관 VS 구치 가든

이탈리아 명품 패션의 발상지 피렌체에는 다른 곳에는 없는 조금 특별한 박물관들이 있다. 이탈리아의 대표적인 명품 브랜드, 살바토레 페라가모와 구치는 중세의 웅장한 궁전 안에 박물관을 만들어 자신들의 역사와 세계관을 모두 볼 수 있게 해놓았는데, 패션에 조금이라도 관심이 있는 사람이라면 절대 놓칠 수 없는 흥미진진한 관람이 될 것이다.

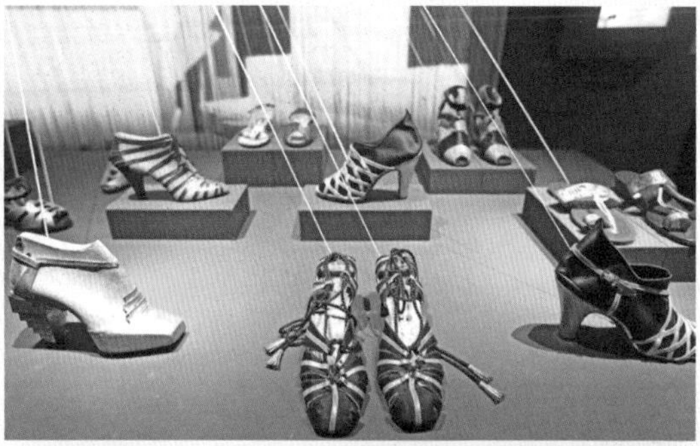

살바토레 페라가모 박물관 Museo Salvatore Ferragamo

1995년 5월에 문을 연 박물관으로 페라가모 본점이 있는 웅장한 중세 시대 건물, 스피니 페로니 궁전Palazzo Spini Feroni 지하에 있다. 창업주인 살바토레 페라가모와 관련된 각종 자료와 페라가모 브랜드의 역사를 모두 볼 수 있는 곳으로 특히 1927년부터 1960년까지 페라가모가 디자인한 클래식 구두 컬렉션은 구두를 사랑하는 사람에게는 어떤 예술 작품보다도 감동적인 전시품이다. 마릴린 먼로, 그레타 가르보, 오드리 헵번 등 유명한 할리우드 배우들을 위해 만들어졌던 신발과 그들의 발 모형도 전시되어 있으며 시즌별로 다양한 특별전도 열린다.

- 토르나부오니 거리 페라가모 본점 지하
- 10:30-19:30, 1/1, 8/15, 12/25 휴관
- €8

구치 가든 Gucci Garden

구치 박물관이 있던 메르칸치나 궁전Palazzo della Mercanzia을 새단장하여 2018년 1월 문을 연 명소이다. 구치 가든이라는 이름은 자연에서 모티브를 얻는 것뿐만 아니라 자연을 존중하는 '구치'의 세계관이 녹아든 것이다. 이탈리아 큐레이터 겸 평론가인 마리아 루이사 프리자Maria Luisa Frisa가 기획한 '구치 가든 갤러리아Gucci Garden Galleria', 미슐랭 3스타 셰프 마시모 보투라Massimo Bottura의 레스토랑인 '구치 오스테리아Gucci Osteria', 구치 가든 단독 상품을 판매하는 매장이 함께 있다. 2층으로 이루어진 구치 가든 갤러리아에는 구치의 첫 컬렉션부터 최근의 작품, 영상물, 예술품, 자료 등이 테마별로 전시되어 있다.

- 시뇨리아 광장 베키오 궁전 옆
- **구치 가든 갤러리아** 10:00-20:00 **구치 오스테리아** 12:30-15:00, 19:30-22:00
- 구치 가든 갤러리아 €8

Restaurant & Café

레푸블리카 광장

Caffe Gilli | 커피, 티라미수 |

피렌체에서 유일하게 벨 에포크 양식이 남아 있는 카페로 천장에 그려진 프레스코화, 우아한 샹들리에 등은 280년이 넘은 역사의 흔적을 간직하고 있다. 달콤한 디저트와 함께 여유롭게 커피를 음미하고 싶다면 비싼 자릿세는 부담해야 한다.

- 두오모에서 도보 3분
- Via Roma 1R, 50123 Firenze
- +39 055 213 896
- 07:30-24:00
- 커피 €1.1~3.5(바), €4~8(좌석), 디저트 €1.2~5(바), €4~8(좌석)

산타 마리아 노벨라 광장

Trattoria dei 13 Gobbi | 토마토 파스타 |

리가토니Rigatoni 면으로 만든 토마토소스 파스타가 유명하며 티본스테이크인 비스테카 알라 피오렌티나도 맛볼 수 있다. 추천 메뉴는 메뉴판에 빨간색으로 표시되어 있어 비교적 고르기 쉽다.

- 산타 마리아 노벨라 광장에서 도보 4분
- Via del Porcellana 9R, 50123 Firenze
- +39 055 284 015
- 12:30-15:00, 19:30-23:00
- € 비스테카 알라 피오렌티나 2인 기준 €66, 파스타 €11~15

산타 마리아 노벨라 광장

Pensavo Peggio | 발사믹 소스 스테이크 |

부카 마리오 레스토랑과 인접해 있는 로컬 맛집으로 점심에는 런치 메뉴가 따로 있어 좀 더 할인된 가격으로 먹을 수 있다. 매콤한 토마토 파스타와 발사믹 소스 스테이크가 맛있으며 친절한 서비스에 기분도 좋아지는 곳이다.

- 산타 마리아 노벨라 성당에서 도보 3분
- Via del Moro 51, 50123 Firenze
- +39 055 230 2987
- 월~금요일 18:00-22:00, 토~일요일 휴무
- € 프리모 피아토 €12~17, 세콘도 피아토 €15~18, 발사믹 소스 스테이크 €18

베키오 다리

Caffe' dell'Oro | 파인 다이닝 |

페라가모 호텔 중 하나인 포트레이트 피렌체Portrait Firenze에서 운영하는 레스토랑으로 베키오 다리 근처에 있다. 음식 맛도 훌륭하고 분위기도 좋아 인기가 많은 곳이다.

- 시뇨리아 광장에서 도보 5분
- Lungarno degli Acciaiuoli, 4, 50123 Firenze
- +39 055 2726 8912
- 07:00-22:00
- € 안티파스토 €18~21, 프리모 피아토 €26~34, 세콘도 피아토 €30~52

산타 마리아 노벨라 광장 Trattoria al Trebbio | 토스카나 전통 요리 |

지하와 지층으로 된 아담한 규모의 아늑한 트라토리아로 비교적 합리적인 가격으로 토스카나 전통 요리를 즐길 수 있다. 토스카나 주의 전통 수프 요리인 리볼리타 Ribollita도 추천한다.

- 산타 마리아 노벨라 성당에서 도보 2분 / Via delle Belle Donne 47/49R, 50123 Firenze
- +39 055 287 089 / 12:00-15:00, 19:00-23:00
- € 파스타 €10~20, 비스테카 알라 피오렌티나 2인 기준 €52~58

두오모

Panini Toscani | 파니니 |

서브웨이와 비슷한 시스템으로 빵, 햄, 치즈, 채소 등을 취향에 따라 골라 자기만의 파니니를 만들어 먹을 수 있는 곳이다. 햄과 치즈는 결정하기 전에 테이스팅 할 수 있으며 채소까지 고른 후에는 따뜻하게 먹을 건지 아닌지 결정하면 되는데 따뜻하게 먹는 것을 추천한다. 파니니는 둘이서 1개를 주문해서 먹어도 될 만큼 크다.

- 두오모 쿠폴라 근처에 위치
- Piazza del Duomo 34R, 50122 Firenze / +39 335 572 5544
- 매일 10:30-19:00 / € 음료 €2.5~6, 파니니 €8~9

가죽 시장, 중앙 시장

Trattoria Zà Zà | 비스테카 알라 피오렌티나 |

관광객들 사이에서 가성비 좋은 식당으로 유명한 곳이다. 비스테카 알라 피오렌티나를 무게로 판매하며 1kg을 주문하면 2~3명이 먹을 수 있고 굽기 선택도 가능하다. 웰던으로 주문해도 미디엄 정도로 나오니 참고하자.

- 중앙 시장에서 도보 1분 / 산 로렌초 성당에서 도보 3분
- Piazza del Mercato Centrale 26R, 50123 Firenze
- +39 055 215 411
- 11:00-23:00
- € 비스테카 알라 피오렌티나 1kg €50, 안심 스테이크 1kg €55, 파스타 €9~18

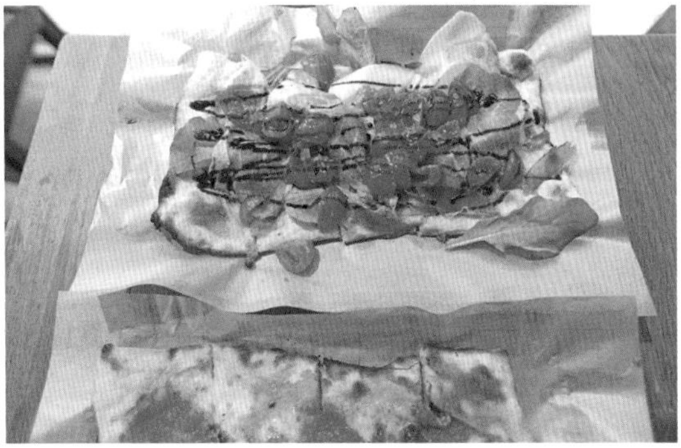

시뇨리아 광장, 베키오 다리

Mangia Pizza | 피자 |

가성비 좋은 피자 집으로 테이블은 5~6개 정도로 많지 않다. 피자를 주문하면 길쭉한 모양의 피자를 전기 화덕에 바로 구워주며 도우는 얇고 바삭한 편이다.

- 시뇨리아 광장과 베키오 다리 사이의 좁은 골목에 위치. 두 곳 모두 도보 3분 미만 소요
- Via Lambertesca 24/26/R, 50122 Firenze ☎ +39 055 287 595 11:00-19:00
- € 피자 €8~11

베키오 다리 건너편

Ristorante Borgo San Jacopo | 미슐랭 1스타 |

살바토레 페라가모에서 운영하는 호텔 중 하나인 룬가르노Lungarno 호텔 내에 자리하고 있다. 감각적이고 독창적인 플레이팅을 선보이며 아르노 강과 베키오 다리 풍경을 보며 식사할 수 있는 창가 자리가 인기가 많다.

- 베키오 다리 건너서 도보 2분
- Borgo San Jacopo 62/R, 50125 Firenze
- 수~일요일 19:00-22:00, 월~화요일 휴무 ☎ +39 055 281 661
- € 프리모 피아토 €38~45, 세콘도 피아토 €48~56, 테이스팅 메뉴 €160~

시뇨리아 광장

All'Antico Vinaio | 파니니 |

이탈리아 전통 파니니를 판매하는 곳으로 빵, 햄 종류, 치즈, 크림 등 토핑을 고를 수 있다. 햄이나 고기가 많이 들어간 메뉴는 짭짤할 수 있으므로 맥주나 와인을 곁들이면 좋다. 양이 푸짐하여 두 사람이 1개만 주문해도 충분하다.

- 시뇨리아 광장에서 도보 3분
- Via Dei Neri 65R, 50100 Firenze
- 매일 10:00-22:00
- € 평균 €7~8

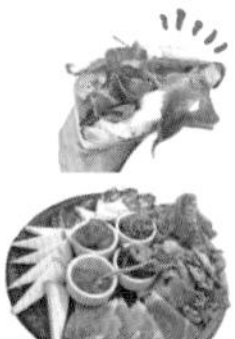

산 로렌초 성당

Peking | 중식당 |

합리적인 가격에 정통 중화요리와 스시, 철판 요리를 먹을 수 있는 레스토랑이다. 일식보다는 볶음밥, 볶음면, 마파두부 등의 중식이 우리 입맛에 더 맞는다. 관광지에서 가까워 찾아가기도 편하고 한국어가 병기된 메뉴판도 있다.

- 산 로렌초 성당에서 도보 2분
- Via del Melarancio 19-21R, 50123 Firenze
- +39 055 282 922
- 화~일요일 11:30-15:00, 18:00-23:00, 월요일 휴무
- € 생선, 새우 요리 11~15, 고기 요리 €8~18, 볶음밥 €7~12

산타 마리아 노벨라역

Goong | 한식당 |

토스카나 지방에 최초로 문을 연 한식당으로 고급스러운 분위기이다. 비빔밥, 김치볶음밥, 김밥, 제육볶음, 불고기 등을 판매하는데 찌개보다는 다른 메뉴가 더 인기가 많다. 음식이 정갈하고 서비스도 좋아 우리나라 관광객이 많이 찾는다.

- 산타 마리아 노벨라역에서 도보 8분
- Borgo Ognissanti 68R, 50123 Firenze
- +39 055 281 085
- 목~화요일, 19:00-23:00, 수요일 휴무
- € 파전 €13, 김치볶음밥 €15, 찌개류 €15, 삼겹살 2인분 €35

가죽 시장, 중앙 시장

Hallasan | 한식당 |

한라산은 한국 사람이 운영하는 고기집이자 한식당이다. 삼겹살은 물론 등심, 채끝, 살치살, 갈비살 등을 비롯한 고기와 비빔밥, 찌개, 전골, 냉면 등을 먹을 수 있으며 반찬도 깔끔하게 잘 나오는 편이다. 단, 식사 메뉴만은 주문할 수 없고 고기 주문이 필수이니 참고하자.

- 중앙 시장에서 도보 2분
- Via Guelfa 98 R, 50129 Firenze
- +39 055 073 0077
- 월, 화, 목, 금요일 18:30-23:00,
  토~일요일 12:00-15:00, 18:30-23:00, 수요일 휴무
- € 돌솥비빔밥 €18~20, 찌개 €18, 전골 €38, 삼겹살 €26, 고기류 €28~55

소문난 전통 젤라테리아 VS 유기농 원료의 신흥 강자

피렌체 베스트 젤라테리아

젤라토의 발상지로 알려진 피렌체에는 유난히 맛있고 유명한 젤라테리아가 많다. 그중에는 오랜 전통을 자랑하는 젤라토 명가들이 있는가 하면 신선한 100% 유기농 원료로 고객의 까다로운 입맛을 사로잡은 신흥 젤라테리아들도 있다. 아래 소개한 젤라테리아 외에도 피렌체의 웬만한 젤라토는 모두 맛있는 편이므로 피렌체에서만큼은 1일 1젤라토를 꼭 즐겨보자.

Vivoli

피렌체에서 가장 오래된 젤라테리아로 딸기 맛(프라골라Fragola)은 이탈리아 최고로 꼽힐 만큼 유명하며 리소(쌀)도 맛있다. 비볼리에는 콘이 따로 없고 컵에만 담아주기 때문에 사이즈만 골라 계산한 후, 영수증을 보여주고 원하는 젤라토를 고르면 된다. 추천하는 맛은 프라골라(딸기), 리소(쌀), 크레마(크림)이다.

- 산타 크로체 광장에서 도보 2분
- Via dell'Isola delle Stinche 7R, 50122 Firenze
- +39 055 292334
- 화~토요일 08:00-23:00,
  일요일 09:00-20:00, 월요일 휴무
- € 가장 작은 사이즈 €2.5, 아포가토 €5.5
- @ vivoli.it/en

Perche no!

1939년에 문을 열어 3대째 이어온 젤라테리아로 장미, 라벤더, 생강 등 독특한 맛의 젤라토와 다양한 과일 맛이 많은 편이다. 한 켠에 한국어 메뉴판이 있어 고르기 수월하며 우리나라에도 입점해 있다. 추천하는 맛은 로사(장미), 피오르디라테 콘 미엘레 에 세사모(꿀과 참깨 피오르디라테)이다.

- 시뇨리아 광장에서 도보 2분 / 두오모에서 도보 3분
- Via dei Tavolini 19R, 50122 Firenze
- +39 055 239 8969
- 월, 수, 일요일 11:00-20:00, 목~토요일 11:00-23:00, 화요일 휴무
- € 가장 작은 사이즈 €3
- @ www.percheno.firenze.it

Grom

이탈리아 35개 도시 및 뉴욕, 파리, 두바이, 오사카 등 여러 해외 지점이 있는 젤라테리아 그롬은 인공 향료나 첨가제를 사용하지 않는 유기농 젤라토의 대명사 같은 곳이다. 제철 과일과 엄선된 신선한 재료를 사용하기 때문에 메뉴가 조금씩 달라지니 참고하자.

- 두오모에서 도보 1분
- Via del Campanile 2, 50122 Firenze
- +39 055 216158
- 일~목요일 10:00-23:00, 금~토요일 10:00-24:30
- 가장 작은 사이즈 €3.2 @ www.grom.it/en

Gelateria Edoardo

인공색소, 방부제, 화학 첨가물 등을 일체 넣지 않은 100% 천연 원료 유기농 젤라토를 맛볼 수 있는 곳으로 젤라토를 담는 콘도 직접 굽는다. 소베르토 알 끼안티(레드 와인 소르베), 노촐라(헤이즐넛), 칸넬라(시나몬) 등의 맛이 인기 있다. 내부가 좁아 번호 순서대로 주문을 받으며 입구에 수동 번호표 발급기가 있다.

- 두오모 쿠폴라 근처, 조토의 종탑에서 도보 2분
- Piazza del Duomo 45/R, 50122 Firenze
- +39 055 281055
- 11:30-23:00
- 가장 작은 사이즈 컵 €3, 콘 €3.6
- @ www.edoardobio.com/en

피렌체식 티본스테이크는 여기에서!

비스테카 알라 피오렌티나 베스트 맛집

피렌체식 티본스테이크인 비스테카 알라 피오렌티나는 피렌체에서 꼭 먹어봐야 할 전통 음식 중 첫 번째로 꼽히는 인기 메뉴이다. 피렌체의 전통 레스토랑 대부분에서 비스테카 알라 피오렌티나를 판매하지만, 아래 소개한 베스트 맛집은 특별히 우리나라 관광객의 취향을 제대로 저격하는 곳들이다. 비스테카 알라 피오렌티나를 제대로 즐기고 싶다면 향긋한 토스카나 레드 와인을 곁들여보자.

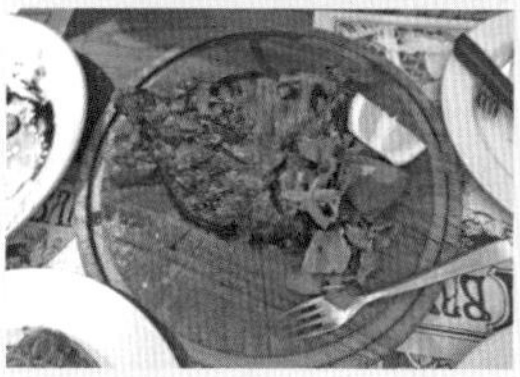

Ristorante Buca Mario

1886년에 문을 연 레스토랑으로 피렌체 최고의 비스테카 알라 피오렌티나로 알려진 곳이다. 부드러우면서 육즙 가득한 비스테카 알라 피오렌티나는 1인분만으로도 양이 많아 2명이 간다면 비스테카 알라 피오렌티나 1인분에 안티파스토로 토마토 부르스게타, 프리모 피아토로 해산물 파스타 정도를 주문하는 것이 좋다. 저녁 시간에만 오픈하므로 예약을 하고 가는 것이 좋다.

- 산타 마리아 노벨라 광장에서 도보 2분
- Piazza degli Ottaviani 16R, 50123 Firenze
- +39 055 214179
- 19:00-24:00, 일요일 휴무
- € 비스테카 알라 피오렌티나 1인 €50, 2인 €100

Yellow Bar

우리나라 관광객들 사이에서 비스테카 알라 피오렌티나 맛집으로 유명한 곳이며 직접 뽑은 생면 파스타와 얇은 도우의 피자도 맛있다. 굽기 전에 직원이 고기를 가지고 와서 상태를 보여주고 굽기 정도도 꼼꼼하게 확인하여 입맛에 꼭 맞게 구워준다. 대표 파스타 메뉴는 로제 소스에 2가지 색상의 파스타 면을 섞은 Pagila e Fieno이다.

- 두오모에서 도보 6분
- Via del Proconsolo 39R, 50122 Firenze
- +39 055 211766
- 12:00-15:00, 18:45-22:30(시간 유동적), 월요일 휴무
- € 비스테카 알라 피오렌티나 €55, 파스타 €11~15, 피자 €6.5~12

Trattoria Dall'Oste

우리나라 사람들에게 특히 인기가 좋은 레스토랑으로 한국어 메뉴판이 따로 준비되어 있다. 가장 좋은 것은12:00-18:00까지 약 €20에 먹을 수 있는 1인 세트가 있어 혼자 방문해도 부담 없이 비스테카 알라 피오렌티나를 주문할 수 있다는 점이다. 미디엄 웰던으로 주문해야 미디엄처럼 구워주며 3가지 소스가 같이 나온다. 피렌체 산타 마리아 노벨라역 근처에 2개, 두오모 근처에 2개의 레스토랑이 있으니 동선이 편한 곳을 선택하면 된다.

- 산 로렌초 성당 및 두오모에서 도보 2분
- Borgo S. Lorenzo 31, 50121 Firenze
- +39 055 202 6862
- 12:00-22:30 (Oricellari 지점 12:00-14:30, 18:30-22:30)
- € 1.2kg 약 €103(품종에 따라 상이), 파스타 €17~26

Buca Lapi

창업주의 이름을 딴 부카 라피는 그 역사가 1880년으로 거슬러 올라가며 오랜 세월 동안 사랑받아 온 곳이다. 전 세계의 다채로운 빈티지 여행 포스터로 장식된 아치형 천장이 돋보이며 최고 등급의 고기를 올리브 나무 숯을 이용해 구운 스테이크는 하루를 마무리하기에 완벽하다. 신선한 맛을 듬뿍 느낄 수 있는 토마토 파스타도 추천한다. 단, 인기 많은 곳이라 충분한 여유를 두고 예약(이메일 또는 전화)해야 낭패가 없다.

- 산타 마리아 노벨라 성당 및 두오모에서 도보 5분
- Via del Trebbio 1r, 50123 Firenze
- +39 055 213768
- 월~토요일 19:00-22:00, 일요일 휴무
- @ www.bucalapi.com/it/
- € 비스테카 알라 피오렌티나 €59, 파스타 €9.9~14.9

Shopping

Officina Profumo - Farmaceutica di Santa Maria Novella

도미니크회 수도사들의 전통 비법으로 만든 천연 화장품과 향수, 비누, 보디 용품 등을 구입할 수 있는 산타 마리아 노벨라 약국은 우리나라 여행객들의 쇼핑 스폿에 꼭 들어가는 곳이다. 피렌체뿐만 아니라 로마, 베니스, 밀라노 등 이탈리아 주요 도시에 지점이 있으며 우리나라에서 구입하는 것보다 이탈리아 현지에서 구입하는 것이 훨씬 저렴하다. 수분 크림인 크레마 이드랄리아Crema Idralia와 재생 크림인 크레마 알 폴리네Crema al Polline, 장미수Acqua di Rose 등이 가장 인기 있는 아이템이며 향수인 아쿠아 디 콜로니아Acqua di Colonia도 유명하다. 당일 구매 금액이 €155 이상이면 부가가치세 환급이 가능하니 여권을 준비해가는 것이 좋다. 산타 마리아 노벨라 성당 근처 외에도 2개의 매장이 있다.

- 산타 마리아 노벨라 성당에서 도보 4분
- Via della Scala 16, 50123 Firenze
- 09:30-20:30, 1/1, 부활절, 5/1, 12/25, 12/26 휴무
- @ eu.smnovella.com

Farmacia SS. Annunziata

1561년에 문을 연 피렌체에서 가장 오래된 약국인 안눈치아타 약국은 5세기에 걸친 전통 비법과 현대 기술을 접목시켜 천연 화장품과 향수, 보디 제품 등을 만들어 판매하는 곳이다. 엄선된 재료로 소량의 제품만 생산하기 때문에 합리적인 가격으로 품질 좋은 제품을 구입할 수 있어 점점 더 인기를 얻고 있다. 우리나라 사람들이 많이 찾는 제품은 금잔화 수분 크림Crema Idratante alla Calendula, 수분 크림Crema Idratante, 장미수Tonico alla Rosa, 아이 크림Crema Contorno Occhi 등이며 한국어 브로슈어도 마련되어 있어 제품 설명을 볼 수 있다.

- 두오모에서 산티시마 안눈치아타 광장 방향으로 도보 5분
- Via dei Servi 80R, 50122 Firenze
- 월~토요일 10:30-19:00, 일요일 휴무
- @ www.farmaciassannunziata1561.it

AquaFlor

아쿠아플로르는 향수 장인들의 오랜 전통을 잇는 피렌체의 유명 퍼퓨머리이다. 향수, 디퓨저, 향초, 비누, 화장품, 보디 제품, 목욕 소금 등을 판매하는데 모든 제품에 천연 원료만 사용한다. 우아하고 고풍스러운 분위기의 넓은 매장에는 향수, 비누, 아로마 제품이 3부분으로 나뉘어 전시되어 있다. 가장 인기 있는 제품은 색다르고 매력적인 향의 아쿠아플로르의 향수로 직원이 자신에게 가장 맞는 향을 찾을 수 있도록 도와준다. 예쁜 파스텔 색의 아쿠아플로르의 오가닉 비누 세트는 지인을 위한 선물로 더할 나위 없이 좋다.

- 산타 크로체 성당에서 도보 2분
- Borgo Santa Croce, 6, 50122 Firenze
- 10:00-19:00
- @ www.aquaflor.it/en

Martelli

1967년에 오픈한 장갑 전문점으로 새끼 염소 가죽으로 만든 다양한 장갑을 만날 수 있다. 부드러운 새끼 염소 가죽에 안감으로는 캐시미어, 실크, 토끼털, 파시미나 등을 사용하여 착용감도 우수하다. 쿠션에 손을 올려 사이즈를 잰 후 진열장에 전시된 장갑 중 마음에 드는 디자인과 색상을 말하면 직원이 내 손에 꼭 맞는 장갑을 찾아준다.

- 산타 마리아 노벨라 성당에서 도보 3분
- Via Por Santa Maria 18, 50122 Firenze
- 10:30-19:00

Pegna dal 1860

150년이 넘는 긴 역사를 지닌 식료품점으로 두오모와 인접해 있다. 내부로 들어가면 제법 큰 규모에 놀라게 된다. 와인, 올리브 오일, 발사믹 식초, 트뤼플 관련 제품, 초콜릿, 스낵, 치즈, 햄, 통조림, 향신료 등 각종 식재료는 물론 치약, 비누 등 생필품도 있다. 제품이 워낙 다양하고 가짓수도 많아 한 번에 쇼핑을 즐기거나 선물을 구입하고자 한다면 들러볼 만하다.

- 두오모에서 도보 2분
- Via dello Studio 26R, 50122 Firenze
- 월~토요일 10:30-19:00, 일요일 휴무

Madova

1919년에 문을 연 가죽 장갑 전문점으로 우리나라 관광객들 사이에서도 매우 유명하다. 좁은 매장 안에는 다양한 사이즈와 디자인, 색상의 장갑이 산더미처럼 쌓여 있다. 2명의 직원이 고객들이 원하는 장갑을 살 수 있도록 도와주는데 누가 낄 것인지, 원하는 색상은 무엇인지를 말하면 여러 디자인의 장갑을 보여준다. 사이즈도 다양하며 직접 껴볼 수도 있어 내 손에 꼭 맞는 장갑을 구입할 수 있다.

- 베키오 다리에서 피티 궁전 방향으로 도보 1분
- Via de' Guicciardini 1R, 50125 Firenze
- 월~금요일 10:30-19:00, 토요일 09:00-19:00, 일요일 휴무 @ www.madova.it

Il Bisonte

이탈리아 프리미엄 가죽 브랜드인 일 비종떼는 쓰면 쓸수록 더욱 빛을 발하는 가죽 제품을 만들어낸다. 일 비종떼는 이탈리아어로 '들소'라는 의미로 제품에 들소 모양의 로고와 별이 새겨져 있으며 가방, 지갑, 팔찌 등 다양한 아이템을 선보인다.

- 토르나부오니 거리에 있는 살바토레 페라가모 매장에서 도보 3분
- Via del Parione 31, 50123 Firenze
- 매일 10:30-19:00 (토요일 ~18:30)
- @ www.ilbisonte.com

Buti

1958년 Buti Pilade가 시작한 가방, 액세서리 브랜드로 부티의 대표 백은 에바 백과 캐티백이다. 색상, 가죽, 사이즈, 액세서리 색상 등 커스텀 메이드도 가능하며 우리나라를 비롯하여 영국, 스위스, 미국, 호주, 말레이시아, 일본 등에도 입점해 있다.

- 베키오 다리에서 도보 1분 / 시뇨리아 광장에서 도보 5분
- Lungarno degli Acciaiuoli, 54, 50123 Firenze
- 10:00-19:00
- @ www.butipelletterie.com

Furò e Punteruolo

가죽 공방 겸 상점으로 작업대에서 가죽 제품을 만드는 장인의 모습도 볼 수 있다. 심플하면서도 약간은 투박한 지갑, 소품, 가방, 벨트 등을 구입할 수 있으며 벨트는 사이즈에 맞게 구멍을 뚫어준다. 간단한 이니셜도 새길 수 있으나 유료이니 참고하자.

- 산타 마리아 노벨라 성당에서 도보 3분
- Via del Giglio 29R, 50123 Firenze
- 월~토요일 10:00-19:00, 일요일 휴무

Luisa Via Roma

1930년 피렌체 로마 거리에 문을 연 작은 모자 부티크에서 시작된 루이자비아 로마는 피렌체는 물론 이탈리아를 대표하는 럭셔리 편집 숍이다. 600개 이상의 디자이너 컬렉션과 다양한 독점 서비스를 제공하는 세계적인 패션 기업으로 현재는 피렌체에 2개의 매장만 남겨놓고 온라인 기반으로 구조를 바꿨다. 홈페이지에 한국어가 지원되고 관세, 부가세가 포함된 가격으로 표시되며 무료 배송 서비스까지 제공되어 홈페이지에서 직구를 하는 사람이 많다.

- 산 조반니 세례당에서 도보 2분
- Via Roma, 19/21/R, 50123 Firenze
- 월~토요일 10:30-19:00, 일요일 휴무
- @ www.luisaviaroma.com

La Bottega Dell'Olio

엑스트라 버진 올리브 오일을 전문적으로 판매하는 상점으로 1999년에 문을 열었다. 이탈리아 제조사들에서 만든 최상의 프란토이오 올리브 오일을 깐깐하게 골라 판매하며 올리브 오일로 만든 화장품, 다양한 발사믹 식초, 오일 저그 등도 함께 구입할 수 있다. 이탈리아 요리에 관심이 많은 사람이라면 꼭 한 번 들러보아야 할 상점이다.

- 살바토레 페라가모 박물관에서 도보 2분
- Piazza del Limbo, 4/R 50123 Firenze
- 월요일 14:30-18:30, 화~토요일 10:00-13:00, 14:00-18:30, 일요일 휴무
- @ www.labottegadelloliofirenze.it

Mercato San Lorenzo

가죽 제품, 기념품, 의류 등을 판매하는 산 로렌초 시장은 야외 시장으로 오래전 질 좋은 이탈리아 가죽 제품을 판매하는 상점들이 들어서면서 형성된 곳이다. 피렌체 중앙 시장에서 메디치 예배당Cappelle Medicee까지 이어지는 아리엔토 거리Via dell'Ariento와 그 주변은 일명 '가죽 시장'이라 불리며 지금은 중국 제품도 많이 있어 'Made in Italy'는 찾아보기 힘들다. 가격 흥정은 필수이며 여러 곳을 다니며 꼼꼼히 비교해본 후 구입 여부를 결정하도록 하자.

- 중앙 시장 바로 근처, 산 로렌초 성당에서 도보 3분

Il Papiro

이탈리아의 대표적인 수제 문구점으로 중세 시대부터 이어진 피렌체 전통 수공예 종이에 대한 열정으로 2명의 청년이 1976년 창업했다. 일 파피로의 상징인 고풍스러운 종이는 젤라틴에 아크릴물감을 풀어 종이와 가죽에 무늬를 입히는 마블링 기법으로 만들어지는데 모든 과정이 장인의 수작업으로 이루어진다. 이 마블링 종이로 만든 문구류가 일 파피로의 주요 제품이며 그 외에 섬세한 일러스트가 돋보이는 엽서와 카드, 이니셜이 새겨진 놋쇠 인장과 실링 왁스 등 앤티크 문구의 팬이라면 열광할 만한 제품이 가득하다. 피렌체에만 6개 지점이 있으며 이탈리아의 주요 도시들은 물론 멜버른, 팜비치, 런던 등에도 지점이 있다.

- 두오모에서 도보 2분
- Piazza del Duomo 24R, 50122 Firenze(두오모 지점)
- 10:30-19:00 @ ilpapirofirenze.eu/en

Kiko

1997년에 창업한 이탈리아의 국민 화장품 브랜드이다. 저렴한 가격과 좋은 품질로 연령대에 상관없이 큰 인기를 누리고 있으며 색조 화장품, 특히 립스틱과 매니큐어는 여성 관광객의 쇼핑 리스트에 꼭 들어간다. 키코의 립스틱은 예쁜 발색은 물론 지속력이 좋기로도 유명한데, 여러 개를 사도 부담스럽지 않은 가격이 무엇보다 매력적이다. 산타 마리아 노벨라역 내에도 매장이 있으며 이탈리아 전역에서 쉽게 매장을 발견할 수 있다.

- 조토의 종탑에서 시뇨리아 광장 방향으로 도보 2분
- Via dei Calzaiuoli, 82/84/86, 50122 Firenze
- 월~토요일 09:30-21:00 (금, 토요일 ~23:00), 일요일 10:00-23:00
- @ www.kikocosmetics.com

FIRENZE SPECIAL

피렌체 중앙 시장

Mercato Centrale

피렌체 기차역에서 도보 7분 거리에 있는 중앙 시장은 1874년부터 자리를 지켜온 전통 시장이다. 2014년 140주년을 맞아 완벽하게 새단장되어 깔끔하고 현대적인 시설을 갖추어 피렌체 시민은 물론 관광객들에게도 사랑받는 장소로 거듭났다.

- 산 로렌초 성당에서 도보 4분 / 산타 마리아 노벨라역에서 도보 7분
- Piazza del Mercato Centrale - Via dell'Ariento, 50123 Firenze
- 09:00-24:00(1층 상점들은 14:00까지 영업) @ www.mercatocentrale.com/florence

1F 이탤리언 식재료 쇼핑

채소, 과일, 고기, 해산물, 와인, 치즈, 올리브유 등 다양한 식료품을 판매하는 상점들이 모여 있다. 숙소에서 먹을 과일과 기념품, 여행 선물을 구입하기에 좋으며 곱창 버거로 유명한 Nerbone도 1층에 있다. 1층 상점들은 일찍 문을 닫기 때문에 오전에 방문하는 것이 좋다.

중앙 시장 1F

Da Nerbone | 곱창 버거 |

중앙 시장의 유명 맛집으로 피렌체의 대표적인 길거리 음식인 람프레도토Lampredotto를 판다. 우리나라 관광객들 사이에서는 곱창 버거로 불리는 람프레도토는 정확하게 말하면 소의 막창을 여러 가지 허브를 넣고 삶아 바삭한 빵 가운데 넣은 샌드위치를 말한다. 곱창 버거가 부담스럽다면 곱창 대신 수육이 들어간 Panino con Bollito를 주문하자. 핫소스가 필요하면 살사 피칸테Salsa picante를 달라고 하면 된다. 가격은 €3.5.

월~토요일 08:30-15:00, 일요일 휴무

2F 푸드 코트

2층은 중앙에 테이블 좌석을 두고 다양한 음식점이 둘러싸고 있는 푸드 코트이다. 음식과 음료를 사서 원하는 좌석에 앉아 먹으면 되는데 사람이 많아 좌석 잡기가 어려운 경우가 많다. 1층은 문을 닫아도 2층은 밤늦게까지 영업하기 때문에 저녁 시간에 더 붐빈다. 작은 규모의 Eataly도 있다. 중앙 시장에서 유일하게 미슐랭 스타 셰프가 이끄는 레스토랑인 토스카Tosca는 비스테카 알라 피오렌티나의 숨은 맛집이다.

명품 쇼핑 거리의 대명사

토르나부오니 거리

Via de' Tornabuoni

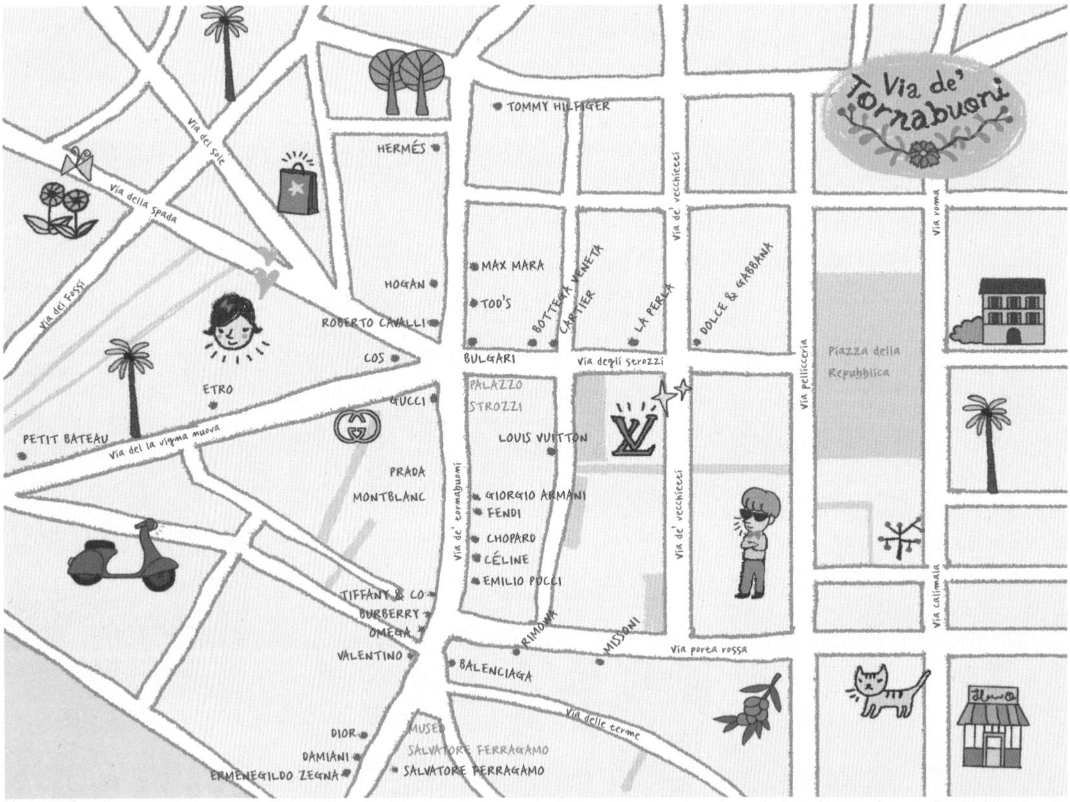

안티노리 광장Piazza degli Antinori에서 산타 트리니타 다리Ponte Santa Trinita까지 이어지는 토르나부오니 거리는 구치와 살바토레 페라가모의 본점을 비롯해 에르메스, 토즈, 프라다, 막스마라 등의 이탈리아 명품 브랜드뿐만 아니라 세계적으로 유명한 브랜드의 매장들이 밀집되어 있는 명품 쇼핑 거리이다. 토르나부오니 거리에서 뻗어나간 비냐 누오바 거리Via della Vigna Nuova, 스트로치 거리Via degli Strozzi 등 주변 거리에도 수많은 숍이 들어서 있으니 시간을 갖고 천천히 구경하면 좋다. 살바토레 페라가모 본점 지하에 있는 박물관도 관심이 있다면 들러봐도 좋다.

두오모 광장에서 안티노리 광장까지 도보 5분

★★★★★

피렌체 추천 숙소

포시즌스, 아만, 불가리, 파크하얏트 등 럭셔리 호텔을 살레트래블을 통해 예약하시면 특별한 혜택이 주어집니다. 자세한 혜택과 정보는 88p 참고.

Continentale

★★★★

피렌체에 있는 룬가르노 호텔 중 가장 로맨틱한 호텔로 1950년대의 피렌체에서 영감을 받은 인테리어 디자인은 우아하면서도 다이내믹하다. 페라가모 스타일의 디테일이 곳곳에 숨어 있으며 프레스티지 객실부터는 창밖으로 아르노 강과 베키오 다리가 바라다보인다. 투숙객에게 가장 인기 있는 곳은 루프톱에 있는 테라스 라운지 바 La Terrazza로 이곳에서는 칵테일 한잔을 마시며 아르노 강의 잊을 수 없는 석양을 감상할 수 있다.

- Vicolo dell'Oro 6R, 50123 Firenze
- +39 055 27262
- @ www.lungarnocollection.com/continentale-hotel

Helvetia & Bristol Firenze

★★★★★

역사와 화려함이 가득한 헬베티아 & 브리스톨은 1885년부터 그 자리를 지켜온 곳으로 수많은 명사들이 다녀간 곳이기도 하다. 리노베이션 된 후 클래식 혹은 클래식 컨템퍼러리의 객실 중 선택하여 예약할 수 있으며 피렌체에서 가장 큰 규모에 달하는 스파에서 'Secret of Longevity' 트리트먼트는 꾸준한 사랑을 받고 있다. 천장이 유리로 된 윈터 가든은 식사를 즐기기에 좋고 아페리티프나 칵테일을 홀짝이고 싶다면 세련된 바로크 양식의 가구로 꾸며진 일 바레토Il Baretto로 향하자.

🏠 Via dei Pescioni 2, 50123 Firenze
☎ +39 055 26651
@ collezione.starhotels.com/en/our-hotels/helvetia-and-bristol-florence

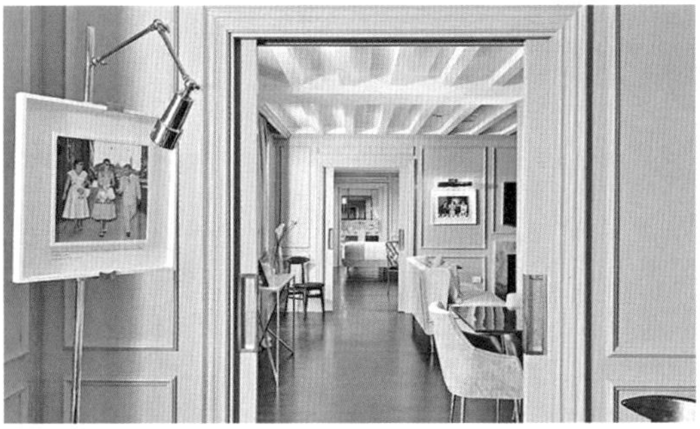

Portrait Firenze

★★★★★

호텔보다는 호화로운 타운하우스를 연상시키며 패셔너블한 내 집 같은 편안함을 제공한다. 라운지와 침실 창문 너머로 보이는 아르노 강의 잔잔한 물결과 베키오 다리 풍경은 과거와 현재의 감각을 반영한 인테리어에 녹아 있다. 따뜻한 목재와 블랙, 그레이, 골드가 어우러진 인테리어는 클래식하면서도 현대적인 미를 뽐낸다. 37개의 스위트룸은 주방, 수공예 가구, 고급스러운 패브릭으로 꾸며져 따뜻하고 매력적인 분위기를 풍긴다.

🏠 Lungarno degli Acciaiuoli 4, 50123 Firenze
☎ +39 055 2726 8000
@ www.lungarnocollection.com/portrait-firenze

Il Salviatino

★★★★★

피렌체와 토스카나의 파노라믹 전경을 감상할 수 있는 15세기 빌라로 렌트를 하지 않고 토스카나식 휴가를 즐기고 싶다면 최고의 선택이다. 럭셔리하고 사랑스러운 객실과 맛있는 투스칸 요리를 맛볼 수 있는 레스토랑, 멋진 전망을 자랑하는 야외 수영장, 닥터 브라네스 스파 등 완벽한 휴식을 위한 모든 것을 갖추고 있다. 피렌체 도심에서 15분 거리의 언덕에 위치한다.

🏠 Via del Salviatino 21, 50137 Firenze
☎ +39 055 904 1111
@ salviatino.com

Four Seasons Hotel Firenze

★★★★★

포시즌스 호텔 피렌체는 조각상, 분수, 수백 년 된 나무가 있는 고요한 안식처로 도시에서 가장 큰 프라이빗 정원이 있어 새로운 차원의 휴식을 선사한다. 16세기에 수녀원이었던 건물과 15세기에 궁전이었던 곳에 자리한 객실은 프레스코화, 실크 벽지 등 생생한 디테일이 살아 숨 쉬고 15~19세기 예술 작품을 곳곳에서 볼 수 있다. 네오클래식 스타일의 미슐랭 1스타 일 팔라지오Il Palagio는 저녁에만 오픈한다.

🏠 Borgo Pinti 99, 50121 Firenze
☎ +39 055 26261
@ www.fourseasons.com/florence

Palazzo Castri 1874 Hotel

★★★★

모던클래식의 세련된 부티크 호텔로 7가지 타입의 객실이 있으며 작은 규모의 짐, 다양한 마사지 프로그램, 사우나 등이 마련된 스파 시설이 있다. 수중 마사지 풀은 야자수가 있는 안뜰까지 이어져 있어 이국적인 정취를 풍긴다.

Piazza dell'Indipendenza 7, 50129 Firenze

+39 055 472118

@ www.palazzocastri.com

Joy Hotel

★★★★

깔끔하고 편리한 시설을 갖춘 호텔로 산타 마리아 노벨라역 바로 근처에 있어 이동이 매우 편리하다. 방은 좁은 편이지만 아늑한 분위기이며 직원들도 친절하고 알찬 조식은 지하 1층에서 제공한다.

Via degli Orti Oricellari 30, 50123 Firenze

+39 055 214628

@ joyhotelfirenze.it/en/

Hotel L'Orologio

★★★★

'시계'를 의미하는 호텔 이름답게 롤렉스, 바쉐론 콘스탄틴, 파텍필립 등 명품 시계를 테마로 한 고풍스러운 인테리어가 돋보인다. 4층에 있는 조식당은 산타 마리아 노벨라 성당이 바라다보이며 피트니스 센터, 핀란드식 사우나, 미팅 룸, 흡연실 등을 갖추고 있다. 피렌체 기차역에서 도보 7분.

Piazza Santa Maria Novella 24, 50123 Firenze

+39 055 277380

@ www.hotelorologioflorence.com

Grand Hotel Minerva

★★★★

예술과 현대적인 이탈리아 장인 정신이 결합된 세심한 디자인이 돋보이는 호텔로 산타 마리아 노벨라 성당 바로 근처에 위치해 있어 기차역에서 이동도 편리하다. 시즌에 따라 오픈하는 루프탑 풀 바에서는 두오모 돔과 조토의 종탑을 비롯해 피렌체 풍경을 감상할 수 있다.

P.za di Santa Maria Novella 16, 50123 Firenze

+39 055 27230

@ grandhotelminerva.com

Hotel Balestri

★★★★

발레스트리 호텔은 아르노 강이 내려다보이는 부티크 호텔로 우피치 미술관은 도보 2분이면 닿는다. 50개의 다양한 객실을 보유하고 있으며 호텔 공용 공간은 아르데코 스타일의 가구, 대형 창문, 아치형 천장 등으로 꾸며져 있다.

Piazza Mentana 7, 50122 Firenze

+39 055 214743

@ www.whythebesthotels.com/it/firenze-hotel-balestri/index

Palazzo di Camugliano

★★★★

팔라초 디 카물리아노는 16세기의 화려한 귀족 저택을 개조한 호텔로 우아하면서도 클래식한 11개 객실이 있다. 언제든지 이용할 수 음료, 간식이 놓여 있는 곳을 비롯해 다양한 휴식 공간이 있으며 조식을 먹으며 하루를 시작하기에 좋은 정원도 있다.

Via del Moro 15, 50123 Firenze

+39 055 265 4578

@ www.palazzodicamugliano.com

피렌체

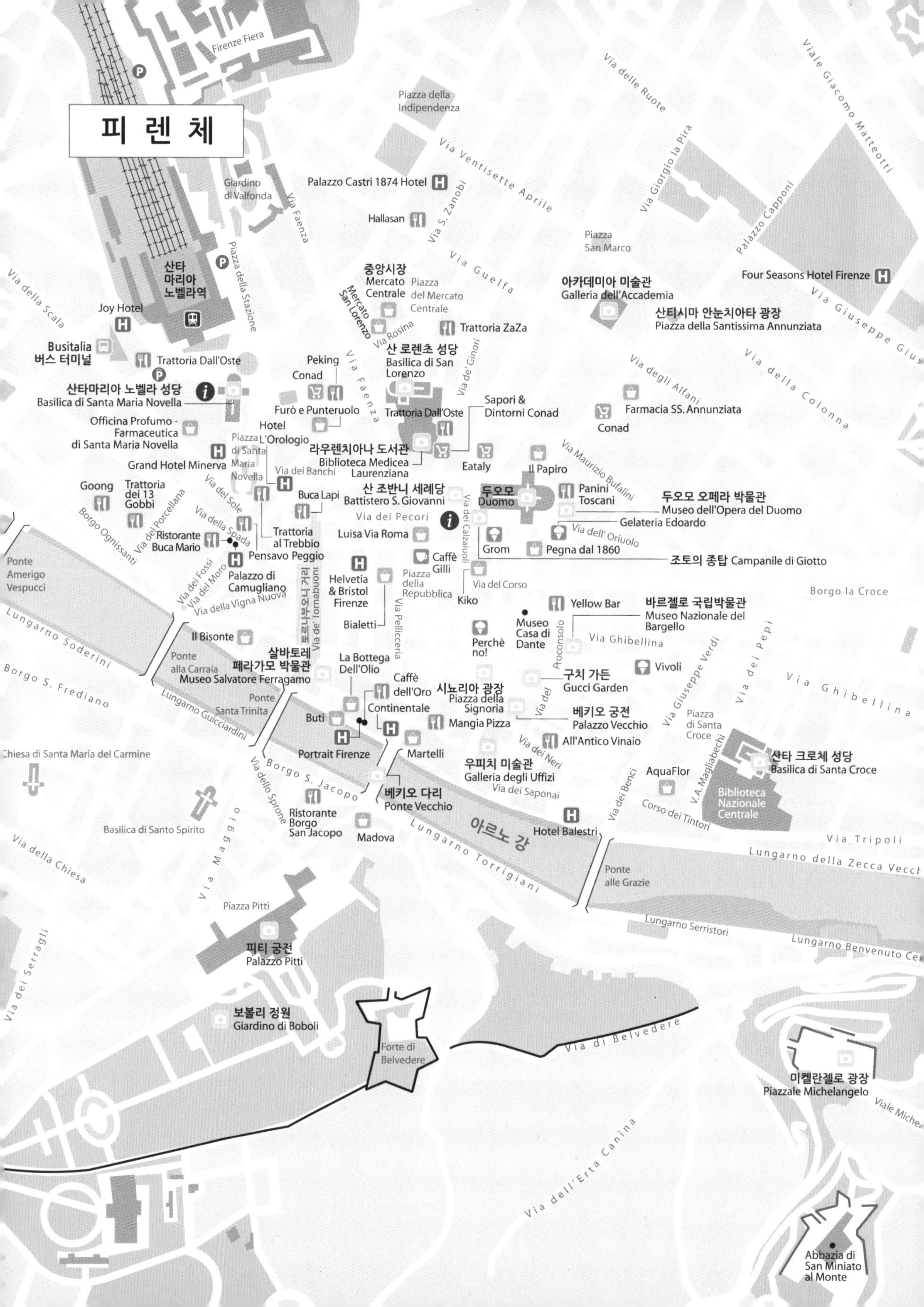

Firenze Fiera
Piazza della Indipendenza
Via delle Ruote
Viale Giacomo Matteotti
Via Ventisette Aprile
Palazzo Castri 1874 Hotel
Giardino di Valfonda
Via Faenza
Via Giorgio la Pira
Palazzo Capponi
Hallasan
Via S. Zanobi
Piazza San Marco
Piazza della Stazione
Via Guelfa
산타 마리아 노벨라역
Via della Scala
중앙시장 Mercato Centrale
Piazza del Mercato Centrale
Mercato San Lorenzo
아카데미아 미술관 Galleria dell'Accademia
Four Seasons Hotel Firenze
Via Giuseppe Giusti
Joy Hotel
산티시마 안눈치아타 광장 Piazza della Santissima Annunziata
Via Rosina
Trattoria ZaZa
Busitalia 버스 터미널
Trattoria Dall'Oste
Peking
Conad
산 로렌초 성당 Basilica di San Lorenzo
Via de' Ginori
Via della Colonna
Via degli Alfani
산타마리아 노벨라 성당 Basilica di Santa Maria Novella
Furò e Punteruolo
Sapori & Dintorni Conad
Farmacia SS. Annunziata
Officina Profumo - Farmaceutica di Santa Maria Novella
Hotel L'Orologio
Conad
Piazza di Santa Maria Novella
라우렌치아나 도서관 Biblioteca Medicea Laurenziana
Via Maurizio Bufalini
Grand Hotel Minerva
Via dei Banchi
Eataly
Il Papiro
Goong
Trattoria dei 13 Gobbi
Via del Sole
Buca Lapi
산 조반니 세례당 Battistero S. Giovanni
두오모 Duomo
Panini Toscani
두오모 오페라 박물관 Museo dell'Opera del Duomo
Borgo Ognissanti
Via del Porcellana
Via della Spada
Via dei Pecori
Gelateria Edoardo
Ristorante Buca Mario
Trattoria al Trebbio
Luisa Via Roma
Via dei Calzaiuoli
Via dell' Oriuolo
Grom
Pegna dal 1860
Pensavo Peggio
Caffè Gilli
조토의 종탑 Campanile di Giotto
Ponte Amerigo Vespucci
Via dei Fossi
Via del Moro
Palazzo di Camugliano
토르나부오니 거리 Via de' Tornabuoni
Helvetia & Bristol Firenze
Piazza della Repubblica
Via del Corso
Borgo la Croce
Via della Vigna Nuova
Kiko
Yellow Bar
바르젤로 국립박물관 Museo Nazionale del Bargello
Lungarno Soderini
Via Pellicceria
Bialetti
Museo Casa di Dante
Il Bisonte
Perchè no!
Proconsolo
Via Ghibellina
Ponte alla Carraia
살바토레 페라가모 박물관 Museo Salvatore Ferragamo
La Bottega Dell'Olio
Vivoli
Via Giuseppe Verdi
Via dei Pepi
Borgo S. Frediano
Caffè dell'Oro
시뇨리아 광장 Piazza della Signoria
구치 가든 Gucci Garden
Via Ghibellina
Ponte Santa Trinita
Lungarno Guicciardini
Continentale
Via del
Buti
Mangia Pizza
베키오 궁전 Palazzo Vecchio
Piazza di Santa Croce
Via dei Neri
All'Antico Vinaio
Portrait Firenze
Martelli
Chiesa di Santa Maria del Carmine
산타 크로체 성당 Basilica di Santa Croce
우피치 미술관 Galleria degli Uffizi
AquaFlor
V.A. Magliabechi
Via dello Sprone
Borgo S. Jacopo
베키오 다리 Ponte Vecchio
Via dei Saponai
Biblioteca Nazionale Centrale
Via dei Benci
Corso dei Tintori
Ristorante Borgo San Jacopo
Basilica di Santo Spirito
Via Maggio
Madova
Hotel Balestri
아르노 강
Via Tripoli
Via della Chiesa
Lungarno Torrigiani
Lungarno della Zecca Vecchia
Ponte alle Grazie
Piazza Pitti
Lungarno Serristori
Via dei Serragli
피티 궁전 Palazzo Pitti
Lungarno Benvenuto Cellini
보볼리 정원 Giardino di Boboli
Via di Belvedere
Forte di Belvedere
미켈란젤로 광장 Piazzale Michelangelo
Viale Michelangelo
Via dell'Erta Canina
Abbazia di San Miniato al Monte

Siena
시에나

피렌체와 함께 토스카나 여행의 중심이 되는 도시인 시에나는 고대 에트루리아 시대부터 이어진 역사의 흔적을 고스란히 간직한 구시가를 가지고 있다. 로물루스의 조카이자 레무스의 아들인 세니우스와 아스키우스가 로마에서 도망쳐 나와 시에나를 세웠다는 재미있는 전설도 전해진다. 중세의 성벽으로 둘러싸인 시에나 구시가에는 색이 바래 거의 핑크색이 된 붉은 벽돌 건물들이 빽빽하게 지붕을 맞대고 있으며 운치 있는 골목길들이 구시가의 중심인 조개 모양의 캄포 광장으로 모여든다.

시에나 여행 정보 | visitsienaofficial.it/en

• 찾아가기 •

기차

피렌체 산타 마리아 노벨라역 → 레지오날레 열차로 약 1시간 30분 소요 → 시에나역

버스

피렌체 SITA 버스 정류장 → 131번 급행 버스로 약 1시간 15분 소요, €8.4
자세한 운행 시간은 www.at-bus.it/en 참고 → 시에나 그람시 광장 시외버스 정류장

캄포 광장
Piazza del Campo

이탈리아에서 최고로 아름다운 광장으로 손꼽히는 곳으로 세계에서 가장 큰 중세 광장 중 하나이기도 하다. 부채꼴 또는 조개껍데기 모양으로 만들어진 광장 바닥은 9개 부분으로 나뉘어 있는데 이것은 중세 시대 시에나를 통치했던 9인의 통치자를 상징한다고 한다. 광장의 위쪽 중앙에 있는 아름다운 분수는 13세기부터 시에나 시민들에게 식수를 공급했던 가이아 분수Fonte Gaia의 복제품이다.

- 구시가 중심, 그람시 광장에서 도보 10분

푸블리코 궁전 Palazzo Pubblico

13~14세기에 시청사로 건설된 고딕 양식의 건축물로 현재까지도 일부는 시청사로 사용되고 있다. 내부의 주요 방들은 시립 박물관Museo Civico으로 이용되고 있는데 9인의 방Sala dei Nove(평화의 방Sala della Pace으로도 불림)에 있는 암브로조 로렌체티Ambrogio Lorenzetti의 <선한 정부, 나쁜 정부의 비유> 연작과 세계지도의 방Sala del Mappamondo에 있는 시모네 마르티니의 <마에스타>는 놓치지 말고 꼭 보아야 할 걸작이다. '만자의 탑Torre del Mangio'이라 불리는 102m의 종탑에 오르면 캄포 광장과 시에나 구시가, 주변 토스카나의 풍경이 한눈에 들어온다.

- 캄포 광장 아래쪽
- **만자의 탑** 만자의 탑 11~2월 10:00-13:00, 13:45-16:00, 3~10월 10:00-13:45, 14:30-19:00
  시립 박물관 11~2월 10:00-18:00, 3~10월 10:00-19:00, 12/25 휴무
- € 만자의 탑 €10, 시립 박물관 €6, 시립 박물관+만자의 탑+산타 마리아 델라 스칼라 통합 입장권 €20(2일간 유효)

두오모 Duomo

시에나의 두오모는 이탈리아의 수많은 두오모 중에서도 단연 최고의 아름다움을 뽐낸다. 12~13세기에 지어졌으며 14세기 중반 대대적인 확장 공사가 시작되었지만 흑사병 창궐 등의 이유로 결국 중단되고 말았다. 정면의 파사드는 옅은 분홍색과 흰색 대리석, 성당의 측면과 종탑, 내부의 기둥들은 모두 시에나의 상징 색인 검은색과 흰색 대리석으로 줄무늬를 이루고 있다. 성당 내부에서 특히 눈여겨보아야 할 부분은 대리석 상감기법과 그라피토로 수 세기에 걸쳐 완성된 대리석 바닥, 핀투리키오Pinturicchio의 아름다운 프레스코화로 장식된 ❶ 피콜로미니 도서관Piccolomini Library, 도나텔로의 작품인 세례 요한의 청동 상과 핀투리키오의 연작 그림이 있는 ❷ 세례 요한의 예배당 등이다. 확장 공사의 중단으로 완성되지 않은 건물들인 Duomo Nuovo에 두오모 오페라 박물관Museo dell'Opera del Duomo이 있으며 매표소도 이곳에 있다. 최근 '천국의 문Porta del Cielo'이라 불리는 두오모의 지붕도 일반인에게 개방했는데 이곳에 올라가면 성당 내부의 경이로운 전체 모습을 조망해볼 수 있다. 좀 더 자세한 정보는 www.operaduomo.siena.it 참고.

- 캄포 광장에서 도보 5분
- **4~10월** 10:00-19:00 (특정 기간 10:00-19:00, 공휴일 13:30-18:00)
  11~3월 10:30-17:30 (공휴일 13:30-17:30)
  12/26~1/6 10:30-18:00 (공휴일 13:30-17:30)

€ **두오모 요금**

성당	OPA SI PASS (통합 입장권, 지붕 불포함)	PORTA del CIELO (통합 입장권, 지붕 포함)
€8	€13~15	€20

* 성인 기준 요금이며 시기에 따라 달라질 수 있음

두 오 모

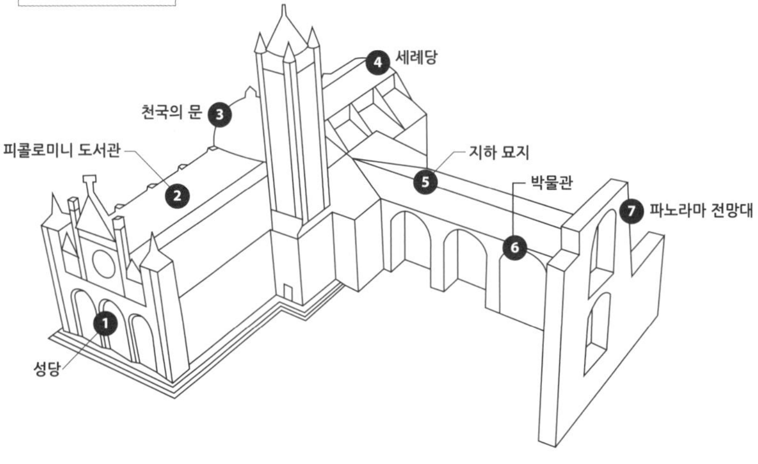

시에나

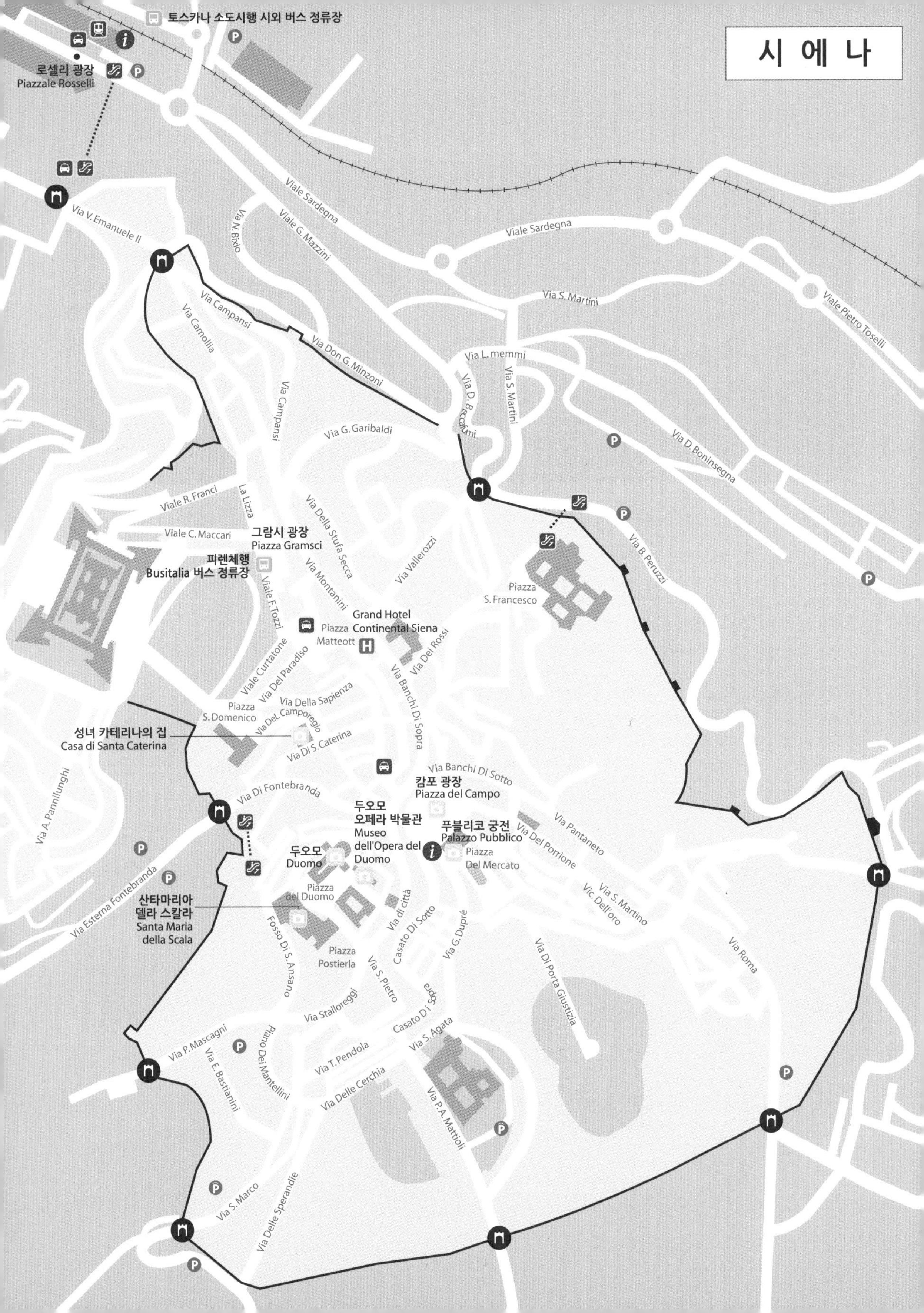

토스카나 소도시행 시외 버스 정류장
로셀리 광장
Piazzale Rosselli
Via V. Emanuele II
Viale Sardegna
Via N. Bixio
Viale G. Mazzini
Viale Sardegna
Via S. Martini
Viale Pietro Toselli
Via Campansi
Via Camollia
Via Don G. Minzoni
Via L. memmi
Via D. Beccafumi
Via S. Martini
Via Campansi
Via G. Garibaldi
Via D. Boninsegna
Viale R. Franci
La Lizza
Via Della Stufa Secca
Viale C. Maccari
그람시 광장
Piazza Gramsci
피렌체행
Busitalia 버스 정류장
Via B. Peruzzi
Via Vallerozzi
Via Montanini
Viale F. Tozzi
Piazza
S. Francesco
Grand Hotel
Continental Siena
Piazza
Matteott
Via Dei Rossi
Viale Curtatone
Via Del Paradiso
Via Banchi Di Sopra
Via Della Sapienza
Piazza
S. Domenico
Via Del Camporegio
성녀 카테리나의 집
Casa di Santa Caterina
Via Di S. Caterina
Via A. Pannilunghi
Via Banchi Di Sotto
캄포 광장
Piazza del Campo
Via Di Fontebranda
두오모
오페라 박물관
Museo
dell'Opera del
Duomo
푸블리코 궁전
Palazzo Pubblico
Via Pantaneto
Via Del Porrione
두오모
Duomo
Piazza
Del Mercato
Via Esterna Fontebranda
Piazza
del Duomo
Via di città
Via S. Martino
Vic. Dell'oro
산타마리아
델라 스칼라
Santa Maria
della Scala
Casato Di Sotto
Via G. Duprè
Fosso Di S. Ansano
Via Di Porta Giustizia
Via Roma
Piazza
Postierla
Via S. Pietro
Via Stalloreggi
Casato Di Sopra
Via P. Mascagni
Via E. Bastianini
Piano Dei Mantellini
Via T. Pendola
Via S. Agata
Via Delle Cerchia
Via P.A. Mattioli
Via S. Marco
Via Delle Sperandie

Pisa 피사

아르노 강이 테레니아해로 흘러드는 강어귀에 자리잡은 피사는 베네치아, 제노바, 아말피 등과 더불어 이탈리아의 해상 공화국으로 이름을 떨치던 곳이다. 갈릴레오 갈릴레이를 배출한 대학 도시로도 잘 알려졌는데 뭐니 뭐니 해도 피사를 세계적으로 유명하게 만든 것은'피사의 사탑'으로 매년 수많은 관광객이 쓰러질 듯 기울어진 불가사의한 탑을 보기 위해 몰려든다. 피사의 사탑은 '기적의 광장'이라는 뜻의 미라콜리 광장Piazza deiMiracoli에 두오모와 함께 있는데, 유네스코 세계 문화유산으로 지정된 이 광장에 주요 관광 명소가 다 모여 있다.

피사 여행 정보 | www.turismo.pisa.it

• 찾아가기 •

항공

피사 중심 관광지에서 4㎞ 정도 떨어진 피사 공항Aeroporto di Pisa은 이 도시 출신의 위대한 과학자의 이름을 따서 갈릴레오 갈릴레이 공항이라 불린다. 우리나라에서 피사까지 직항은 없지만 알이탈리아나라이언 에어, 이지젯 등의 저가 항공을 이용하여 피사 공항으로 들어갈 수 있다. 좀 더 자세한 정보는 www.pisa-airport.com 참고.

공항에서 시내로

무인 셔틀 Pisa Mover

공항 → 피사 중앙역

5분 소요, 5~8분 간격으로 운행

편도 €5, 왕복 €10

기차

피렌체 산타 마리아 노벨라역 라 스페치아역 → 피사 중앙역 (50분~1시간 10분 소요)

로마 테르미니역 → 피사 중앙역 (약 3시간 소요)

렌터카

피렌체 → 피사 (약 1시간 10분 소요, SS67 도로 이용)

친퀘테레 마을 → 피사 (약 1시간 30분 소요, A12 고속도로 이용)

루카 → 피사 (약 30분 소요)

• 시내 교통 •

피사 중앙역에서 피사의 사탑이 있는 미라콜리 광장까지는 도보로 30분 정도 소요되기 때문에 시간 여유가 없는 경우에는 중앙역 건너편 정류장에서 LAM Rossa 버스를 타고 이동하는 것이 좋다. 단, 버스 내에 소매치기가 많아 소지품 관리를 철저히 해야 한다. 버스 요금은 편도 €1.5이며 타바키에서 미리 왕복으로 구입하고 이용하자. 버스 노선 및 시간표 등 좀 더 자세한 정보는 www.pisa.cttnord.it(이탈리아어) 참고.

* 피사 성벽 내 구시가는 ZTL Zone(차량 진입 제한구역)이 있어 주차 시 유의해야 한다.
* 미라콜리 광장에서 가까운 성벽 밖 주차장을 이용하고 도보 또는 버스로 이동하는 것이 좋다.

Travel Highlight

피사의 사탑 Torre Pendente di Pisa

피사의 상징이자 세계에서 가장 유명한 종탑인 피사의 사탑은 바로 옆에 있는 두오모의 부속 종탑이다. 로지아 모양의 단이 층층이 쌓인 우아한 디자인은 두오모의 파사드를 본뜬 것이다. 1990년, 1년에 1㎜씩 기울어져 탑이 무너질 위기에 처하자 관광객의 출입을 제한했다가 보수공사를 마친 후 다시 내부를 공개하고 있다. 지금은 30분마다 제한된 인원이 가이드와 함께 입장할수 있다. 가방은 매표소 옆의 짐 보관소에 맡겨야 하나 카메라와 비디오 카메라는 가지고 들어갈 수 있다. 비수기에는 현장에서 입장권을 살 수 있지만 성수기에는 홈페이지(www.opapisa.it)에서 예매를 하고 가는 것이 좋다.

- 미라콜리 광장 두오모 옆
- 날짜 별로 관광지 오픈 시간이 나와 있는 홈페이지 www.opapisa.it/en/opening-and-closing-time 참고.
- € 사탑 포함 티켓은 €20~27

피사의 사탑 건축 과정 한눈에 보기

피사가 해상 공화국으로 번성했던 1173년에 건설 시작 ▶ 약한 지반으로 인해 3층이 완성되기 전에 가라앉기 시작 ▶ 균형을 맞추기 위한 노력에도 불구하고 결국 공사 중단 ▶ 100년 후 변경된 설계로 공사 재개 ▶ 제노바와의 전쟁에서 패한 후 다시 건설 중단 ▶ 1319년에 최종적으로 7층 완성 ▶ 개방형 종루는 1350~1372년에 추가

두오모 Duomo

피사의 두오모는 피사 로마네스크 양식의 전형으로 여겨지는 대리석 성당으로 건축가 부세토Buscheto에 의해 4개의 측랑과 1개의 신랑을 가진 십자가 구조로 디자인되었다. 1063년, 피사가 팔레르모 해전에서 사라센제국에 승리한 후 그 전리품으로 건축이 시작되어 12세기 말에 완성되었다. 수많은 기둥이 있는 로지아와 화려한 문양들로 장식된 파사드는 이슬람 건축의 영향을 받아 동양미를풍긴다. 갈릴레오 갈릴레이가 이 성당의 신랑에 매달린 램프가 바람에 흔들리는 것을 보고 '진자의 등시성' 이론을 발견했다는 일화도 전해진다. 두오모만 입장하는 것은 무료이지만 매표소에서 무료 입장 쿠폰을 받아야 하며 피사의 사탑 입장권이 있으면 두오모도 함께 입장할 수 있다.

미라콜리 광장 중심 날짜별로 관광지 오픈 시간이 나와있는 홈페이지 www.opapisa.it/en/opening-and-closing-time 참고.

두오모에서 가장 유명한 볼거리

조반니피사노Giovanni Pisano가 1302~1311년에 만든 대리석 설교단으로 신약성서의 내용이 정교하게 조각되어 있다. 미카엘 대천사, 헤라클레스, 4명의 복음서 저자에게 둘러싸인 예수 그리스도의 조각상과 둥근 기둥이 압권이다.

미라콜리 광장 Piazza deiMiracoli

'두오모 광장'으로도 불리는 미라콜리 광장은 피사의 사탑을 비롯하여 두오모, 세례당, 캄포산토, 시노피에 박물관 등 중요한 유적이 모여 있으며 1987년 광장 전체가 유네스코 세계 문화유산으로 등재되었다. 광장은 보행자 전용 구역과 푸른 잔디로 덮인 넓은 구역으로 구성되어 있는데 로마네스크 양식의 하얀 건축물들이 잔디밭 위에 인상적으로 자리 잡고 있다. 내부 관람을 하지 않고 겉에서만 본다면 1시간이면 돌아볼 수 있지만 피사의 사탑에 오를 계획이면 시간을 넉넉하게 잡자.

피사 중앙역 앞에서 LAM Rossa 버스를 타고 Torre 1 정류장 하차

세례당 Battistero

© MiguelHermoso

두오모의 파사드를 마주 보고 서 있는 아름다운 세례당은 이탈리아에서 가장 큰 세례당이다. 두오모가 지어진 지 100여 년 후에 짓기 시작했지만 흰색과 회색의 대리석 줄무늬와 로지아 장식 등 두오모의 디자인을 차용했으며 건축이 2세기 넘게 지속되면서 아래층은 로마네스크 양식, 맨 위층과 돔은 고딕 양식이 혼합되었다. 4개의 사각 기둥과 8개의 둥근 기둥이 원형으로 둘러선 거대한 내부는 장엄한 분위기가 감돈다. 세례당의 독특한 실내 구조는 최고의 음향효과를 만들어 내는 것으로도 유명한데 30분마다 보안 요원이 직접 소리가 퍼져나가는 것을 재현한다.

- 미라콜리 광장 중심
- 날짜별로관광지 오픈 시간이 나와 있는 홈페이지 www.opapisa.it/en/opening-and-closing-time 참고.
- € 세례당, 캄포산토, 시노피에 박물관 중 두 곳 통합 입장권 €7

세례당에서 가장 유명한 볼거리

니콜라피사노Nicola Pisano가 1260년 만든 대리석 설교단으로 그의 아들 조반니 피사노가 더 부드럽고 풍성한 디자인으로 발전시켰다. 참고로, 세례당의 가장 중심에 있는 팔각형의 세례당은 귀도 다 코모Guido da Como의 작품이다.

캄포산토 Camposanto

미라콜리 광장 북쪽 끝에 있는 캄포산토는 중앙의 아름다운 정원을 직사각형 대리석 건물이 둘러싸고 있는 납골당이다. 로마의 석관들을 안치하고 피사의 귀족을 매장하는데 사용하기 위해 조반니디시모네Giovanni di Simone의 디자인으로 1277년에 건설이 시작되어 1464년에 완공되었다. 석관과 묘들은 제2차 십자군 원정 때 골고다에서 가져 온 성스러운 흙으로 덮인 정원에 있다가 이후 회랑 아래로 옮겨졌다. 회랑의 벽은 14~15세기, 유명 예술가들의 아름다운 프레스코화 연작으로 꾸며졌으나 제2차 세계대전의 폭격으로 인해 거의 소실되었다. 손상된 프레스코화를 벽에서 떼어내면서 발견된 화가들의 원본 드로잉인시노피에Sinopie는 복원되어 광장 내 시노피에 박물관MuseodelleSinopie에 보존하고 있다. 오픈 및 가격은 세례당과 동일.

미라콜리 광장 북쪽 경계

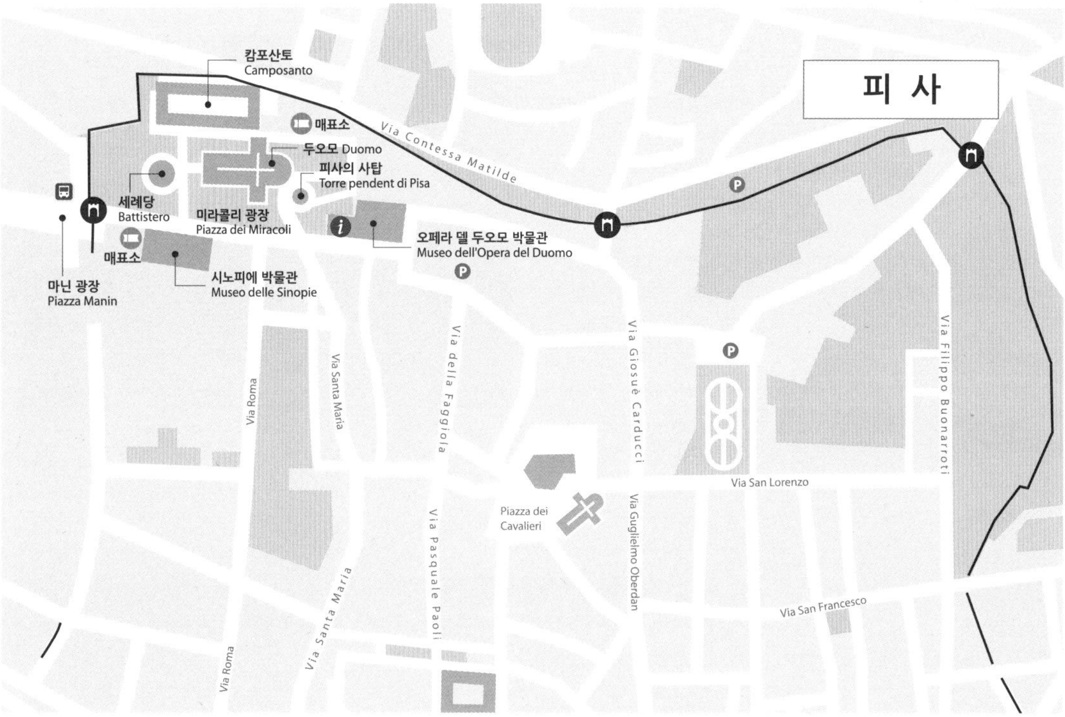

Villaggi di Toscana 토스카나의 소도시들

시에나를 조금 벗어나 주변의 전원 지역으로 들어가면 끝없이 굽이치는 풍요로운 대지와 예쁜 사이프러스의 행렬이 만들어내는 평화로운 전원 풍경이 눈앞에 펼쳐진다. 이 지역에는 중세 모습을 그대로 간직한 성벽 마을들이 숨어 있으며, 특히 몬탈치노, 산 퀴리코 도르차, 피엔차가 속한 발도르치아Val d'Orcia 지역은 그림엽서에 가장 많이 등장하는 독특하고 신비로운 풍경으로 유네스코 세계 문화유산으로 등재되어 있다. 토스카나는 렌터카로 여유롭게 여행하는 것이 가장 좋으며 렌터카 여행이 아니라면 시에나에 묵으면서 버스를 이용하여 주변 마을을 하루 일정으로 다녀올 수 있다. 토스카나 소도시행 버스 정류장은 시에나 기차역 뒤편 리카르도 롬바르디 거리Via Riccardo Lombardi에 위치한다.

토스카나 여행 정보 | www.turismo.intoscana.it

토스카나 시외버스 시간 조회 | www.tiemmespa.it

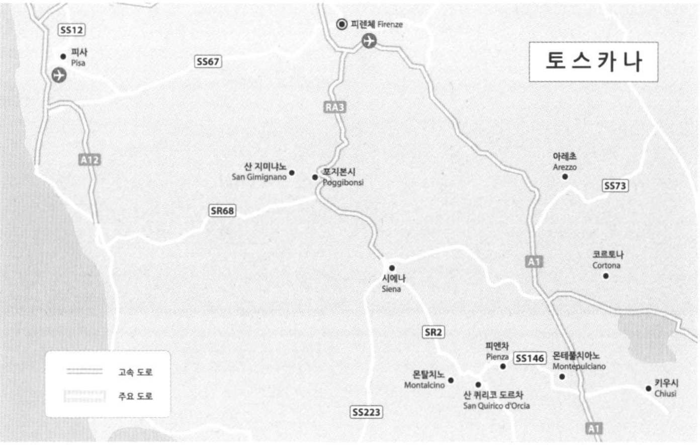

산 지미냐노

San Gimignano

로마로 가는 중세 유럽의 성지순례 길인 비아 프란치제나Via Francigena의 중간 지점에 위치한 덕분에 13~14세기 번영을 누렸던 중세 마을. 당시 이곳을 지배했던 귀족들이 가문의 부와 권력을 과시하기 위해 세운 탑이 72개나 되었다고 하여 '중세의 맨해튼'이라는 별명을 갖고 있다. 지금은 그중 14개 탑만 남아 있으며 아직까지 과거의 시간에 머물며 중세의 아름다움을 간직하고 있는 성벽 안의 마을은 1990년 유네스코 세계 문화유산에 등재되었다.

버스 시에나 그람시 광장에서 130번 버스로 약 1시간 5분~1시간 20분 소요
렌터카 시에나-피렌체를 연결하는 RA 3번 도로에서 Poggibonsi Nord 출구로 나가 이정표를 따라 이동

산 퀴리코 도르차 San Quirico d'Orcia

그림엽서마다 등장하는 토스카나의 유명한 풍경을 직접 감상할 수 있는 발도르치아 평원 한가운데에 자리한 마을. 산 퀴리코 도르차에서 몬탈치노 방향으로 가다보면 만날 수 있는 '산 퀴리코 도르차의 사이프러스 나무'와 피엔차로 향하는 길의 평원에서 발견할 수 있는 아름다운 르네상스 교회 '마돈나 디 비탈레타 교회Cappella della Madonna di Vitaleta'로 더욱 유명한 곳이다.

버스 시에나 시외버스 정류장에서 112번 버스로 약 1시간 소요 **렌터카** 시에나에서 SR2 도로를 이용하여 약 50분 소요

피엔차 Pienza

발도르치아 평원의 언덕에 자리 잡은 중세 마을. '피엔차'라는 마을 이름은 이곳을 재건한 비오 2세Papa Pio II에서 따온 것이다. 이탈리아 르네상스의 이상향이 실제로 구현된 도시로 여겨지며 그 가치를 인정받아 1996년 유네스코 세계 문화유산에 등재되었다. 마을의 중심은 로셀리노가 설계한 비오 2세 광장Piazza Pio II으로 전형적인 르네상스 파사드를 가진 두오모, 로셀리노의 걸작인 피콜로미니 궁전 Palazzo Piccolomini, 두오모의 유물을 전시하고 있는 보르자 궁전Palazzo Borgia 등 주요 유적과 관광 안내소가 모두 이곳에 있다. 두오모 뒤쪽으로 나가면 발도르치아 평원의 감동적인 경치를 감상할 수 있는 전망 포인트와 전망 좋은 바들이 있다.

- **버스** 시에나 시외버스 정류장에서 112번 버스로 약 1시간 15분 소요 **렌터카** 시에나에서 SR2 도로를 이용하여 산 퀴리코 도르차까지 이동한 후 키우시, 피엔차, 몬테풀치아노 방향의 SS146 도로를 이용하여 약 1시간 소요

몬테풀치아노 Montepulciano

토스카나의 전통적인 레드 와인인 비노 노빌레 디 몬테풀치아노Vino Nobile di Montepulciano로 유명한 마을. 이 지역에서 가장 높은 곳(해발 605m)에 있기 때문에 다른 어떤 마을보다도 주변 평원의 경치를 한눈에 조망할 수 있는 것으로 유명하다. 마을의 중심은 17세기 초에 세워진 두오모와 15세기 고딕 양식의 웅장한 탑을 가진 시청사Palazzo Comunale가 있는 그란데 광장Piazza Grande으로, 이곳은 트와일라잇 시리즈의 영화 '뉴 문'이 촬영된 곳으로도 유명하다. 몬테풀치아노 장거리 버스 정류장에서 그란데 광장까지는 마을 내에서만 도는 소형 버스가 운행된다.

- **버스** 시에나 시외버스 정류장에서 112번 버스로 약 1시간 35분 소요 / 피엔차에서는 112번 버스로 20분 소요 **렌터카** 시에나에서 SR2 도로를 이용하여 산 퀴리코 도르차까지 이동한 후 키우시, 피엔차, 몬테풀치아노 방향의 SS146 도로를 이용하여 약 1시간 10분 소요

몬탈치노 Montalcino

세계적인 명품 와인 브루넬로 디 몬탈치노Brunello di Montalcino의 생산지로 유명한 마을. 1시간 정도면 모두 돌아볼 수 있으며 브루넬로 와인을 즐길 수 있는 에노테카와 레스토랑이 많다. 몬탈치노에서 약 3㎞ 거리에 있는 비온디 산티Biondi Santi(www.biondisanti.com)나 약 14㎞ 거리의 카스텔로 반피Castello Banfi(www.castellobanfi.com) 등의 와이너리를 방문하여 전설적인 브루넬로 디 몬탈치노 와인을 테이스팅해보자. 특히 카스텔로 반피는 일 보르고Il Borgo라는 럭셔리 숙소도 운영하고 있어 평화로운 전원 풍경 속에서 맛있는 토스카나 전통 요리와 명품 와인을 즐기는 진정한 토스카나식 휴가를 경험해볼 수 있는 곳이다.

버스 시에나 시외버스 정류장에서 114번 버스로 약 1시간 소요 **렌터카** 시에나에서 SR2 도로를 따라가다가 Buoncon-vento를 지난 후 몬탈치노 이정표를 따라 오른쪽 방향으로 이동, 약 50분 소요

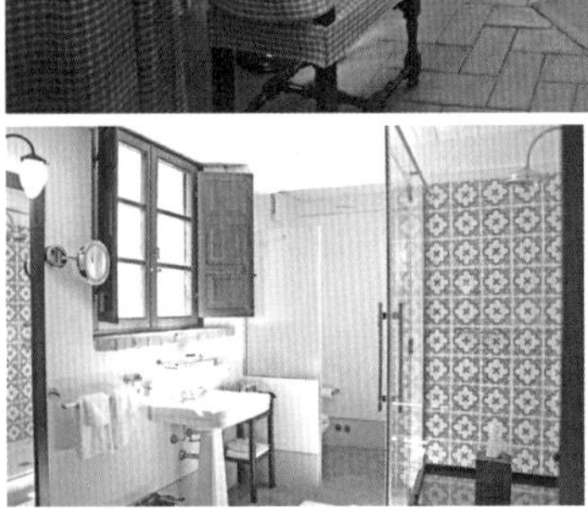

Castello Banfi Il Borgo

★★★★★

세계적으로 유명한 와인의 명가 반피에서 운영하는 토스카나 전원 호텔로 몬탈치노 지역 포도밭의 한 가운데에 있다. 사이프러스 나무가 늘어선 한적한 길을 따라 들어가면 역사의 흔적을 그대로 간직한 웅장한 중세의 고성과 마주하게 되는데, 이 고성 옆에 있는 나지막한 건물들이 일 보르고이다. 토스카나 컨트리 하우스 스타일로 꾸며진 아름다운 14개의 객실과 발도르치아의 구릉을 바라보는 야외 수영장은 최고의 휴식을 선사한다. 중세 시대 고성의 와인 셀러였던 장소를 개조하여 만든 에노테카에서 와인 테이스팅과 5코스 저녁 식사, 와이너리 투어가 포함된 숙박 패키지의 예약도 가능하다.

Castello di Poggio alle Mura, 53024 Montalcino

☎ +39 0577 877 700

@ www.castellobanfiwineresort.it/en

토스카나 추천 숙소

Il Borro

★★★★★

메디치가와 사보이 왕가를 거쳐 페라가모 가문의 소유가 된 일 보로는 피렌체와 아레초 사이에 위치한 럭셔리 호텔 겸 빌라로 1000년이 넘는 유구한 역사를 지니고 있다. 아름다운 중세 마을 안에 19세기 빌라들과 다양한 레스토랑, 럭셔리 스파, 와이너리, 갤러리 등이 있어 지루하지 않다. 마을 내에 있는 La Bottega에서는 일 보로에서 직접 생산하는 품질 좋은 와인과 올리브 오일 등을 구입할 수 있다.

- Località Borro 1, 52024 Loro Ciuffenna Arezzo
- ☎ +39 055 977053
- @ www.ilborro.it/en/

Grand Hotel Continental Siena

★★★★★

시에나 중심에 위치한 유일한 5성급 호텔로 캄포 광장과 두오모가 지척에 있다. 16세기에 지어진 개인 궁전 건물을 개조한 곳으로 역사의 흔적이 남아 있는 샹들리에, 프레스코화 천장 등이 그대로 남아 있어 고풍스러운 분위기를 더해준다. 호화로운 연회장, 와인 시음을 제공하는 지하 와인 저장고는 호텔의 자랑이다.

- Via Banchi di Sopra 85, 53100 Siena
- ☎ +39 0577 56011
- @ collezione.starhotels.com/en/our-hotels/grand-hotel-continental-siena

Lupaia

★★★★★

몬테풀치아노와 피엔차 사이 발도르치아의 높은 언덕 위에 자리잡고 있는 B&B로 1622년에 지어진 토스카나 전통 농가 주택을 개조한 것이다. 12개의 객실은 돌로 지어진 5개 건물에 나뉘어 있는데 천연 석재와 나무, 패브릭을 활용한 편안하면서도 센스 있는 인테리어가 마음을 사로잡는다. 날씨가 좋을 때에는 홈메이드 빵과 잼, 요구르트, 신선한 과일 등이 제공되는 푸짐한 아침 식사를 야외 테이블에서 멋진 경치를 감상하며 즐길 수 있고 야외 수영장에서도 토스카나 평원의 파노라믹 뷰를 감상할 수 있다.

- Località Lupaia 74, 53049 Torrita di Siena
- ☎ +39 0577 191 7066
- @ www.lupaia.com

Borgo Santo Pietro

★★★★★

맞춤형 스파로 오롯이 휴식을 즐기거나 의미 있는 특별한 날을 축하하기 위해 찾는 럭셔리 리조트다. 유명 셰프를 비롯해 정원사, 치즈 메이커, 베이커, 소믈리에 등 각 분야의 전문가들이 이곳을 더욱 특별하게 만든다. 제철 재료로 만든 요리와 유기농 농장의 치즈, 달걀, 과일 등으로 구성된 아침 식사는 하루를 시작하는데 부족함 없다. 인피니티 풀과 접한 안뜰, 들판과 숲이 내려다보이는 라운지, 수요일 저녁마다 열리는 파머스 마켓 등 다양한 공간에서 미식과 휴식을 만끽할 수 있다.

- Località Palazzetto,110, 53012 Palazzetto SI
- ☎ +39 0577 751222
- @ borgosantopietro.com

Venezia

베네치아

베네토 주의 주도이자 감히 비교할 대상이 없는 매력적인 수상 도시 베네치아는 5세기경 훈족의 침략을 피해 달아난 피난민들이 석호 위에 셀 수 없는 말뚝을 박고 기초를 다져 그들만의 문화와 역사를 만든 도시이다. 최상의 평화로움과 고요함을 뜻하는 '라 세레니시마La Serenissima'로도 불리는 이 도시는 8세기부터 1000년 동안 지속된 베네치아공화국의 찬란함을 고스란히 간직하고 있다. 육지를 벗어난 기차는 미지의 세계로 빨려 들어가듯 물 위를 가로질러 산타 루치아 기차역에 도착한다. 400개의 아치형 석교가 핏줄처럼 얽히고설켜 작은 운하와 대운하를 이어주며 웅장한 성당과 귀족들의 저택 그리고 너른 산 마르코 광장에는 라 세레니시마의 영광이 스며들어 있다.

베네치아 여행 정보 | www.veneziaunica.it

• 관광 안내소 •

Venezia Unica Aeroporto Marco Polo

- 마르코 폴로 공항 도착 층에 위치
- Viale Galileo Galilei 30/1, 30173 Venezia
- 08:00-19:00

Venezia Unica

- 베네치아 산타 루치아역 페로비아 바포레토 승선장 근처에 위치
- Cannaregio, 54 C-D, 30121 Venezia
- 07:00-21:00

Venezia Unica

- 산 마르코 광장 코레르 박물관 옆, 광장 빠져나가는 통로에 위치
- Piazza San Marco 71B, 30124 Venezia
- 09:00-19:00

• 찾아가기 •

1 | 항공

베네치아에는 마르코 폴로 공항이라 불리는 마르코 폴로 테세라 공항Aeroporto Marco Polo Tessera과 저가 항공사가 드나드는 트레비소 공항Aeroporto di Treviso이 있다. 우리나라에서 베네치아로 가는 직항 편은 아시아나항공이 있었으나 2020년 3월부터 무기한 운휴 중이다. 에어프랑스, KLM네덜란드항공, 터키항공 등을 이용해 경유하여 갈 수 있다. 마르코 폴로 공항과 트레비소 공항에 대한 좀 더 자세한 정보는 www.veniceairport.it 참고.

마르코 폴로 테세라 공항

베네치아의 주요 공항으로 본 섬에서 약 13㎞ 떨어져 있다. 50개가 넘는 항공사가 마르코 폴로 공항을 이용하며 공항에서 시내까지는 버스, 수상 버스 등으로 이동할 수 있다. 숙소가 베네치아 산타 루치아역이나 메스트레역Stazione di Venezia Mestre 근처라면 버스로 가는 것이 편리하다.

마르코 폴로 공항에서 시내로

ATVO 버스, ACTV 5번 버스

공항 도착 층 버스 정류장 → 로마 광장(산타 루치아역에서 도보 5분)

20~24분 소요, 편도 €10, 왕복 €18

ATVO 첫 버스 05:20, 1시간에 2~3대 운행
ACTV 5번 첫 버스 04:08, 1시간에 3~4대 운행

* 자세한 시간표는 www.atvo.it와 actv.avmspa.it/en 참고

ATVO 버스, ACTV 15번 버스

공항 도착 층 버스 정류장 → 메스트레역

약 23분 소요, 편도 €10, 왕복 €18

* 공휴일은 운행 시간과 간격이 달라지니 현지에서 확인 요망

알리라구나Alilaguna 수상 버스

공항 도착 층 Alilaguna 승선장 → 산 마르코, 주데카 섬(Hilton Molino Stucky)

1시간 28분~1시간 43분 소요, 편도 €15, 왕복 €27
(온라인 편도 €14, 왕복 €25)

Linea Blu
Linea Rossa

공항 도착 층 Alilaguna 승선장 → 리알토, 산 마르코

56분~1시간 14분 소요, 편도 €15, 왕복 €27
(온라인 편도 €14, 왕복 €25)

Linea Arancio

* 운행 시간 및 자세한 정보는 www.alilaguna.it 참고

2 | 기차

베네치아 중앙역은 산타 루치아역Stazione di Venezia Santa Lucia이며 메스트레역은 산타 루치아역에서 기차로 10~12분, 로마 광장에서 2번 버스로 10~13분 소요된다. 산타 루치아역 유인 짐 보관소는 07:00-21:00까지 운영하고 요금은 5시간까지 €6, 이후 6~12시간까지 시간마다 €1, 그 이후는 €0.5씩 추가 요금이 부과된다.

HOT TIP

주요 도시-베네치아 기차 이동 시간

로마 3시간 59분(직행) **밀라노** 2시간 25분(직행)
피렌체 2시간 13분(직행) **베로나** 1시간 10분(직행)

3 | 렌터카

베네치아는 도시 특성상 중심부는 수상 교통편으로 이동해야 하기 때문에 렌터카 여행지로 인기가 적다. 베네치아에서 로마는 A27 고속도로, 베로나와 밀라노는 A4 고속도로, 피렌체는 A1, A13 등의 고속도로가 연결된다. 주차장은 베네치아 산타 루치아역에서 가까운 로마 광장 근처나 광장에서 좀 더 떨어진 곳을 이용해야 한다. 베네치아 시 주차장인 Autorimessa Comunale는 하루에 €35, Garage San Marco는 하루 €45이다.
좀 더 자세한 정보는 actv.avmspa.it/en/content/mobility-services와 www.garagesanmarco.it 참고.

HOT TIP

주요 도시-베네치아 자동차 이동 시간

베로나 약 1시간 30분 **밀라노** 약 3시간 10분 **피렌체** 약 3시간

• 시내 교통 •

베네치아는 도시 특성상 리도 섬을 제외하고 차가 다닐 수 없기 때문에
도보 및 바포레토, 곤돌라, 트라게토, 모토스카피(수상 택시) 등을 이용해야 한다.

1 | 바포레토 Vaporetto

'수상 버스'라고도 불리는 베네치아의 대표 교통수단. 20개가 넘는 노선이 있으며 1번과 2번 노선은 대운하를 따라 운행하기 때문에 여행자들이 자주 이용한다. 바포레토는 시기별로 노선 및 시간이 변동될 수 있으니 현지에서 확인하자. 1회권이 €7.5로 비싼 편이니 3~4회 이상 이동할 경우 24시간권 이상을 구입하는 것이 경제적이다. 24, 48, 72시간권에 마르코 폴로 공항버스 5번 티켓(편도, 왕복)을 같이 묶어서도 판매한다. 바포레토 노선에 대한 자세한 정보는 actv.avmspa.it/en 참고.

바포레토 티켓 요금	
1회권(75분간 유효 / 바포레토)	€9.5
24시간권 (바포레토, ACTV 시내버스)	€25 +공항버스 편도 €32
48시간권 (바포레토, ACTV 시내버스)	€35 +공항버스 편도 €42
72시간권 (바포레토, ACTV 시내버스)	€45 +공항버스 편도 €52
롤링 베니스 카드 3일권 (바포레토, ACTV 시내버스)	€33 +공항버스 편도 €40

* 롤링 베니스 카드 3일권은 6~29세를 위한 할인 카드이며 여권, 국제 학생증 등의 신분증이 필요하다.

HOT TIP

바포레토 이용법

1
베네치아 산타 루치아 기차역 내
혹은 승선장 매표소로 이동

2
여행 일정에 맞는 승선권 구입

3
전광판에서 이용하려는
노선과 승선장 확인

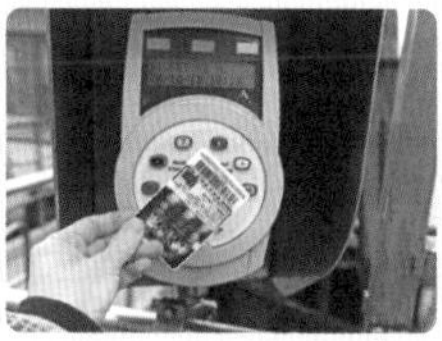

4
승선장에 마련된 개찰기에
승선권 터치(개찰 시간 확인)

5
바포레토 승선

HOT TIP

바포레토 이용 시 유의 사항

* 매표소는 기차역과 주요 승선장에만 있으니 티켓을 미리 구입해두자.
* 티켓에 시간이 표시되지 않으니 처음 사용한 시간을 잘 기억하거나 메모해두자.
* 바포레토를 이용할 때마다 개찰기에 티켓을 찍고 승선해야 한다.
* 양방향으로 운행하는 승선장도 있어 운행 방향을 확인해야 반대 방향으로 가는 것을 방지할 수 있다.

바포레토 티켓

2 | 트라게토 Traghetto

곤돌라보다 더 길고 큰 트라게토는 대운하를 건널 때 이용하는 교통수단이다. 베네치아는 산타 루치아 기차역과 로마 광장을 이어주는 헌법의 다리Ponte della Costituzione와 스칼치 다리Ponte degli Scalzi, 리알토 다리Ponte di Rialto, 아카데미아 다리Ponte dell'Accademia를 제외하고 대운하를 이어주는 다리가 없다. 대신 트라게토가 대운하 곳곳에서 다리 역할을 해준다. 2명의 곤돌리에가 앞뒤에서 노를 저어가며 사람들을 실어 나르며 5~6분 정도 소요된다. 요금은 1회 €2~4.

3 | 모토스카피 Motoscafi

수상 택시인 모토스카피는 스피드 보트로 목적지까지 빠르게 이동할 수 있다. 요금이 비싸기 때문에 짐이 많거나 여러 명이 이용할 경우에는 고려해 볼 만하다. 마르코 폴로 공항에서 산 마르코 광장이나 베네치아 본 섬에 있는 호텔로 이동 시 €140 정도 예상해야 한다. 자세한 정보 및 요금은 www.veneziataxi.it 참고.

4 | 곤돌라 Gondola

곤돌라 승강장은 로마 광장을 비롯해 리알토 다리부터 대운하를 따라 산 마르코 광장까지 약 10곳이다. 초록색 SERVIZIO GONDOLE 표지판으로 되어 있으니 눈여겨보자. 가격은 인원수(최대 6명)와 상관없이 정해진 요금을 지불하는 방식이다. 곤돌라 협회에서는 40분 운행을 기본으로 정했지만 실제 타는 시간은 25~30분 정도. 아래의 곤돌라 협회에서 정한 요금을 참고하여 바가지 쓰는 일이 없도록 하자.

HOT TIP

곤돌라 표준 요금

08:00-19:00 €80(40분), 시간 추가 시 20분당 €40
19:00 이후 €120(40분), 시간 추가 시 20분당 €50

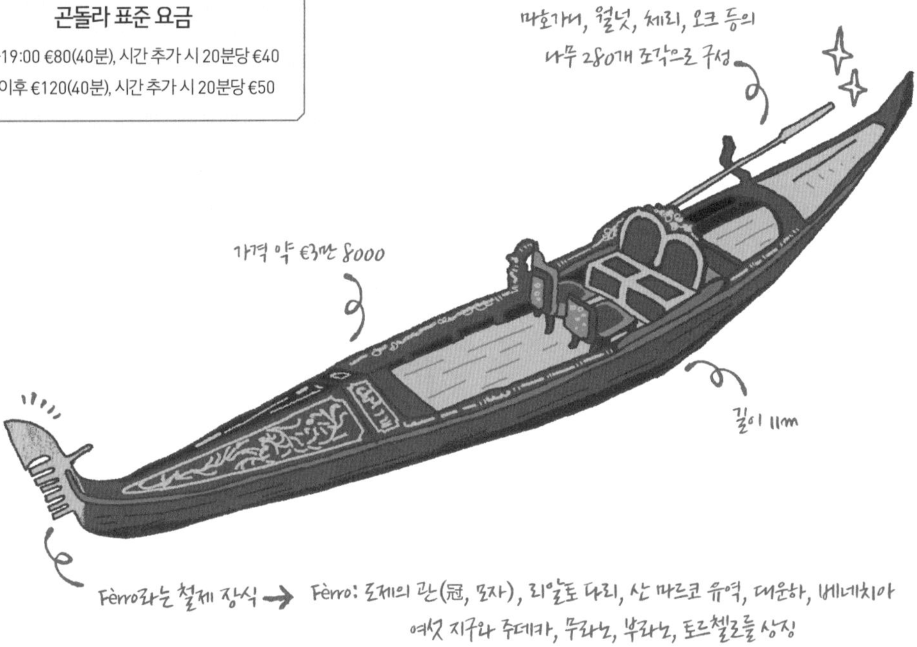

재미있게 알아보는 곤돌라 Q&A

곤돌리에는 아무나 할 수 있다?
절대 아니다. 곤돌리에는 대를 이어서 하는 경우가 대부분이기 때문에 자격증도 그만큼 제한적이다. 곤돌리에가 되기 위해서는 곤돌라 조정은 물론 역사, 예술, 문화, 외국어 등 다방면에 능통해야 하며 까다로운 시험을 통과해야 한다.

곤돌리에는 모두 남자다?
2010년 8월, 9세기 만에 최초의 여성 곤돌리에가 등장했다. 지오르지아 보스콜로Giorgia Boscolo는 곤돌리에인 아버지의 대를 이어 그녀의 꿈을 이루었다.

곤돌리에 의상은 다 똑같다?
결론은 그렇다. 밀짚 보터햇, 남색 또는 빨간색 스트라이프 상의, 검은색 바지와 신발, 빨간색 스카프와 허리끈은 '곤돌리에'의 상징. 스카프와 허리끈은 선택하는 경우도 있으며 겨울에는 겉옷 때문에 덜 발랄해 보인다.

곤돌라는 원래 검은색?
귀족이 이용했던 예전에는 교통수단을 넘어 힘과 부의 상징이었다. 귀족들 사이에 과시욕 경쟁이 치열해지자 사치금지법을 제정하여 모두 검은색으로 칠하게 했으며 그 전통이 지금까지 내려오고 있다.

세레나데는 무조건 포함?
아니다. 세레나데를 들으며 더욱 낭만적인 분위기를 만끽하고 싶다면 세레나데가 포함된 곤돌라를 예약해야 한다. 물론 가격도 더 비싸고 인당으로 가격을 책정하니 참고하자.

특별한 루트를 찾는다면?
산 마르코 광장 근처 다니엘리 호텔Hotel Danieli 앞쪽에 있는 곤돌라 승선장을 이용하자. 사랑하는 연인이 해 질 무렵 곤돌라를 타고 탄식의 다리를 지나면 영원한 사랑을 할 수 있다고 전해진다.

• 베네치아 1일 관광 루트 •

리알토 다리 → 도보 7분 → 산 마르코 대성당·대종루 → 도보 1분 → 두칼레 궁전 → 도보 3분 → 곤돌라 타기 → 바포레토+도보 10분 → 산타 마리아 델라 살루테 성당 → 도보 3분 → 페기 구겐하임 미술관 → 도보 5분 → 아카데미아 미술관 → 바포레토+도보 15분 → 산 마르코 광장 야경 감상

Travel Highlight

산 마르코 광장

성당, 박물관, 대종루, 시계탑, 오래된 카페, 상점 그리고 여기에 운하와 지중해의 햇빛이 더해져 만들어내는 독특한 색채를 지닌 산 마르코 광장은 베네치아의 하이라이트이다.

바포레토 1, 2번 S. Marco 승선장에서 도보 2분

시계탑 Torre dell'Orologio

해, 달, 황도 12궁, 로마숫자를 사용한 원형 시계는 1750년대에 대대적인 개조로 지금의 모습을 갖췄으며 그 이후로도 꾸준한 보수 작업을 통해 정확성을 유지하고 있다. 시계탑은 사전 예약제인 가이드 투어로만 둘러볼 수 있고 온라인 사이트 www.torreorologio.visitmuve.it 에서 예약 가능하다(만 6세 이상 참여 가능).

산 마르코 대성당 Basilica di San Marco

산 마르코 대성당은 서유럽에서는 찾아볼 수 없는 이국적 자태의 비잔틴 양식의 대표적인 성당이다. 976년 화재로 크게 붕괴된 성당은 1063년 다시 짓기 시작하여 수세기 동안 다양한 변화를 거쳐 비잔틴, 로마네스크, 고딕 양식이 조화를 이룬 결정체로 거듭났다. 성당 전면의 모자이크에는 산 마르코의 유해를 모셔오는 것부터 성당에 안치되기까지 일련의 과정이 묘사되어 있다. 성당의 백미는 벽, 아치, 돔 천장을 수놓고 있는 황금빛 모자이크로 약 8264㎡에 이른다. 산 마르코의 유해를 보관하고 있는 팔라 도로Pala d'Oro는 루비, 진주, 자수정, 에메랄드, 사파이어 등의 보석으로 정교하게 장식되어 화려함의 극치를 보여준다. 큰 가방은 짐 보관소에 미리 맡기고 들어가야 한다. 성당 입장은 무료이나 온라인 사이트에서 티켓(€3)을 구입하면 대기 없이 입장할 수 있다.

- 월~토요일 09:30-17:00, 일요일, 공휴일 14:00-17:00
- € 성당 €3, 팔라 도로 €5, 보물실 €3, 산 마르코 박물관 €7

대종루 Campanile di San Marco

98.6m 높이의 대종루는 16세기에 지금의 모습으로 세워졌으며 한때는 등대 역할을 하기도 했다. 1902년 7월 14일 갑자기 붕괴되어 전 세계를 큰 충격에 빠뜨렸지만 10여 년에 걸친 재건 사업으로 다시 우뚝 섰다. 엘리베이터를 타고 위로 올라가면 산 조르조 마조레 성당, 산타 마리아 델라 살루테 성당이 한눈에 들어온다. 한쪽에는 '갈릴레오 갈릴레이 1609년 8월 21일 여기에서 그의 망원경으로 시야의 지평을 넓히다'라고 기록된 평판이 있는데 갈릴레이의 망원경 성능을 시연한 곳이다. 1월에는 약 2주 동안 보수유지로 인해 오픈하지 않으니 참고하자.

- 09:30-21:00(시즌에 따라 상이)
- € 엘리베이터 €10

두칼레 궁전 Palazzo Ducale

흰색과 분홍색 대리석의 은은함과 정교한 아치들이 멀리서도 눈길을 사로잡는 두칼레 궁전은 베네치안 고딕 양식의 대표적인 건축물이다. 도제의 관저로 사용되기도 해 '도제의 궁'이라고도 하며 베네치아공화국의 행정과 정치가 이루어진 심장부였다. 산 마르코 광장과 마주한 부분 2층의 열주를 자세히 살펴보면 왼쪽에서부터 아홉 번째와 열 번째 열주만 붉은빛이 돈다. 이 두 열주 사이에서 도제가 산 마르코 광장에서 열리는 행사 참관 및 사형선고를 내렸다고 전해지며 주민들은 두 열주 사이로 지나가면 불운이 생긴다고 여긴다. 내부는 꼼꼼히 둘러보지 않아도 2시간은 훌쩍 지나니 베네치아에서의 여정이 짧다면 관광 시간을 잘 할애하도록 하자.

🕘 09:00-19:00(시즌에 따라 상이)

€ 산 마르코 광장 뮤지엄 티켓

❶ 거인의 계단 Scala dei Giganti

양쪽에 전쟁의 신 마르스와 바다의 신 넵튠 상이 있으며 아치 위의 사자상은 베네치아의 수호성인 성 마르코를 상징한다.

❷ 사자의 입 Bocca di Leone

2층 회랑에 있으며 중세에 비밀 투고함으로 이용되었다.

❸ 황금의 계단 Scala d'Oro

계단의 천장을 장식하고 있는 화려한 금박 벽토 세공이 압권이다.

❹ 10인 평의원실 Sala del Consiglio dei Dieci

10인 평의원들이 문서를 검열 · 감독하던 방이다.

❺ 대평의회실 Sala del Maggior Consiglio

최고 위원들이 모이던 곳으로 세계에서 가장 큰 유화인 틴토레토Tintoretto의 <천국Paradiso>이 있다.

❻ 신 감옥 Le Prigioni Nuove

죄수가 재판을 받기 전 머물던 곳으로 이 감옥으로 가려면 탄식의 다리를 건너가게 된다.

탄식의 다리 Ponte de Sospiri

폰테 데이 소스피리Ponte dei Sospiri, 즉 탄식의 다리는 1614년 두칼레 궁전과 신 감옥을 연결하기 위해 만든 것이다. '탄식의 다리'라는 명칭은 죄수들이 이 다리를 건너면 다시는 베네치아를 볼 수 없음을 탄식하여 붙여졌다고 한다. 탄식의 다리 아랫부분에는 각기 다른 표정을 짓고 있는 안면상들이 있는데 웃는 얼굴은 단 하나밖에 없다. 곤돌라를 타고 탄식의 다리 아래를 지나게 되면 미소 띤 안면상을 찾는 순발력도 발휘해보자.

- 두칼레 궁전 내부 대평의회실에서 나와 계단을 내려가면 탄식의 다리로 연결됨

코레르 박물관
Museo Correr

코레르 박물관은 '나폴레옹의 날개'라 불리는 알라 나폴레오니카Ala Napoleonica에 자리하고 있는 시립 박물관이다. 고문서, 지도, 조각, 그림, 소품, 선박 모형, 무기 등이 전시되어 있으며 알라 나폴레오니카가 들어서기 전에는 자코포 산소비노가 참여한 산 제미니아노 교회가 있었다. 단독 입장 티켓이 없으며 산 마르코 광장 뮤지엄 티켓에 포함되어 있다.

- 산 마르코 대성당 맞은편
- 10:00-18:00(시즌에 따라 상이)
- € 산 마르코 광장 뮤지엄 티켓

HOT **TIP**

베네치아의 박물관 패스

베네치아 뮤지엄 패스 : €40

두칼레 궁전, 코레르 박물관, 마르치아나 국립도서관의 기념관, 무라노 유리 박물관, 부라노 레이스 박물관 등을 포함한 11개 박물관 입장이 가능하며 유효기간은 6개월이다.

* 박물관 패스 관련 좀 더 자세한 사항은 www.visitmuve.it/en/home 참고

산 마르코 광장 뮤지엄 티켓 : €30

두칼레 궁전을 포함한 산 마르코 광장에 있는 3개 박물관(코레르 박물관, 국립 고고학 박물관, 마르치아나 국립도서관의 기념관) 입장이 가능하며 온라인 사이트에서 구입 시 좀 더 저렴하다.

VENEZIA SPECIAL

청각·미각을 사로잡는 커피의 명가

산 마르코 광장 3대 카페

산 마르코 광장에는 유서 깊은 카페가 모여 있다. 카페 플로리안은 1720년, 그란카페 콰드리는 1775년, 카페 라베나는 1750년에 문을 열었으며 노천석에서 악단 연주를 감상하며 커피를 마실 수 있다는 것도 공통점이다. 일단 자리에 앉으면 세 곳 모두 연주비 겸 자릿세를 인당 €6 정도 받고 커피 값은 더 비싸다. 가격만 따진다면 돈이 아까울 수도 있지만 이곳에서만 누릴 수 있는 분위기와 오랜 세월의 흔적은 돈으로 살 수 없으니 작은 사치를 부려보아도 좋다.

Caffè Florian

이탈리아에서 가장 오래된 카페라는 명성 하나만으로도 가볼 만한 가치가 있는 곳이자 유일하게 여성이 출입할 수 있었던 곳으로 카사노바가 즐겨 찾던 카페이다.

🕓 09:00-23:00(시즌에 따라 상이)

€ 핫 초콜릿 €13, 에스프레소 €7, 카푸치노 €11.5

Grancaffè Quadri

스탕달, 바그너, 발자크 등 수많은 명사들이 다녀간 카페로 베니스 영화제에 참석하는 감독, 배우들이 즐겨 찾는다. 레스토랑도 겸하고 있다.

🕓 09:00-24:00

€ 에스프레소 €11.5, 카페 라테 €15, 핫 초콜릿 €17

Caffè Lavena

작곡가 바그너의 단골 카페였던 곳이다. 내부는 옐로와 민트 색상이 주를 이루며 18세기에 만든 금박 테두리가 둘러진 나무 패널은 무라노 글라스로 만든 샹들리에와 잘 어우러진다.

🕓 09:30-24:00

€ 카푸치노 €16, 핫 초콜릿 €18~25

리알토 다리 Ponte di Rialto

대운하의 가장 좁은 폭을 백색의 자태로 이어주는 리알토 다리는 베네치아에서 가장 오래된 다리로 아카데미아 다리가 들어서기 전까지 대운하를 도보로 건널 수 있는 유일한 통로였다. 활기찬 하루를 시작하고 싶다면 리알토 다리에서 도보 3분 거리에 있는 수산 시장에서 아침을 맞이해도 좋다.

- 바포레토 1, 2번 Rialto 승선장 하차

아카데미아 미술관
Galleria dell'Accademia

베네치아의 14~18세기 예술 흐름을 한눈에 볼 수 있는 미술관으로 산 마르코 지구에서 아카데미아 다리를 건너면 팔라디오 양식의 외관이 눈에 띈다. 24개 전시실에는 조반니 벨리니Giovanni Bellini, 티치아노, 틴토레토, 파올로 베로네세Paolo Veronese, 안토니오 카날레토Antonio Canaletto 등의 작품을 비롯하여 다채로운 색상의 작품이 가득하다. 젠틸레 벨리니Gentile Bellini의 <산 마르코 광장의 행렬Processione in piazza San Marco>에서는 15세기 산 마르코 광장의 풍경을 엿볼 수 있으며 조르조네Giorgione의 ❶ <폭풍Tempesta>, 틴토레토의 ❷ <성 마르코의 기적Miracolo di San Marco>도 놓치지 말자.

- 바포레토 1, 2번 Accademia 승선장 하차
- 월요일 08:15-14:00, 화~일요일 08:15-19:15, 1/1, 5/1, 12/25 휴관
- €15(특별전 진행 시 요금 변동 있음), 18세 미만 무료(신분증 필요)

페기 구겐하임 미술관 Collezione Peggy Guggenheim

20세기 현대미술의 보고 페기 구겐하임 미술관은 파블로 피카소Pablo Picasso, 앙리 마티스Henri Matisse, 피에트 몬드리안Piet Mondrian, 바실리 칸딘스키Wassily Kandinsky, 파울 클레Paul Klee, 막스 에른스트Max Ernst, 호안 미로Joan Miro 등의 작품으로 가득하다. 페기 구겐하임은 1979년 사망할 때까지 30년간 이곳에서 여생을 보냈으며 그녀가 사랑하던 애완견들과 함께 묻혔다. 정원에는 에른스트의 조각 <아테네의 거리에서In the Streets of Athens>를 비롯하여 여러 작품이, 대운하와 면한 후문에는 마리노 마리니Marino Marini의 <도시의 천사Angelo della Città>가 있다.

- 바포레토 1, 2번 Accademia 승선장에서 도보 7분 / 바포레토 1번 Salute 승선장에서 도보 4분
- 수~월요일 10:00-18:00, 화요일, 12/25 휴관
- € €16, 65세 이상 €14, 26세 이하 €9(학생증 필요), 10세 미만 무료

모체니고 박물관

Museo di Palazzo Mocenigo

베네치아에서 잘 알려진 모체니고 가문이 거주하던 곳으로 17세기에 확장 및 개조되었으며 현재는 텍스타일 & 의상 박물관이다. 그림, 의상, 정교한 패브릭 소품, 가구 등을 통해 베네치아 귀족들의 생활상을 엿볼 수 있으며 5개의 방에는 향수 회사인 Mavive사가 향수 제조법 등 다양한 전시를 선보이고 있다.

- 바포레토 1, 2번 San Stae 승선장에서 도보 2분
- 10:00-18:00(시즌에 따라 상이), 월요일, 1/1, 5/1, 12/25 휴관
- € €10

산타 마리아 글로리오사 데이 프라리 성당

Basilica di Santa Maria Gloriosa dei Frari

베네치아 최초의 프란체스코 수도회 성당으로 줄여서 '프라리 성당'이라고도 부른다. 성당의 종탑은 1396년에 완성된 것으로 산 마르코 광장의 종탑 다음으로 높다. 수수한 모습의 외관과 달리 내부는 더 화려하며 티치아노, 벨리니, 도나텔로, 자코포 산소비노 등의 작품을 볼 수 있다. 정교하게 만들어진 성가대석을 지나 중앙 제단 쪽으로 향하면 티치아노의 역작으로 꼽히는 제단화 <성모승천Assunta>이 나타난다. <성모승천>은 높이 6.9m로 성모 마리아를 맞이하는 성부, 천사들의 호위를 받으며 승천하는 성모, 아래에서 이를 지켜보는 사도들로 나뉘며 팔을 들고 있는 동작은 상승감을 더해준다.

- 바포레토 1, 2번 S. Toma 승선장에서 도보 5~7분
- 월~토요일 09:00-18:00, 일요일 & 종교 축일 13:00-18:00
- €5

산타 마리아 델라 살루테 성당

Basilica di Santa Maria della Salute

베네치아의 도르소두로Dorsoduro 지구 끝자락을 웅장한 둥근 돔으로 수놓고 있는 바로크 양식의 성당이다. 30년 전쟁 때 퍼진 흑사병에서 구원해달라는 기도 응답에 감사하기 위해 축성되었으며 성당 입구 양옆에는 4복음서의 기자들인 마태오, 마르코, 루카, 요한의 조각상이 있다. 성구실에서는 틴토레토Tintoretto의 <가나의 혼인 잔치Nozze di Cana>를 비롯하여 티치아노Tiziano의 <이삭의 희생Sacrificio di Isacco>, <카인과 아벨Caino e Abele>, <다비드와 골리앗Davide e Golia>, <성령강림La Pentecoste> 등을 볼 수 있다. 매년 11월 21일이 되면 기념 미사 및 여러 가지 행사가 열리며 수천 명의 사람들이 모여든다.

- 바포레토 1번 Salute 승선장 하차
- **성당** 4~10월 09:00-12:00, 15:00-17:30, 11~3월 09:30-12:30, 15:00-17:30 / **성구실** 월~토요일 10:00-12:00, 15:00-17:00, 일요일 15:00-17:00(시즌에 따라 월, 화요일 휴무)
- 성당 무료, 성구실 €6, 10세 미만 무료

산 조르조 마조레 성당 **Chiesa di San Giorgio Maggiore**

고대 로마 유적과 건축물을 연구하여 자신의 건축물에 고전 양식을 접목시킨 안드레아 팔라디오Andrea Palladio가 설계한 성당이다. 한 번쯤은 들어봤을 '팔라디오 양식'은 바로 안드레아 팔라디오의 건축물에서 시작된 것이다. 백색 파사드는 고대 신전 같은 기운을 품은 채 사람들의 발길을 유혹한다. 틴토레토의 <최후의 만찬Ultima Cena>, <만나의 수확La Raccolta della Manna>도 감상할 수 있다. 틴토레토는 '최후의 만찬'이라는 주제로 여러 작품을 그렸는데 이곳에 있는 <최후의 만찬>에서는 램프의 빛과 예수의 후광만이 '빛'으로 존재하고 사선 구도가 극적 효과를 더해준다. 산 마르코 지구와 산타 마리아 델라 살루테 성당의 둥근 실루엣을 한눈에 담고 싶다면 해 질 녘 성당 종탑에 올라가보는 것도 좋다.

- 바포레토 2번 S. Giorgio 승선장 하차
- 4~10월 09:00-19:00, 11~3월 08:30-18:00
- 성당 무료, 종탑 €8

VENEZIA SPECIAL

바포레토를 타고 대운하 관광지 한눈에 둘러보기

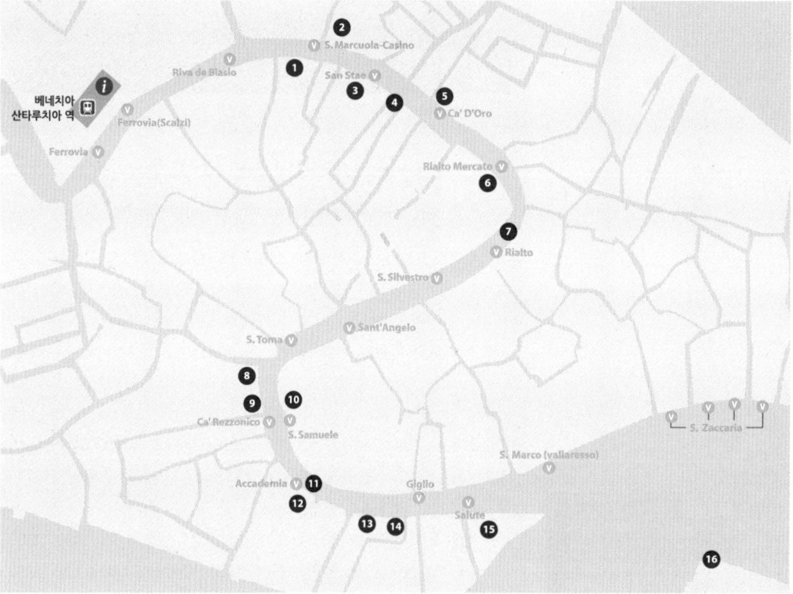

바포레토 1번이나 2번을 타면 베네치아 한가운데를 S자 모양으로 흐르는 대운하인 카날 그란데Canal Grande를 따라 양옆으로 베네치아의 화려한 건축물들을 볼 수 있다. 1번 바포레토가 2번에 비해 정차 승선장이 더 많으니 참고하자.

❶ 터키 상인 회관

Fondaco dei Turchi

1225년경에 지어진 건물

❷ 베네치아 카지노

Casinò di Venezia

1638년에 생긴 세계 최초의 카지노

❸ 산 스타에 성당

Chiesa di San Stae

성 에우스타키오에게 봉헌된 성당

❹ 카 페사로

Ca' Pesaro

부호 페사로 가문의 저택

바포레토를 타고 대운하 관광지 한 눈에 둘러보기

❺
카 도로
Ca' d'Oro

'황금의 집'이라는 뜻의 저택

❻
리알토 수산 시장
Mercato di Rialto

800년 넘는 전통을 이어온 수산 시장

❼
리알토 다리
Ponte di Rialto

1588~1591년에 지어진 다리

❽
카 포스카리
Ca' Foscari

14세기에 지어진 고딕 양식의 저택

❾
카 레조니코 Ca' Rezzonico

카 포스카리와 더불어 유명한 바로크 양식의 저택

❿
그라시 궁전 Palazzo Grassi

'라 세레니시마' 시대에 최후로 지어진 궁전

⓫
아카데미아 다리
Ponte dell'Accademia

베네치아의 4개 다리 중 최남단에 위치

⓬
아카데미아 미술관
Galleria dell'Accademia

베네치아의 14~18세기 예술 흐름을 볼 수 있는 미술관

⓭
물라 모로시니 궁전
Palazzo Da Mula Morosini

15세기에 지어진 저택

⓮
페기 구겐하임 미술관
Collezione Peggy Guggenheim

페기 구겐하임의 선구자적 안목이 돋보이는 미술관

⓯
산타 마리아 델라 살루테 성당
Basilica di Santa Maria della Salute

대운하 끝자락에 자리한 성당

⓰
산 조르조 마조레 성당
Chiesa di San Giorgio Maggiore

눈부신 백색 파사드가 돋보이는 성당

부라노 Burano

알록달록한 색의 집들이 늘어서 있는 섬 부라노는 '이탈리아' 하면 떠오르는 고전적 이미지를 무색하게 만드는 곳이다. 부라노가 이런 모습을 가지게 된 것은 어부들이 바다에서 돌아올 때 자신의 집을 한눈에 찾아볼 수 있게 다양한 색을 칠했다는 설이 가장 유력하며, 지금은 정부의 담당 부서에서 허락한 색상으로만 칠할 수 있다고 한다. 무작위로 그림물감을 풀어놓은 듯한 골목골목을 거닐다보면 정교한 레이스 수공예품도 심심치 않게 볼 수 있다. 지금은 전통 방식으로 레이스를 짜는 사람이 많지 않아 오리지널을 찾아보기 힘들며 가장 오래된 레이스 숍은 Dalla Lidia Merletti d'Arte이다.

- 바포레토 12, 14번 Burano 승선장 하차. 봄~가을에만 운행하는 14번은 산마르코 광장 S.Marco-S.Zaccaria에서 리도를 거쳐 부라노까지 한 번에 갈 수 있어 편리하다.

레이스 박물관 Museo del Merletto

16~20세기에 걸친 부라노 레이스의 역사, 기술, 전통 레이스 공예품 등을 한눈에 볼 수 있는 곳으로 부라노의 전통 레이스 예술을 부활시키고 재평가하기 위해 세워졌다. 레이스 박물관은 1872~1970년까지 부라노 레이스 스쿨이 있던 장소라 그 의미가 더욱 깊다.

- 부라노 승선장에서 도보 6~8분 소요
- 10:00-16:00(시즌에 따라 상이), 월요일, 1/1, 5/1, 12/25 휴관
- €5, 베네치아 뮤지엄 패스 사용 가능

부라노

Riva Rosa | 해산물 요리, 파스타 |

미슐랭 추천 레스토랑으로 부라노 선착장과 인접해 있으며 신선한 해산물 요리와 파스타, 부라노식 리소토 등을 맛볼 수 있다. 봉골레 스파게티인 Spaghetti alle Vongole와 리소토 Risotto di 'Go' tipico di Burano가 인기 메뉴이다.

- 부라노 승선장에서 도보 3분
- Via San Mauro 296, 30142 Burano
- +39 041 730 850 · 12:00-16:00, 수요일 휴무
- 안티파스토 €13~28, 홈메이드 파스타 €16~27, 세콘도 피아토 €18~26

Dalla Lidia Merletti d'Arte

부라노에서 가장 오래된 레이스 숍으로 침대보, 식탁보, 커튼, 옷, 손수건 등에 수놓아진 다양한 핸드 메이드 제품을 만날 수 있다. 기계자수와는 비교조차 할 수 없는 예술품 같은 섬세한 레이스 제품은 구경하는 것만으로도 기분이 좋아진다.

- 부라노 승선장에서 도보 6분
- Via Galuppi 215, 30142 Burano
- 09:30-18:30 · @ www.dallalidia.com

부라노

Trattoria al Gatto Nero | 해산물 튀김, 리소토 |

트라토리아 가토 네로(검은 고양이)는 부라노 섬에서 명성이 자자한 곳으로 영국의 유명 셰프 제이미 올리버도 극찬한 식당이다. 성수기에는 예약을 해야 허탕 치지 않는다. 가장 유명한 메뉴는 부라노식 해물 리소토Risotto alla Buranella로 2인 주문이 기본이나 상황에 따라 1인 주문도 가능하다. 리소토는 짤 수 있으니 소금을 적게 넣어달라고 요청하는 것이 좋다.

- 부라노 승선장에서 도보 6분
- Via Giudecca 88, 30142 Burano · +39 041 730 120
- 화~토요일 12:30-15:00, 19:30-20:30, 일요일 12:30- 15:00, 월요일 휴무
- 안티파스토 €16~35, 부라노식 리소토 €40(2인), 프리모 피아토 €14~25, 세콘도 피아토 €17~30

무라노 Murano

베네치아 본 섬에서 바포레토로 20분 거리에 있는 무라노 섬은 형형색색의 정교한 유리공예품과 장인들의 숨결이 가득한 곳이다. 1291년 유리 제조 비법 확산 방지 및 화재를 막기 위해 유리 세공사들을 무라노 섬으로 강제 이주시키면서 무라노 섬의 유리공예 역사가 시작되었으며 전통 기법으로 작업하는 공방들을 중심으로 명맥이 유지되고 있다. 섬 내에는 유리공예품을 파는 상점과 공방, 유리 박물관 Museo del Vetro이 있으며 일부 공방에서는 유리공예품 만드는 시범을 볼 수 있는데, 긴 대롱에 매달려 있는 뜨거운 유리 재료가 장인들의 숨결과 빠른 손놀림을 거쳐 화려한 작품으로 태어나는 광경은 보고 또 보아도 경이롭다.

- 바포레토 3, 4.1, 4.2번 Faro 승선장 하차(유리 박물관으로 바로 갈 경우 Murano Museo에서 하차)
- **유리 박물관** 10:00-18:00(시즌에 따라 상이), 1/1, 12/25 휴관
- €10, 무라노 유리 박물관+부라노 레이스 박물관 €12, 베네치아 뮤지엄 패스 사용 가능

리도 Lido

리도 섬은 대운하를 지나는 1번 바포레토의 종착지로 여름부터 베니스 국제영화제가 열리는 9월 초까지 많은 사람들로 북적거린다. 리비에라Riviera 호텔 옆, 일직선으로 나 있는 산타 마리아 엘리사베타 대로Gran Viale Santa Maria Elisabetta를 따라 도보 10분 정도 걸어가면 끝없는 해변이 펼쳐진다. 단, 해변에 있는 파라솔, 의자, 비치 베드, 샤워실, 탈의실 등의 부대시설은 유료이다. 영화제가 열리는 Palazzo del Cinema와 Palazzo del Casinò는 산타 마리아 엘리사베타 대로 입구에 있는 버스 정류장에서 V번 버스를 타면 된다.

- 바포레토 1, 2, 5.1, 5.2, 10, 14번 Lido S.M.E 승선장 하차

Restaurant & Café

산 마르코 광장

Chat Qui Rit | 모던 이탈리아 요리 |

샤끼히는 프랑스어로 '웃는 고양이'라는 뜻이며 간판에 귀여운 고양이가 그려져 있다. 제철 재료를 사용하여 본연의 맛을 살린 이탈리아 요리를 선보이는 곳으로 다양한 와인 리스트도 갖추고 있다. 비싸지만 맛이 보장되는 곳을 찾는다면 추천한다.

- 산 마르코 광장에서 도보 4분
- 13 Calle Tron San Marco 1131, 30124 Venezia
- +39 041 522 9086
- 화~토요일 12:30-22:00, 일~월요일 휴무
- € 안티파스토 €22~35, 프리모 피아토 €25~28, 세콘도 피아토 €32~37, 디저트 €15

굴리에 다리

Trattoria Bar Pontini

| 해산물 스파게티, 발사믹 스테이크 |

우리나라 사람들에게 인기가 좋은 곳으로 가격 대비 양도 푸짐하며 맛도 나쁘지 않다. 실내 및 야외 테이블 좌석이 있으며 중간에 쉬지 않고 영업하는 경우도 있고 1~2시간 쉬는 경우도 있으니 참고하자.

- 산타 루치아 기차역에서 도보 7분
- Fondamenta Cannaregio 1268, 30121 Venezia
- +39 041 714 123
- 화~토요일 07:00-23:00, 일요일 10:00-23:00, 월요일 휴무
- € 안티파스토 €7~10, 프리모 피아토 & 세콘도 피아토 €12.5~16

리알토 다리

Suso | 젤라토 |

천연 재료만 사용하는 젤라토 가게로 미로 같은 골목 안에 숨어 있어 찾아가기 좀 힘들다. 골고루 다 맛있는 편이지만 가장 유명한 맛은 Suso(캐러멜 맛), Manet(솔티 피스타치오 맛), Opera(초콜릿 맛)이다. 컵에 주문해도 과자로 된 컵에 담아주며 초콜릿을 씌운 특별한 콘은 €1 추가 요금이 붙는다.

- 리알토 다리에서 도보 3분
- Calle della Bissa 5453, 30124 San Marco, Venezia
- +39 348 564 6545
- 일~목요일 10:00-22:30, 금~토요일 10:00-23:00
- € 1가지맛 €2.5~3, 2가지맛 €4.7

산 마르코 광장, 리알토 다리

Dal Moro's | 파스타 |

테이크 아웃 위주로 판매하는 파스타 집으로 내부에는 4~5명 정도 서서 먹을 수 있는 스탠딩 테이블이 있다. 해산물 파스타보다는 페스토 파스타와 볼로냐 파스타가 무난하게 맛있다. 치즈, 버섯, 올리브, 칠리, 마늘 등을 추가할 수 있으며 가격은 각각 €0.5~1이다. 근처 다리에 앉아서 먹거나 골목에서 먹을 경우 벌금(약 €200)을 낼 수도 있으니 유의하자.

- 산 마르코 대성당 및 리알토 다리에서 도보 6분
- Calle Casseleria 5324, 30122 Castello, Venezia
- +39 041 476 2876
- 매일 12:00-20:00
- 파스타 €6~8

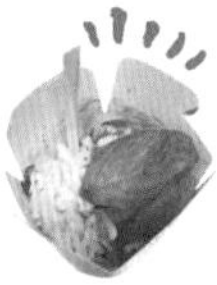

굴리에 다리

Frito Inn | 새우, 오징어 튀김 |

산타 루치아 기차역에서 도보 거리에 있는 튀김 집으로 주문 즉시 튀겨주어 바삭한 튀김을 먹을 수 있다. 한국어 메뉴판이 있으며 양이 많은 편이니 1인 1개씩 주문하는 것보다 1개만 주문한 후 더 시켜 먹는 것을 추천한다.

- 산타 루치아 기차역에서 도보 9분
- Campo San Leonardo 1587, 30121 Cannaregio, Venezia
- +39 041 564 7451
- 월~금요일 10:00-21:00, 토~일요일 10:00-22:00
- 오징어 튀김 €9.5, 새우+오징어 튀김 €10.5, 새우 튀김 €10, 대구 튀김 €8

리알토 다리 **Farini** | 베이커리 |

밀라노와 베네치아에 지점이 있는 베이커리로 간단히 빵, 피자, 샐러드, 커피 등을 먹기에 좋다. 피자는 원하는 것을 고르면 직원이 잘라서 전자레인지에 데워준다. 베네치아에는 3곳(Rialto, Rialto Mercato, San Lio)이 있는데 모두 리알토 다리에서 도보 5분 미만 거리이다. 각 지점의 자세한 정보는 farini.com 참고.

- 리알토 지점은 Rialto Mercato 승선장에서 도보 4분
- Ruga Rialto 655, 30125 Venezia
- +39 041 302 3920
- 월~목요일 08:30-21:00, 금~일요일 08:00-22:00
- 커피 €1.3~2.7, 디저트 €2~4.5, 피자 €4.2~4.7

리알토 다리

Osteria Bancogiro

| 먹물 파스타, 라자냐 |

산 자코모 디 리알토 광장Campo S. Giacomo di Rialto 한 켠에 자리한 바 겸 레스토랑으로 대운하를 바라보며 식사를 할 수 있는 뒤쪽 테라스 좌석이 인기가 많다. 내부는 아치형 천장과 벽돌로 되어 있어 아늑한 느낌을 주며 신선한 해산물 요리, 파스타 등을 맛볼 수 있다.

- 리알토 시장Rialto Mercato 바포레토 승선장에서 도보 2분
- Campo S.Giacometto S. Polo 122, 30125 Venezia
- +39 041 523 2061
- 09:00-24:00, 월요일 휴무
- € 안티파스토 & 프리모 피아토 €17.8~20.8, 세콘도 피아토 €21.8~26.8

리알토 시장 승선장

Osteria alla Ciurma | 치케티 |

간단히 술 한잔과 곁들일 수 있는 치케티를 파는 가게로 간판이 눈에 보이지 않을 정도로 작다. 빵 위에 다양한 토핑을 얹어 만든 것을 비롯해 여러 가지 튀김이 진열대에 놓여 있다. 튀김은 전자레인지에 데워서 주기 때문에 눅눅할 수 있으니 참고하자.

- 리알토 시장Rialto Mercato 바포레토 승선장에서 도보 3분
- Calle Galeazza 406A, 30125 San Polo Venezia
- +39 327 577 0446 · 10:00-15:00, 17:30-20:30, 일요일 휴무 · € 치케티 €1.8~3.5

리알토 시장 승선장 **Cantina do Spade** | 치케티, 오징어 먹물 폴렌타 |

현지인이 즐겨 찾는 작은 규모의 오스테리아로 베네치아에서 맛볼 수 있는 음식을 주로 선보인다. 먹물 파스타인 스파게티 알 네로Spaghetti al nero는 물론 치게티도 유명하며 다양한 해산물 파스타도 있다. 색다른 것이 좋다면 오징어 먹물 폴렌타Seppie in nero con polenta를 추천한다.

- 리알토 시장Rialto Mercato 바포레토 승선장에서 도보 4분
- San Polo 859, 30125 Venezia
- +39 041 521 0583
- 10:00-15:00, 18:00-22:00
- € 프리모 피아토 €15~17, 세콘도 피아토 €18~24

리알토 다리 **Antico Forno** | 조각 피자 |

관광하다가 가볍게 먹기에 적당한 조각 피자 가게로 다양한 토핑의 피자들이 진열되어 있어 고르기 어려울 정도이다. 폭신하면서 두꺼운 도우의 피자가 대부분이며 얇은 도우의 피자도 있으니 취향에 맞게 선택하면 된다.

- 리알토 다리에서 도보 4분
- Calle de L'ogio o de la Rugheta 970/973, 30125 San Polo Venezia
- +39 041 520 4110
- 11:30-22:00
- € 조각 피자 €3.8~5

리알토 다리

Trattoria Antiche Carampane | 해산물 요리 |

당일 공수한 신선한 해산물로 만든 정통 베네치아 요리를 맛볼 수 있는 곳으로 피자, 라자냐, 투어리스트 메뉴는 아예 없다. 양이 적은 편이지만 요리와 디저트가 훌륭하다.

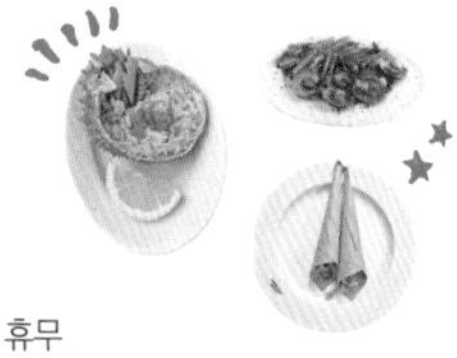

- 리알토 다리에서 도보 4분
- Rio Terà de le Carampane 1911, 30125 Sestiere San Polo, Venezia
- +39 041 524 0165
- 12:30-14:30, 19:30-22:00, 일~월요일 휴무
- € 안티파스토 €23~25, 프리모 피아토 €23, 세콘도 피아토 €23~25, 디저트 €8~11

산 마르코 광장

Ristorante La Caravella | 미슐랭 추천 레스토랑 |

Saturnia & International 호텔 1층에 있는 레스토랑으로 꽃이 만발한 여름 시즌에는 안뜰에서 식사를 즐길 수 있다. 엄선된 제철 재료를 사용한 요리를 선보이며 사프란Zafferano이 들어간 라비올리가 인기 메뉴이다.

- 산 마르코 광장에서 도보 5분
- Via XXII Marzo 2399, 30124 Venezia
- +39 041 520 8901 12:00-15:00, 19:00-23:00
- € 안티파스토 €19~32, 프리모 피아토 €20~42, 세콘도 피아토 €34~39, 디저트 €13~18

산 마르코 광장

I TRE Mercanti | 티라미수 |

최상의 요리 재료를 구입할 수 있는 곳이 필요하다고 느낀 베네치아 출신의 세 남자가 의기투합하여 문을 연 곳이다. 좋은 재료를 사용하여 매일 매장에서 직접 만드는 티라미수를 먹을 수 있으며 다양한 식재료와 와인 등도 구입할 수 있다.

- 산 마르코 대성당에서 도보 4분
- Campo della Guerra 5364, 30122 Castello, Venezia
- +39 041 522 2901 12:00-19:00
- € 클래식 티라미수 €4.5 클래식 외 다른 종류 €4.9~

산 마르코 광장 Ristorante Grand Canal | 해산물 요리, 파스타 |

최고의 테라스를 갖춘 Monaco & Grand Canal 호텔 레스토랑으로 곤돌라와 그 너머에 펼쳐지는 베네치아 풍경을 감상하며 즐기는 식사는 잊지 못할 경험을 선사한다.

- 산 마르코 발라레소S. Marco(Vallaresso) 승선장에서 도보 1분
- San Marco 1332, 30124 Venezia +39 041 520 0211 12:30-14:30, 19:30-22:30
- € 안티파스토 €28~45, 프리모 피아토 €28~35, 세콘도 피아토 €38~45, 디저트 €16, 자릿세 €8

아카데미아 미술관 **Gelati Nico** | 젤라토 |

아카데미아 미술관에서 도보 5분 거리에 있는 젤라테리아로 야외 테이블에 앉아서 먹으면 좀 더 비싸지만 시간 여유가 있다면 운하를 바라보며 쉬어 가도 좋다. Pesca(복숭아 맛), Pistachio(피스타치오 맛), After Eight(민트 맛) 등이 인기가 많다.

- 자테레Zattere 바포레토 승선장에서 도보 1~2분 / 아카데미아 미술관에서 도보 5분
- Fondamenta Zattere al Ponte Longo 922, 30121 Venezia
- +39 041 522 5293
- 07:00-22:00
- € 2가지 맛 €2.8, 3가지 맛 €3.5

아카데미아 미술관 **Gelateria lo Squero** | 젤라토 |

종류가 다양하지는 않지만 좋은 재료로 만든 젤라토를 먹을 수 있으며 바 형태의 젤라토도 판매한다. Zattere와 Accademia 승선장 사이에 있어 위치가 살짝 애매하다.

- 아카데미아 미술관에서 도보 3분
- Fondamenta Nani 990, 30123 Venezia
- +39 333 910 1500
- 월~토요일 11:00-19:30, 일요일 12:00-18:30
- € 1가지 맛 €1.8, 2가지 맛 €3, 3가지 맛 €3.8

리알토 다리 **Osteria Al Portego** | 해산물 채소 튀김 |

인기 있는 오스테리아 중 하나로 스프리츠나 맥주와 곁들여 먹기에 좋은 해산물 채소 튀김이 맛있으며 해산물 링귀니 파스타Linguine alla Scogliera도 괜찮다. 골목에 있어 찾기 어려워 자칫하면 그냥 지나칠 수 있으니 주의하자.

- 리알토에서 도보 6분
- Calle Larga Malvasia 6014, 30122 Venezia
- +39 041 522 9038
- 11:30-22:00
- € 안티파스토 €12~13,
  프리모 피아토 €13~15, 세콘도 피아토 €14~20

Shopping

Calle Larga XXII Marzo & Salizada San Moisè

3월 22일 거리Calle Larga XXII Marzo와 산 모이제 거리Salizada San Moisè는 베네치아의 대표적인 명품 거리로 산 마르코 광장에서 코레르 박물관을 정면에 두고 가장 왼쪽 통로로 이동하면 산 모이제 거리와 연결된다. 에르메스, 에트로, 불가리, 샤넬, 미우 미우, 보테가 베네타 등의 부티크가 모여 있으며 산 모이제 광장Campo San Moisè을 지나 다리를 건너면 3월 22일 거리로 이어진다. 베네치아 명품 숍은 로마, 피렌체에 비해 규모가 작은 편이지만 관심이 있다면 들러보아도 좋다.

- 코레르 박물관에서 도보 1분

Atelier Marega

누구나 한 번쯤 꿈꿔왔을 화려한 가면과 가면무도회에 어울리는 복장을 제작하는 아틀리에이다. 쇼룸 겸 공방으로 사용하는 곳은 프라리 성당에서 도보 1분 거리에 있으며 2개의 숍도 운영하고 있다. 눈길을 끄는 쇼윈도 안으로 들어가면 모든 종류의 가면을 만날 수 있다.

- 바포레토 1, 2번 S. Toma 승선장에서 도보 2분
- Calle Larga Prima 2940/B, 30125 Venezia
- 월~토요일 10:00-19:30, 일요일 10:00-19:00
- @ www.marega.it

L'Isola

무라노 섬의 유리 공예 장인들의 노하우에 현대적인 디자인을 결합시킨 유리 공방으로 모던하면서도 세련된 디자인의 제품을 만날 수 있다. '공방들의 골목길'이란 뜻의 칼레 데 레 보테게Calle de le Botteghe에 있는데 이곳은 베네치아의 옛 정취가 묻어나는 몇 안 되는 골목 중 하나다. 컵, 그릇, 접시는 €70~146 정도이며 화병, 조명은 €330 이상으로 가격대는 높은 편이다.

- 바포레토 2번 S. Samuele 승선장에서 도보 4분
- Calle de le Botteghe 2970, 30124 San Marco
- 매일 10:30-19:30
- @ www.lisola.com

The Merchant of Venice

셰익스피어의 5대 희극 중 하나인 <베니스의 상인>과 이름이 같은 향수 전문점으로 로마, 피렌체, 밀라노 등 이탈리아 주요 도시와 베네치아 마르코 폴로 공항에 입점해 있고 베네치아 본 섬에 플래그십 스토어가 있다. 일반적인 꽃향기부터 나무, 시나몬 등 독특한 향도 구비되어 있어 시향을 하다보면 시간 가는 줄 모른다.

- 산 마르코 광장 코레르 박물관에서 도보 4~5분
- Campo San Fantin, 1895, 30124 Venezia
- 10:30-13:30, 14:30-19:30
- @ www.themerchantofvenice.it

Marina e Susanna Sent

마리나 에 수산나 센트는 자매가 운영하는 유리공예점으로 무라노에 본점, 베네치아 본 섬에 지점이 있다. 고급스러운 유리 장신구를 비롯하여 그릇, 소품, 램프 등을 만날 수 있으며 가장 사랑받는 제품은 투명한 유리구슬을 엮어 만든 목걸이이다.

- 바포레토 3, 4.1, 4.2번 Murano Colonna 승선장에서 도보 3분
- Fondamenta Serenella 20, 30141 Murano
- 월~금요일 10:00-17:00, 토~일요일 휴무
- @ www.marinaesusannasent.com

가르다 호수의 보석

시르미오네Sirmione

가르다Garda 호수의 아름다움을 그대로 품고 있는 시르미오네! '꼬리'를 뜻하는 라틴어 '쉬르마Syrma'에서 유래한 지명으로 지도를 보면 그 이름처럼 호수 쪽으로 길고 좁게 뻗어 있다. 고대 로마 카툴로 유적Grotte di Catullo의 잔재가 호수와 어우러져 로맨틱한 풍경을 자아내며 윤슬을 머금은 호수는 발길을 멈추게 한다. 구시가지 중심으로 들어가는 입구는 단 하나, '스칼리제로 성Castello Scaligero'의 문이다. 스칼리제로 성은 사면이 가르다 호수 위에 세워진 독특한 요새로 완벽하게 잘 보존된 성으로 꼽힌다. 성문 안 구시가지에는 호텔, 레스토랑, 다양한 상점, 카페테리아 등이 아기자기하게 들어서 있다. 시르미오네의 격을 한층 더 높여주는 유황 온천Aquaria Thermal SPA, 세계적인 소프라노 마리아 칼라스가 애용했던 별장 등이 있어 천천히 산책하며 쉬어 가기 좋다.

- 베네치아에서 기차로 데센차노 델 가르다-시르미오네Desenzano Del Garda-Sirmione역으로 이동 후 베로나Verona행 LN026번 버스를 타면 된다. 버스에는 번호가 아닌 행선지가 적혀 있으니 확실하지 않은 경우 승차하여 기사에게 확인 후 이용하자. 참고로, 베로나에서 이동 시 브레시아Brescia행 LN026번 버스를 이용하면 된다. 단, 성수기에는 LN026번 버스가 성문 앞까지 운행하지 않아 셔틀버스로 갈아타고 가야 한다. 좀 더 자세한 정보는 visitsirmione.com/en/info/public-transport/ 참고.

포시즌스, 아만, 불가리, 파크하얏트 등 럭셔리 호텔을 살레트래블을 통해 예약하시면 특별한 혜택이 주어집니다. 자세한 혜택과 정보는 88p 참고.

Aman Venice

★★★★★

산스크리트어에서 파생된 '평화'라는 뜻의 아만은 은둔을 추구하는 이들을 위한 호텔과 리조트로 잘 알려져 있다. 16세기 베네치아의 궁전을 리노베이션한 아만 베니스 호텔에는 이탈리아 최고 예술가들의 작품이 곳곳에 놓여 있다. 프레스코화가 그려진 객실은 실크 벽지를 비롯해 사소한 장식 하나까지도 베네치아의 전통 과시대적 우아함을 그대로 담고 있다.

- Palazzo Papadopoli, Calle Tiepolo 1364, 30125 Venezia
- ☎ +39 041 270 7333
- @ www.aman.com/hotels/aman-venice

Hotel Danieli ★★★★★

수식어가 필요 없는 유서 깊은 최고급 호텔로 14세기 말에 지어진 단돌로 총독의 저택이었다. 호텔보다 베네치아의 유산이라는 수식어가 더 어울리는 곳으로 고풍스러운 가구, 태피스트리, 화려한 장식품 등 모두 눈을 뗄 수 없게 만든다. 바포레토 산 자카리아(다니엘리)S. Zaccaria(Danieli) 승선장에 내리면 바로 호텔이다.

Castello 4196, 30122 Venezia

+39 041 522 6480

@ www.hoteldanieli.com

Hotel Violino D'Oro ★★★★★

베네치아와 토스카나에서 장인들이 만든 패브릭, 가구, 소품, 접시, 유리 공예품 등으로 가득찬 부티크 호텔이다. 32개 주거형 객실과 스위트룸이 있으며 산마르코 광장까지 도보 2분이면 충분하다. 혁신과 전통이 조화를 이룬 공간은 과거 베네치아의 영광과 오늘날의 아름다움을 동시에 표출하고 있다.

P.za San Marco, 2091, 30124 Venezia

+39 041 277 0841

@ www.violinodoro.com

The St. Regis Venice ★★★★★

현대적인 인테리어와 에소라는 역사적인 유산의 조화가 인상적인 호텔로 베네치아의 상징적인 랜드마크 전망을 자랑한다. 세련되고 독창적인 호텔은 버틀러가 흠잡을 데 없이 편안한 환경을 조성하며 기본 객실을 제외한 대부분의 객실과 스위트는 테라스나 발코니가 있어 대운하, 정원 또는 베네치아의 거리 풍경을 감상할 수 있다.

P.za San Marco, 2159, 30124 Venezia

+39 041 240 0001

@ www.marriott.com/en-us/hotels/vcexr-the-st-regis-venice/overview

Belmond Hotel Cipriani ★★★★★

주데카Giudecca 섬 끝에 위치해 있으며 산 마르코 광장에서 무료 셔틀 보트로 5분이면 닿는다. 고요한 오아시스 같은 호텔로 1958년 개장 이래 전 세계의 유명 인사들과 상류층이 꾸준히 찾는 호텔이다. 갓 수확한 허브를 호텔 칵테일과 요리에 사용하며 건축가와 의사소통 오류로 만들어진 올림픽 사이즈 수영장은 이곳의 랜드마크이며 프라이버시, 휴식, 미식 모두를 충족시키는 곳이다.

Giudecca 10, 30133 Venezia

+39 041 240801

@ www.belmond.com/hotels/europe/italy/venice/belmond-hotel-cipriani/

Hotel Papadopoli Venezia - MGallery ★★★★

18세기 분위기를 살려 우아한 장식으로 꾸민 호텔로 파파도폴리 백작이 부인을 위해 만든 파파도폴리 정원 바로 옆에 있으며 호텔 이름도 백작 이름에서 따온 것이다. 카사노바, 카니발, 마르코 폴로 등의 테마를 접목시킨 96개 객실은 클래식한 분위기이다. 로마 광장에서 도보 3분, 산타 루치아 기차역에서 도보 5분 소요.

- Santa Croce 245 Giardini Papadopoli, 30135 Venezia
- ☎ +39 041 710 400
- @ www.accorhotels.com

Palazzo Barocci Venezia ★★★★

전통적인 베네치아 양식을 현대적으로 재해석한 호텔로 1890년에 지어진 건물은 한때 극장으로 사용되어 비발디가 이곳에서 공연을 하기도 했다. 대운하와 바로 마주하고 있어 시간에 구애받지 않고 아름다운 풍경을 감상할 수 있어 더욱 좋다. 산탄젤로 Sant'Angelo 바포레토 승선장에 내리면 바로 왼쪽에 위치.

- San Marco Corte dell'Albero 3878 A. I, 30124 Venezia
- ☎ +39 041 296 0650
- @ www.palazzobarocci.com/en

Hotel NH Venezia Santa Lucia ★★★★

18세기에 귀족이 살던 저택을 호텔로 개조한 곳으로 로비를 수놓고 있는 격자무늬의 대리석 바닥과 무라노 글라스로 만든 우아한 샹들리에가 곳곳에 있어 고풍스러움을 더해준다. 객실은 베네치안 스타일로 꾸며져 있으며 산타 루치아역에서 나와 스칼치 다리가 있는 왼쪽으로 2분만 가면 호텔이다.

- Rio Terà Lista di Spagna 116/A, 30121 Venezia
- ☎ +39 041 524 2488
- @ www.nh-hotels.com/hotel/nh-venezia-santa-lucia

Hotel Saturnia & International ★★★★

1908년 게스트 하우스로 시작된 호텔은 Serandrei 가문이 4대째 호텔 사업을 이어오면서 4성 호텔로 거듭났고 무엇보다 친절한 서비스로 유명하다. 세월의 흔적이 묻어난 고풍스러운 분위기가 돋보이며 라 카라벨라La Caravella 레스토랑에서는 고급 정찬을 즐길 수 있다. 산 마르코 광장에서 도보 4분.

- S. Marco 2398, Via XXII Marzo, 30124 Venezia
- ☎ +39 041 520 8377
- @ www.hotelsaturnia.it

Hotel L'Orologio Venezia ★★★★

WTB(Why The Best) 호텔 체인으로 피렌체의 로롤로지오 호텔처럼 내부는 시계를 테마로 꾸몄으며 7개 타입의 객실과 2개 타입의 아파트먼트가 있다. 리알토 수산 시장과 바로 인접해 있어 관광 및 이동하기에 편리하다.

- Sestiere San Polo-Riva de L'Ogio 1777, 30125 Venezia
- ☎ +39 041 272 5800
- @ www.hotelorologiovenezia.com

Hotel Monaco and Grand Canal ★★★★

산타 마리아 델라 살루테 성당, 푼타 델라 도가나 박물관, 산 조르조 마조레 성당 등 베네치아의 파노라믹 풍경을 감상할 수 있는 최고의 테라스를 지닌 호텔이다. 심플하면서도 전통적인 베네치아 스타일로 우아하게 단장한 92개 객실이 있으며 바포레토 S. Marco(Vallaresso) 승선장에서 도보 1분 소요된다.

- San Marco 1332, 30124 Venezia
- ☎ +39 041 520 0211
- @ www.hotelmonaco.it

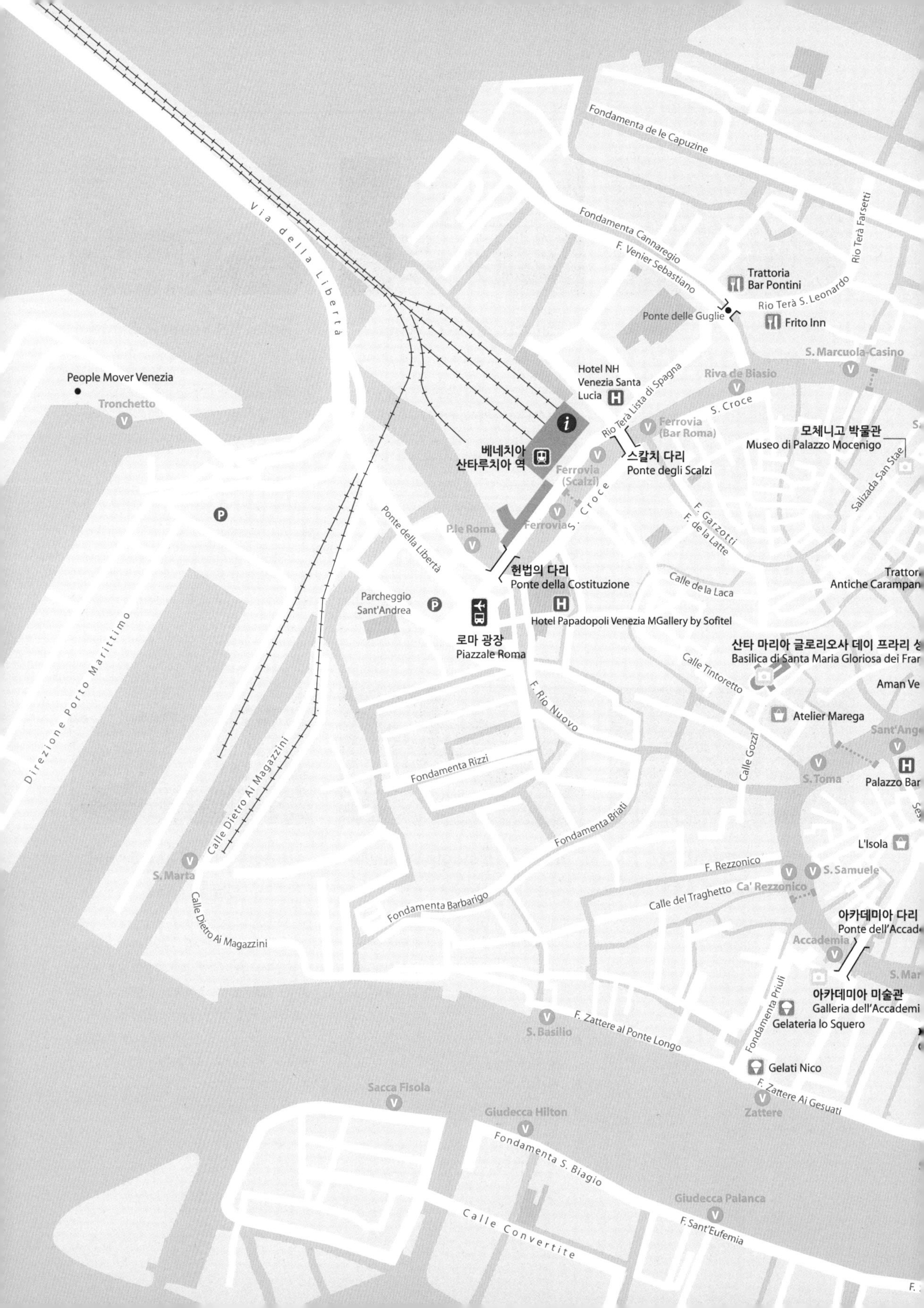

Fondamenta de le Capuzine
Fondamenta Cannaregio
F. Venier Sebastiano
Rio Terà Farsetti
Trattoria
Bar Pontini
Rio Terà S. Leonardo
Ponte delle Guglie
Frito Inn
S. Marcuola-Casino
Via della Libertà
People Mover Venezia
Tronchetto
Hotel NH
Venezia Santa
Lucia
Riva de Biasio
S. Croce
Rio Terà Lista di Spagna
Ferrovia
(Bar Roma)
모체니고 박물관
Museo di Palazzo Mocenigo
베네치아
산타루치아 역
스칼치 다리
Ponte degli Scalzi
Ferrovia
(Scalzi)
Salizada San Stae
Ferrovia
S. Croce
F. Garzotti
F. de la Latte
Ponte della Libertà
P.le Roma
헌법의 다리
Ponte della Costituzione
Calle de la Laca
Trattor
Antiche Carampan
Parcheggio
Sant'Andrea
Hotel Papadopoli Venezia MGallery by Sofitel
Direzione Porto Marittimo
로마 광장
Piazzale Roma
산타 마리아 글로리오사 데이 프라리 성
Basilica di Santa Maria Gloriosa dei Frar
Calle Tintoretto
Aman Ve
F. Rio Nuovo
Atelier Marega
Sant'Ange
Calle Gozzi
Calle Dietro Ai Magazzini
Fondamenta Rizzi
S. Toma
Palazzo Bar
Fondamenta Briati
L'Isola
S. Marta
F. Rezzonico
S. Samuele
Calle del Traghetto
Ca' Rezzonico
Fondamenta Barbarigo
Calle Dietro Ai Magazzini
아카데미아 다리
Ponte dell'Accad
Accademia
S. Mar
Fondamenta Priuli
아카데미아 미술관
Galleria dell'Accademi
F. Zattere al Ponte Longo
Gelateria lo Squero
S. Basilio
Gelati Nico
Sacca Fisola
F. Zattere Ai Gesuati
Zattere
Giudecca Hilton
Fondamenta S. Biagio
Giudecca Palanca
Calle Convertite
F. Sant'Eufemia
F.

베네치아 본섬
Cimitero
Fondamente Nove
(F.te Nove)
Fondamenta Misericordia
Stae
Ca' D'Oro
Hotel L'Orologio
Venezia
수산시장
Cantina
do Spade
Rialto Mercato
Calle dei Boteri
Osteria Bancogiro
Osteria alla Ciurma
Antico Forno
리알토 다리
Ponte di Rialto
Osteria Al Portego
Barbaria de le Tole
Sestiere Castello
Calle Fava
Riva del Vin
Rialto
Suso
Farini
S. Silvestro
Rialto (Riva del Carbon)
Calle dei Fabbri
Calle Bande Castello
Dal Moro's
I TRE Mercanti
Calle dei Amai
대종루
Campanile di San Marco
시계탑
Torre dell'Orologio
cci Venezia
Caffe Lavena
산 마르코 대성당
Basilica di San Marco
The Merchant
of Venice
Chat
Qui Rit
Grancaffe
Quadri
탄식의 다리 Ponte de Sospiri
Hotel Danieli
Riva degli Schiavoni
Ristorante
La Caravella
코레르 박물관
Museo Correr
Riva Cà di Dio
Hotel Saturnia &
International
명품 쇼핑 거리
Caffe Florian
S. Zaccaria
Arsenale
Hotel Monaco
and Grand Canal
Hotel Violino D'Oro
두칼레 궁전
Palazzo Ducle
S. Marco
The St. Regis Venice
마르치아나 국립 도서관
Biblioteca Nazionale Marciana
Ristorante Grand Canal
S. Marco
(vallaresso)
a del Giglio
Salute
산 마르코 광장
Piazza San Marco
Fondamenta Salute
산타 마리아 델라 살루테 성당
Basilica di Santa Maria della Salute
기 구겐하임 미술관
ollezione Peggy Guggenheim
산 조르조 마조레 성당
Chiesa di San Giorgio Maggiore
S. Giorgio
F. Zattere Ai Saloni
pirito Santo
Zitelle
Belmond Hotel Cipriani
Fondamenta Zitelle
Redentore
S. Giacomo

베네치아 바포레토 노선도

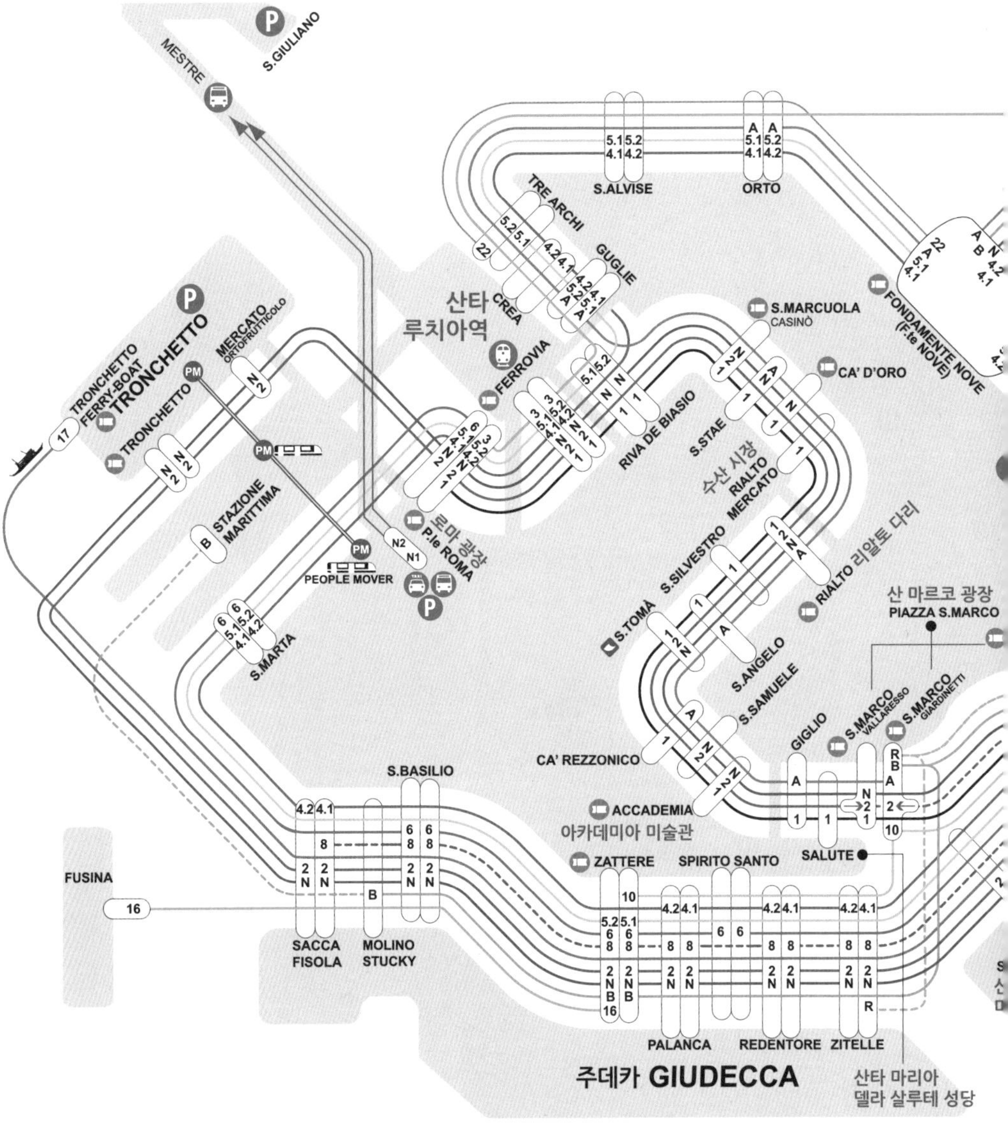

1 2 3 4.1 4.2 5.1 5.2 6 7 8 9 10 11 12 13 14 15

*16 17 18 *19 20 22

*A \ Alilaguna arancio

*B \ Alilaguna blu

*R \ Alilaguna rossa

* ACTV 티켓 및 패스 사용 불가

N Linee notturne (야간 운행)

PM People Mover (모노레일)

Punti vendita o biglietterie automatich
티켓 판매소 또는 티켓 판매기

La linea ferma
바포레토 해당 노선 정차

La linea non ferma
바포레토 해당 노선 정차 안 함

-- Linea
계절에

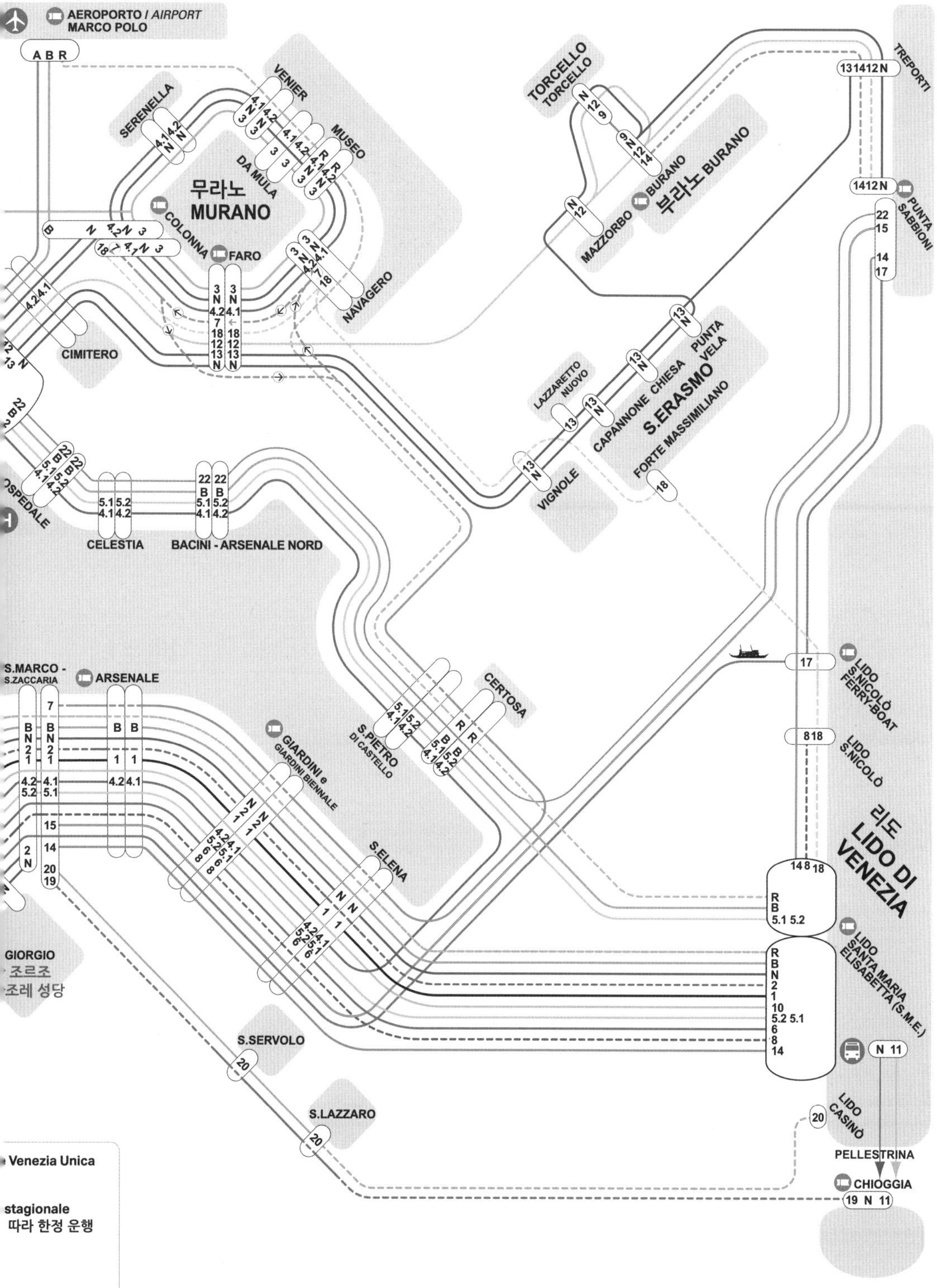
AEROPORTO / AIRPORT
MARCO POLO
A B R
SERENELLA
VENIER
MUSEO
DA MULA
무라노
MURANO
COLONNA
FARO
NAVAGERO
CIMITERO
TORCELLO
TORCELLO
BURANO
부라노 BURANO
MAZZORBO
TREPORTI
PUNTA SABBIONI
LAZZARETTO NUOVO
CAPANNONE
CHIESA
PUNTA VELA
S.ERASMO
FORTE MASSIMILIANO
VIGNOLE
OSPEDALE
CELESTIA
BACINI - ARSENALE NORD
S.MARCO -
S.ZACCARIA
ARSENALE
GIARDINI e
GIARDINI BIENNALE
S.PIETRO
DI CASTELLO
CERTOSA
S.ELENA
LIDO
S.NICOLÒ
FERRY-BOAT
LIDO
S.NICOLÒ
리도
LIDO DI VENEZIA
LIDO
SANTA MARIA
ELISABETTA (S.M.E.)
LIDO
CASINÒ
PELLESTRINA
CHIOGGIA
GIORGIO
조르조
조레 성당
S.SERVOLO
S.LAZZARO
Venezia Unica
stagionale
따라 한정 운행

Verona

베로나

셰익스피어의 낭만적인 비극 <로미오와 줄리엣>의 배경이 된 도시 베로나는 두 연인의 사랑이 골목골목 배어 있는 듯 로맨틱한 분위기가 넘쳐흐르는 곳으로 '사랑의 도시'라는 별명을 가지고 있다. 로마 시대의 유적과 중세, 르네상스 시대의 궁전들, 베네치아공화국에게 지배를 받았던 자취 등 다양한 시대의 건축물이 모두 남아 있어 2000년 유네스코 세계 문화유산에 등재되었다.

베로나 여행 정보 | www.turismoverona.eu

• 찾아가기 •

기차

베네치아 산타 루치아역 → 초고속 열차로 약 1시간 10분 소요 → 베로나 포르타 누오바역

밀라노 중앙역 → 초고속 열차로 약 1시간 15분 소요 → 베로나 포르타 누오바역

줄리엣의 집

Casa di Giulietta(Casa Capuleti)

<로미오와 줄리엣>의 여주인공인 줄리엣의 집이라고 알려진 13세기 저택이다. 안뜰로 들어가는 좁은 통로에는 전 세계 연인들이 쓴 사랑의 메시지가 있으며 안뜰에 들어서면 줄리엣의 청동 상이 반겨주는데 이 동상의 오른쪽 가슴을 만지면 사랑이 이루어진다는 전설이 있어 저마다 가슴에 손을 얹고 기념사진을 찍는다. 안뜰에서 올려다보이는 발코니가 로미오가 줄리엣에게 영원한 사랑을 약속하는 장면에서 등장했던 곳으로, 이곳에 오르려면 입장료를 내고 저택 내부로 들어가야 한다.

- 브라 광장에서 마치니 거리를 따라 끝까지 간 후 카펠로 거리Via Cappello로 우회전
- 화~일요일 09:00-19:00, 월요일 휴무
- €6(안뜰은 무료), 학생과 60세 이상 €4.5, 8~14세 어린이 €1

Relais Balcone di Giulietta ★★★★★

'줄리엣의 발코니'라는 이름을 가진 이 호텔은 안뜰을 사이에 두고 줄리엣의 발코니와 마주 보고 있는 독보적인 위치로 전 세계 커플들이 가장 묵고 싶어 하는 곳으로 손꼽힌다. 관광객에게 공개되는 시간이 끝나는 저녁이면 호텔 투숙객들이 세계에서 가장 로맨틱한 장소를 독점할 수 있다. 객실은 앤티크 가구와 장식품으로 고풍스럽게 꾸며져 있다.

- Via Cappello 23, 37121 Verona ☎ +39 045 41555 @ www.balconedigiulietta.com

아레나 Arena

베로나의 상징인 아레나는 1세기에 세워진 로마의 원형경기장으로 이탈리아에서 세 번째로 큰 규모를 자랑한다. 로마 시대에는 주로 검투사들의 결투나 맹수와의 싸움이 열리던 곳이었으나 현재는 오페라나 발레 공연, 클래식 콘서트 장소로 사용되고 있다. 매년 6월 말~8월 말 이곳에서 펼쳐지는 오페라 페스티벌에는 전 세계에서 관람객이 몰려든다.

- 브라 광장 마치니 거리 입구
- 월요일 13:30-19:30, 화~일요일 08:30-19:30(여름철에는 공연 일정에 따라 조정)
- €10, 학생 €7.5, 8~14세 어린이 €1, 7세 이하 무료

시뇨리 광장 Piazza dei Signori

'베로나의 응접실'이라 불리는 광장으로 중앙에 단테의 조각상이 세워져 있어 '단테 광장Piazza Dante'으로도 불린다. 광장 주위를 웅장한 건축물들이 둘러싸고 있어 조용하고 아늑하다. 붉은 벽돌과 석회암으로 아름다운 줄무늬를 이루고 있는 라지오네 궁전Palazzo della Ragione은 코무네 궁전Palazzo del Comune이라고도 불리는데 베로나 구시가의 전경을 감상할 수 있는 높이 84m의 람베르티 탑Torre dei Lamberti이 있는 곳으로 유명하다. 월요일은 모던 아트 갤러리가 휴관이라 입장료가 할인된다.

- 에르베 광장에서 코스타 문을 지나 바로
- 람베르티 탑 월~금요일 10:00-18:00, 토~일요일, 공휴일 11:00-19:00
- 람베르티 탑 €6

에르베 광장 Piazza delle Erbe

고대 로마의 포럼이 있던 곳으로 일요일을 제외하고 매일 노천 시장이 열려 항상 사람들로 북적거리는 곳이다. 중앙에 있는 '베로나의 마돈나' 분수는 1368년 칸시뇨리오Cansignorio가 고대 로만 포럼과 욕장의 유적에 있던 대리석으로 만든 것이다. 광장 오른쪽에 프레스코화로 장식되어 있는 카제 데이 마찬티Case Dei Mazzanti의 1층에는 노천 카페들이 있어 광장을 바라보며 식사나 음료를 즐길 수 있다.

- 브라 광장에서 마치니 거리를 따라 도보 7분

Milano 밀라노

이탈리아 북부의 최대 도시이며 롬바르디아의 주도인 밀라노는 유럽의 주요 도시들과 이탈리아를 연결하는 교통의 요지이자 유럽에서 손꼽히는 경제도시이다. 밀라노는 이탈리아 최고의 고딕 양식 성당인 두오모와 오페라 가수들의 꿈의 무대인 스칼라 극장, 유리 돔 천장으로 덮인 럭셔리 쇼핑 거리인 비토리오 에마누엘레 2세 갤러리, 레오나르도 다빈치의 <최후의 만찬>이 있는 문화, 예술의 도시이며 패션과 디자인의 세계 수도로도 잘 알려져 있다. 축구 마니아라면 이탈리아 세리에 A를 대표하는 두 팀인 AC 밀란과 인터 밀란의 홈구장인 산 시로 경기장(주세페 메아차 경기장)을 방문해보는 것도 특별한 추억이 된다.

밀라노 여행 정보 | www.turismo.milano.it

관광 안내소

- 스칼라 광장에서 비토리오 에마누엘레 2세 갤러리로 들어가 바로 오른쪽
- Galleria Vittorio Emanuele II, 20121 Milano
- 월~금요일 09:00-19:00, 토요일 09:00-18:00, 일요일, 공휴일 10:00-18:00, 1/1, 12/25 휴무

찾아가기

1 항공

밀라노는 다양한 국제선과 국내선 항공편이 운항되는 3개의 공항을 가지고 있어 이탈리아 여행의 첫 도시 또는 마지막 도시로 여행하기에 좋은 곳이다. 각 공항마다 운항하는 항공사가 다르기 때문에 본인이 이용하는 항공편에 따라 아래의 정보를 참고하자. 좀 더 자세한 정보는 www.sea-aeroportimilano.it 참고.

말펜사 공항 Aeroporto di Malpensa

밀라노의 대표적인 국제공항으로 2개의 여객 터미널을 가진 밀라노에서 가장 큰 공항이다. 전 세계 180개 이상의 도시에서 국제선 항공편이 운항되며 매년 1800만 명 이상의 승객이 이 공항을 이용한다. 제1터미널은 모든 국제선 항공편과 대부분의 저가 항공들이 이용하며 제2터미널은 저가 항공인 이지젯Easyjet이 이용하고 있다. 두 터미널 사이는 무료 셔틀버스가 24시간 운행되며 이동 시간은 약 15분이다. 시내 중심에서는 약 50㎞ 떨어져 있으며 공항과 시내의 중앙역까지 다양한 대중교통 수단이 운행되고 있다. 좀 더 자세한 정보는 www.milanomalpensa-airport.com/en 참고.

말펜사 공항에서 밀라노 시내로

말펜사 익스프레스 Malpensa Express

출발	소요 시간 / 요금	도착
말펜사 공항역	중앙역까지 약 52~58분 소요, 30분 간격 운행 편도 €13, 왕복 €20	밀라노 중앙역 밀라노 가리발디역
말펜사 공항역	약 37~43분 소요, 30분 간격 운행 편도 €13, 왕복 €20	밀라노 카르도나역

* 자세한 정보는 www.malpensaexpress.it 참고

공항버스

출발	소요 시간 / 요금	도착
터미널 1, 2 도착 층 버스 정류장	약 50분~1시간 소요, 20분 간격 운행 편도 €8~10, 왕복 €14~16	밀라노 중앙역 오른쪽 11월 4일 광장

* 티켓은 각 버스 회사 홈페이지나 공항 매표소, 버스에 탈 때 직접 구입 가능
* 운행 시간표는 각 버스 회사 홈페이지 Terravision(www.terravision.eu) / Autostradale(www.autostradale.it) / Malpensa Shuttle(www.malpensashuttle.it) 참고

리나테 공항 Aeroporto di Linate

밀라노 시내 중심에서 약 7㎞ 떨어진 곳에 있는 도심 공항으로 알이탈리아항공을 비롯한 유럽 항공사들과 이지젯 등의 일부 저가 항공사들이 이용한다. 좀 더 자세한 정보는 www.milanolinate-airport.com 참고.

리나테 공항에서 밀라노 시내로

공항버스

출발	소요 및 요금	도착
공항 도착 층 버스 정류장	약 25분 소요, 30분 간격 운행 편도 €5~7, 왕복 €10~14	밀라노 중앙역 왼쪽 루이지 디 사보이아 광장

* 티켓은 각 버스 회사 홈페이지나 공항 매표소, 버스에 탈 때 직접 구입 가능
* 운행 시간표는 각 버스 회사 홈페이지 Autostradale(www.autostradale.it) / Linate Shuttle(www.milano-aeroporti.it/linate-shuttle) 참고

메트로

출발	소요 및 요금	도착
리나테 공항역	약 12분 소요 €2.2(1-3존 티켓 편도)	산 바빌라San Babila역

오리오 알 세리오 공항 Aeroporto di Orio al Serio

밀라노에서 약 45㎞ 떨어진 곳에 있는 공항으로 베르가모 공항Aeroporto di Bergamo으로도 불린다. 라이언에어를 비롯한 저가 항공사들이 주로 이용한다. 좀 더 자세한 정보는 www.milanbergamoairport.it/en 참고.

오리오 알 세리오 공항에서 밀라노 시내로

공항버스

출발	소요 및 요금	도착
공항 도착 층 버스 정류장	약 50분~1시간 소요, 30분 간격 운행 편도 €6~10, 왕복 €12~18	밀라노 중앙역 왼쪽 루이지 디 사보이아 광장

* 티켓은 각 버스 회사 홈페이지나 공항 매표소, 버스에 탈 때 직접 구입 가능
* 운행 시간표는 각 버스 회사 홈페이지 Terravision(www.terravision.eu) / Autostradale(www.autostradale.it) / Orioshuttle(www.orioshuttle.com) 참고

2 | 기차

밀라노는 유럽의 주요 도시들에서 이탈리아로 들어오는 관문 역할을 하는 도시이며 로마, 피렌체, 베네치아 등 이탈리아의 주요 도시들과도 직행 기차로 연결되는 교통의 허브이다. 밀라노 시내의 여러 기차역 중 대부분의 열차가 발착하는 역은 웅장하고 인상적인 건물을 자랑하는 중앙역Stazione Centrale으로, 이탈리아 기차역 중에서 두 번째로 규모가 크다. 중앙역 내부에는 쇼핑센터와 다양한 종류의 레스토랑, 카페, 슈퍼마켓, 관광 안내소, 짐 보관소, 우체국, 여행사 등의 편의 시설이 잘 갖추어져 있다. 메트로 2, 3호선의 Centrale역과 연결된다. 좀 더 자세한 정보는 www.milanocentrale.it 참고.

HOT **TIP**

주요 도시-밀라노 기차 이동 시간

로마 3시간 10분~3시간 40분 **피렌체 S.M.N** 1시간 54분 **베네치아** 2시간 27분~3시간 25분 **나폴리** 4시간 30분~5시간 10분
취리히 3시간 17분(직행 기차) **파리 Gare de Lyon** 6시간 41분(직행 기차)

3 | 렌터카

밀라노는 이탈리아의 주요 도시들과 고속도로로 연결되어 있어 자동차로 쉽고 빠르게 이동할 수 있다. 베로나, 베네치아로는 A4 고속도로, 제노바로는 A7 고속도로, 볼로냐, 피렌체, 로마 등의 도시로는 A1 고속도로가 연결되며 스위스 남부에서 밀라노로 이동할 때는 A9 고속도로를 이용하면 된다. 밀라노 시내 중심은 교통 제한구역인 Area C로 지정되어 있으며 이 구역에 속하는 주차장에 차를 세우려면 주차비 외에 추가로 €5짜리 교통 혼잡 부담금 티켓을 구입하여야 한다. Area C에 대한 좀 더 자세한 정보는 www.areac.it 참고.

HOT **TIP**

주요 도시-밀라노 자동차 이동 시간

로마 약 6시간 30분 **피렌체** 약 3시간 30분
베네치아 약 3시간 **제노바** 약 2시간 **베로나** 약 2시간
루가노(스위스) 약 1시간 20분

• 시내 교통 •

밀라노는 지하철인 메트로와 트램, 버스 등 대중교통 수단이 잘 발달되어 있어 시내 관광 시 유용하게 활용할 수 있다. 가장 많이 이용하는 교통수단은 메트로로 빨간색의 M1, 초록색의 M2, 노란색의 M3, 연보라색의 M5의 4개 노선이 있다. 대부분의 관광지는 메트로가 연결되어 있어 트램과 버스는 거의 이용할 일이 없지만 나빌리오 운하나 산 시로 경기장에 갈 때는 트램을 이용해보아도 좋다. 메트로, 트램, 버스에서 공통으로 사용할 수 있는 승차권은 1회권(€2.2, 90분 유효), 1일권(€7.6, 24시간 유효), 10회권(€19.5, 각 90분 유효) 중 자신의 관광 일정에 맞는 것을 선택하면 된다. 승차권은 역 내 매표소나 타바키, 자동 발매기에서 구입할 수 있다. 밀라노 대중교통에 대한 좀 더 자세한 정보는 www.atm.it 참고.

HOT TIP

자동 발매기에서 승차권 구입하기

1
메트로 티켓 자동 발매기 찾기

2
스크린을 터치한 후 영어 선택

3
티켓 종류 선택

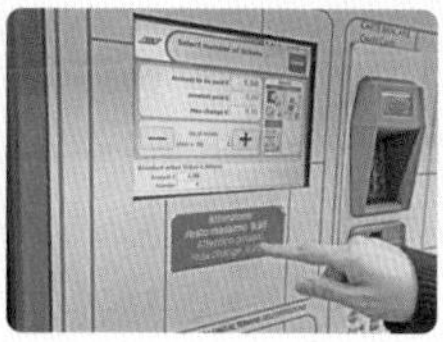

4
티켓 구입 매수 선택

5
출력된 티켓 받기

• 밀라노 1일 관광 루트 •

- 두오모
- 도보 1분
- 비토리오 에마누엘레 2세 갤러리
- 도보 1분
- 스칼라 극장
- 도보 7분
- 브레라 미술관
- 도보 12분
- 스포르체스코 성
- 도보 15분
- 산타 마리아 델레 그라치에 성당
- 도보 6분
- 레오나르도 다빈치 국립 과학기술 박물관
- 메트로 9분+ 도보 5분
- 나빌리오 운하

Travel Highlight

두오모 Duomo

밀라노의 상징인 두오모는 이탈리아 최고의 고딕 양식 성당으로 길이 158m, 너비 93m의 이례적인 크기와 3400개가 넘는 조각상, 135개의 첨탑으로 장식된 풍부하고 섬세한 조각 장식으로 유명하다. 첨탑마다 꼭대기에 성인의 조각상이 올려져 있으며 108.5m 높이의 가장 높은 첨탑에는 금을 입힌 성모 마리아의 청동 상 마돈니나Madonnina가 있다. 1386년에 안토니오 다 살루초Antonio da Saluzzo 대주교와 밀라노의 군주였던 잔 갈리아초 비스콘티Gian Galeazzo Visconti에 의해 건축이 시작되었으며 파사드는 19세기 나폴레옹 보나파르트가 이탈리아 왕에 즉위할 때 최종적으로 완성되어 전체적으로 6세기에 걸쳐 완공되었다. 내부는 고딕 양식 특유의 높은 천장과 52개의 웅장한 기둥들이 장엄하고 신비로운 분위기를 만들어내며 처음으로 완성된 부분인 애프스에는 15세기 초에 만들어진 아름다운 스테인드글라스가 있다. 밀라노 두오모에서 놓치지 말고 꼭 들러봐야 할 곳은 지붕 위에 있는 테라스 전망대로, 엘리베이터나 계단으로 이곳에 올라가면 두오모 광장을 비롯하여 주변 밀라노 시내의 경치를 감상할 수 있으며 성당을 장식하고 있는 조각상들을 가까이에서 볼 수 있다. 10:00-16:00에는 대기 없이 바로 입장 가능한 패스트 트랙 패스Fast Track Pass도 판매한다. 좀 더 자세한 정보는 www.duomomilano.it 참고.

- 메트로 1, 3호선 두오모역 하차
- 09:00-19:00, 12/25 휴무
- € 성당+박물관 €8, 전망대 €16(계단), €22(엘리베이터), 통합 티켓 €30, 패스트 트랙 패스 €28(성당+엘리베이터), 패스트 트랙 패스 €24(테라스 전용)

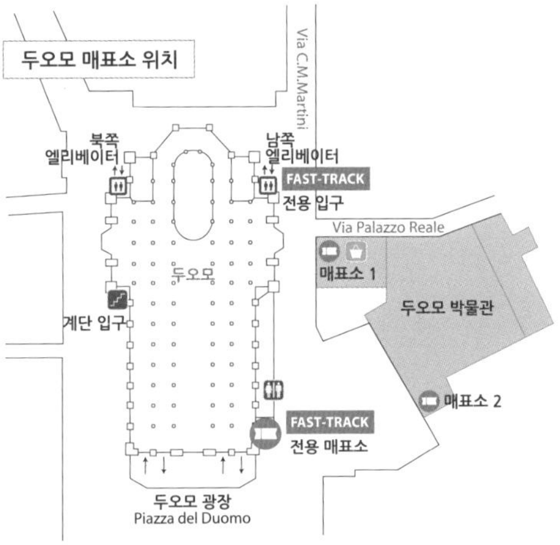

비토리오 에마누엘레 2세 갤러리

Galleria Vittorio Emanuele II

비토리오 에마누엘레 2세 갤러리는 패션 도시 밀라노의 진면목을 엿볼 수 있는 지붕이 덮인 럭셔리 쇼핑 거리로 밀라노의 두 랜드마크인 두오모와 스칼라 극장을 연결한다. 두오모 광장을 재개발하기 위한 경연 대회에서 우승을 차지한 주세페 멘고니Giuseppe Mengoni의 설계로 1865년 건축이 시작되었으며 개선문 모양의 출입구는 1877년 12월에야 완공되었는데 12월 30일, 완공 하루 전날 멘고니가 마무리 작업을 최종적으로 검토하다가 발판에서 떨어져 사망하는 비극적인 사고가 있었다고 한다. 십자로 모양의 4개 길이 만나는 중심부에는 ❶'옥타곤'이라 불리는 지름 39m의 유리 돔이 올려져 있으며 돔 아래의 대리석 바닥에는 사보이 왕가의 문장과 함께 이탈리아 왕국의 수도였던 네 도시 밀라노, 토리노, 피렌체, 로마의 문장인 붉은 십자가, 황소, 백합, 젖 먹이는 암늑대가 모자이크로 장식되어 있다. 이 중 ❷토리노를 상징하는 황소 문장의 생식기 부분에 오른쪽 발뒤꿈치를 대고 한 바퀴 돌면 소원이 이루어진다는 전설이 있다.

📍 두오모를 바라보고 왼쪽에 위치. 두오모 광장과 스칼라 광장 사이

스칼라 극장 Teatro alla Scala

이탈리아는 물론 세계에서 가장 권위 있는 오페라하우스 중 하나인 스칼라 극장은 베르디와 푸치니 등 유명 오페라 작곡가들의 작품을 초연한 곳이며 '오페라의 여신'이라는 별명을 가진 마리아 칼라스를 비롯한 세계 최고의 오페라 가수들이 공연한 무대이다. 1776년, 화재로 전소된 왕궁 내 오페라하우스를 대신하기 위해 주세페 피에르마리니Giuseppe Piermarini의 설계로 산타 마리아 델라 스칼라 성당이 있던 자리에 지어졌으며 2002~2004년 유명 건축가 마리오 보타Mario Botta에 의해 대대적인 보수가 이루어졌다. 오페라 시즌은 매년 밀라노의 수호성인 성 암브로시우스 날인 12월 7일부터 시작되며 오페라 외에도 발레, 콘서트 등의 다양한 공연을 감상할 수 있다. 공연 스케줄에 대한 자세한 정보 및 티켓 예약은 홈페이지인 www.teatroallascala.org 참고. 극장 앞의 스칼라 광장에는 시청이 있는 마리노 궁전Palazzo Marino이 있으며 중앙에 있는 조각상은 레오나르도 다빈치이다.

📍 두오모 광장에서 비토리오 에마누엘레 2세 갤러리를 통과하여 도보 3분

🕘 09:30-17:30(12/24, 12/31 09:30-15:00), 1/1, 부활절, 5/1, 8/15, 12/7, 12/25~12/26 휴무

€ €12, 12세 이상 학생과 65세 이상 €8, 12세 미만 무료

산타 마리아 델레 그라치에 성당 Chiesa di Santa Maria delle Grazie

15세기에 지어진 도미니크 수도회 성당인 산타 마리아 델레 그라치에 성당은 레오나르도 다빈치가 1494~1497년 성당 옆에 있는 수도원 식당 건물 내 북쪽 벽에 그린 가로 8.8m, 세로 4.6m의 벽화인 <최후의 만찬Il Cenacolo>이 있는 곳으로 유명하다. 예수가 제자 중 한 명이 자신을 팔 것이라고 말하는 신약성서의 복음서 장면을 묘사한 이 작품은 예수와 열두 제자의 모습이 한 명 한 명 생동감 있게 표현되어 있으며 정확한 원근법과 완벽한 구도로 유명하다. 이 작품이 더 유명해지게 된 것은 세기의 복원이라 불릴 정도로 오랜 기간이 소요된 복원 작업 때문이기도 하다. 수 세기 동안 반복된 무분별한 복원 작업 때문에 이 세기의 걸작은 심각하게 훼손되었는데 1970년대에 와서야 이탈리아 정부가 나서서 체계적인 복원 작업이 시작되었으며 20여 년간의 세심한 복원을 거쳐 1999년부터 다시 일반에게 공개되고 있다. 맞은편 벽에 있는 프레스코화는 조반니 도나토 몬토르파노Giovanni Donato Montorfano의 <십자가의 처형>이다. 작품 보호를 위해 사전에 www.vivaticket.it(Cenacolo Vinciano를 검색) 또는 전화(+39 02 9280 0360)로 예약해야만 관람할 수 있으며 15분 동안의 관람 시간이 정해져 있다. 식당 건물 옆에 있는 성당은 브라만테가 설계한 애프스와 우아한 수도원 회랑이 유명하다. 1980년 <최후의 만찬>이 있는 식당과 성당, 수도원 부속 건물 모두가 유네스코 세계 문화유산으로 지정되었다.

- 메트로 1호선 Conciliazione역에서 도보 6분 / 메트로 1, 2호선 Cadorna역에서 도보 10분
- **성당** 주중 09:00-12:20, 15:00-17:50, 15:00-17:55, 주말, 공휴일 15:00-17:50 **최후의 만찬** 화~일요일 08:15-18:45, 월요일, 1/1, 5/1, 12/25 휴무
- € 성당 무료, 최후의 만찬 €15(예약비 €2 별도), 매달 첫째 일요일과 18~25세는 예약비만 지불

브레라 미술관 Pinacoteca di Brera

이탈리아 르네상스 시대의 수많은 걸작을 소장한 것으로 유명한 브레라 미술관은 바티칸 미술관, 우피치 미술관과 더불어 이탈리아를 대표하는 미술관으로 손꼽힌다. 14세기 우밀리아티Umiliati 교회와 수도원이 있던 자리에 지어진 브레라 궁전Palazzo di Brera 내에 브레라 예술대학과 함께 있으며 도서관, 천문대, 식물원 등 밀라노의 주요 문화 예술 시설도 이곳에 있다. 대표적인 소장 작품은 안드레아 만테냐Andrea Mantegna의 위대한 걸작인 ❶ <죽은 그리스도Cristo morto nel sepolcro e tre dolente>(Room VI)를 비롯하여 조반니 벨리니Giovanni Bellini의 ❷ <피에타Pietà>(Room VI), 라파엘로 산치오Raffaello Sanzio의 ❸ <성모 마리아의 결혼Sposalizio della Vergine>(Room XXIV), 카라바조Caravaggio의 ❹ <엠마오에서의 저녁 식사Cena in Emmaus>(Room XXVIII), 프란체스코 하예즈Francesco Hayez의 ❺ <입맞춤Il Bacio>(Room XXXVII) 등이다. 안뜰로 들어가면 중앙에 안토니오 카노바가 만든 나폴레옹 1세의 청동 상이 있으며 미술관은 계단을 올라가 2층 입구를 통해 들어가면 된다. 전시 작품과 관람 정보는 pinacotecabrera.org 참고.

- 스칼라 극장에서 주세페 베르디 거리Via Giuseppe Verdi와 브레라 거리Via Brera를 따라 도보 7분
- 화~일요일 08:30-19:15(목요일 08:30-22:15), 월요일, 1/1, 5/1, 12/25 휴관
- €16, 18세 이하와 매달 첫째 일요일 무료

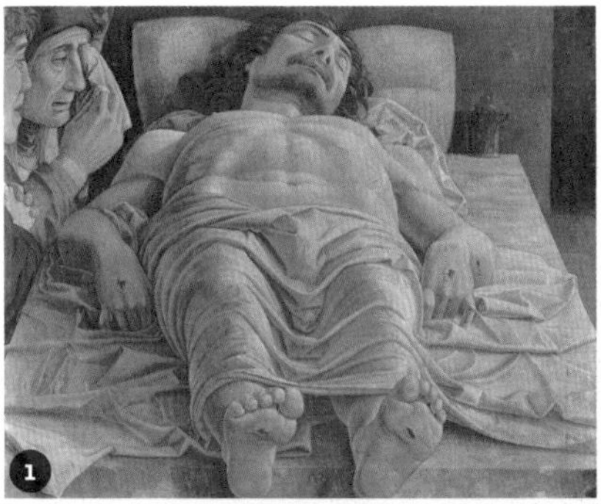
1

2

3

4

5

스포르체스코 성 Castello Sforzesco

1358~1368년 비스콘티 가문이 방어용 성채로 지은 건축물로 지금의 정사각형 모양 성채는 15세기 프란체스코 스포르차Francesco Sforza가 다시 지은 것이다. 브라만테와 레오나르도 다빈치 등 당대의 유명 건축가와 예술가들이 성채의 주요 부분 건설에 참여하였으며 16~17세기에는 유럽에서 가장 웅장한 성 중 하나로 이름을 떨치기도 했다. 현재는 고미술 박물관을 비롯하여 가구 박물관, 악기 박물관, 고고학 박물관 등 10개가 넘는 다양한 종류의 시립 박물관으로 사용되고 있는데, 가장 유명한 전시품은 미켈란젤로의 마지막 작품인 <론다니니의 피에타Pietà Rondanini>이다. 초벌 작업에서 멈춰진 채 미완성으로 남은 그의 마지막 피에타는 마지막까지 새로운 시도를 겁내지 않았던 거장의 실험 정신과 신 앞에 한없이 나약한 인간의 모습을 새삼 느끼게 한다. 2015년 5월부터 새단장된 론다니니 피에타 박물관Museo Pietà Rondanini에 따로 전시되고 있으며 작품 보호를 위해 한 번에 30명으로 입장객 수를 제한하고 있다. 관람에 대한 좀 더 자세한 정보는 www.milanocastello.it/en 참고.

📍 메트로 1호선의 Cairoli역에서 도보 3분

🕓 **성** 07:00-19:30 **박물관** 화~일요일 10:00-17:30, 월요일, 1/1, 부활절 월요일, 5/1, 12/25 휴관

€ **성** 무료 **박물관** €5(매달 첫째 일요일 및 매달 첫 번째, 세 번째 화요일 14:00부터 무료 입장)

론다니니의 피에타

폴디 페촐리 박물관 Museo Poldi Pezzoli

밀라노의 귀족인 잔 자코모 폴디 페촐리Gian Giacomo Poldi Pezzoli의 개인 컬렉션을 소장하고 있는 박물관으로 마치 이탈리아 귀족의 집에 방문한 듯한 느낌을 받으며 관람할 수 있는 곳이다. 가장 유명한 회화 작품은 '밀라노의 모나리자'라는 별명을 가진 안토니오 델 폴라이올로Antonio del Pollaiolo의 ❶ <젊은 여인의 초상Ritratto di Giovane Donna>이며 이 외에도 조반니 벨리니의 ❷ <이마고 피에타티스Imago Pietatis>, 프란체스코 하예즈의 <자화상Autoritratto in un Gruppo di Amici> 등의 작품이 있다. 회화나 조각 작품을 제외하고도 중세 태피스트리, 앤티크 시계, 보석, 도자기와 유리공예품 등 3000여 개의 다채롭고 흥미진진한 전시품이 있으며 박물관 내부의 아름다운 인테리어도 또 하나의 볼거리가 된다. 전시 작품과 관람에 대한 좀 더 자세한 정보는 www.museopoldipezzoli.it 참고.

📍 스칼라 극장에서 알레산드로 만초니 거리Via Alessandro Manzoni를 따라 도보 3분 / 메트로 3호선 Montenapoleone역에서 도보 2분

🕓 수~월요일 10:00-18:00, 화요일, 1/1, 부활절 일요일, 4/25, 5/1, 8/15, 11/1, 12/8, 12/25 휴관

€ €14, 65세 이상 €10, 11~18세, 학생(26세 이하) €6, 10세 이하 어린이 무료

암브로시아나 미술관 Pinacoteca Ambrosiana

암브로시아나 궁전은 페데리코 보로메오Federico Borromeo 추기경이 유럽과 아시아 등지에서 모은 문서 컬렉션을 소장하는 도서관을 만들기 위해 1607년 설립한 곳으로 최초의 공공 도서관 중 하나이다. 1618년 보로메오 추기경이 예술 수집품까지 도서관에 기부하면서 미술관이 생겼으며 1620년에는 드로잉 아카데미도 설립되었다. 보티첼리, 레오나르도 다빈치, 라파엘로, 카라바조 등 여러 거장의 작품이 포함된 추기경의 귀중한 소장품은 지금까지도 미술관의 가장 중요한 작품들로 사랑받고 있다. 24개 전시실에서는 시대별로 작품을 전시하고 있는데 유명한 회화 작품으로는 레오나르도 다빈치의 ❶ <음악가의 초상Ritratto di Musico>, 카라바조의 ❷ <과일 바구니Canestra di Frutta>, 암브로조 데 프레디스Ambrogio de Predis의 ❸ <어느 여인의 초상Ritratto di Dama>이 있으며 바티칸 박물관에 있는 라파엘로의 <아테네 학당Scuola di Atene>의 밑그림과 레오나르도 다빈치가 남긴 수많은 드로잉 작품도 전시하고 있다. 전시 작품과 관람 정보는 www.ambrosiana.eu 참고.

- 두오모 광장에서 토리노 거리Via Torino를 따라가다가 스파다리 거리Via Spadari로 우회전하여 도보 3분
- 목~화요일 10:00-18:00, 수요일, 1/1, 부활절 일요일, 12/25 휴관
- € €15, 18세 이하와 65세 이상, 대학생은 €10, 성인 동반 14세 이하 어린이 무료

레오나르도 다빈치 국립 과학기술 박물관

Museo Nazionale della Scienza e della Tecnologia 'Leonardo da Vinci'

1949~1953년 수도원을 개조하여 문을 연 박물관으로 밀라노 과학기술의 역사를 한눈에 볼 수 있는 곳이다. 4만 m² 넓이의 공간에 다양한 과학기술 발명품이 전시되어 있는데, 그중 가장 인기 있는 것은 레오나르도 다빈치의 드로잉을 토대로 재현해놓은 발명품들로 130개의 독창적인 기계 모형을 보고 있으면 그가 얼마나 위대하고 천재적인 과학자이자 발명가였는지를 다시 한 번 느낄 수 있다. 그 외에 19세기부터 현재에 이르기까지 전화기, 텔레비전, 컴퓨터 같은 이탈리아 근 · 현대 과학기술 도구와 장비, 기계들이 전시되어 있으며 기관차, 배, 비행기, 잠수함 등 거대한 운송 수단도 있어 아이들과 함께 방문하면 재미있는 시간을 보낼 수 있다. 박물관과 전시에 대한 좀 더 자세한 정보는 www.museoscienza.org 참고.

- 메트로 2호선 S. Ambrogio역에서 도보 5분 / 산타 마리아 델레 그라치에 성당에서 베르나르디노 제날레 거리Via Bernardino Zenale를 따라 도보 5분
- 화~금요일 10:00-18:00, 토~일요일 10:00-19:00, 월요일, 1/1, 12/24~12/25 휴관
- € €10, 25세 이하와 65세 이상, 3~13세 어린이와 동반 성인(최대 2인) €7.5

Restaurant & Café

스포르체스코 성, 브레라 미술관

Obicà Mozzarella Bar

| 모차렐라 치즈 & 피자 |

전통 레시피로 만드는 다양한 맛과 식감의 모차렐라 디 부팔라캄파나Mozzarella di Bufala Campana 치즈와 파스타, 피자 등을 즐길 수 있는 캐주얼한 레스토랑이다. 모차렐라 디 부팔라캄파나는 물소 젖으로 만든 최고의 모차렐라 치즈로 눈처럼 하얀 색과 부드럽고 섬세한 맛으로 유명하다. 밀라노에는 브레라 미술관 근처 쿠사니 지점과 두오모 지점이 있다.

- 브레라 미술관에서 도보 7분 / 메트로 1호선 Cairoli역에서 도보 3분
- Via Cusani 1, 20121 Milano(쿠사니 지점)
- +39 02 4941 6936
- 11:00-24:00, 아페리티보 17:00-20:00
- 모차렐라 바 €7.5, 파스타 €13~19, 피자 €9.5~16

비토리오 에마누엘레 2세 갤러리

Camparino in Galleria

| 카페 & 칵테일 바 |

두오모 광장에서 비토리오 에마누엘레 2세 갤러리로 들어가는 입구에 있는 카페 겸 칵테일 바로 1867년부터 밀라노와 비토리오 에마누엘레 2세 갤러리의 역사와 함께한 유서 깊은 곳이다. 커피, 와인, 아페리티보를 즐길 수 있는 곳으로 이탈리아에서 아페리티보로 많이 마시는 리큐어 캄파리Campari가 이 카페에서 처음 만들어졌다. 비토리오 에마누엘레 2세 갤러리 내에 있는 테이블 좌석에 앉아서 주문하면 바에서 마시는 것보다 가격이 3배 정도 비싸다.

- 두오모 광장에서 도보 1분
- Galleria Vittorio Emanuele, 20121 Milano
- +39 02 8646 4435
- 09:30-24:00
- 커피 €3.7~5.6,
  캄파리 칵테일 €14~16(테이블 좌석)

두오모 **Cioccolatiltaliani** | 젤라토 |

비토리오 에마누엘레 2세 갤러리 근처에 있는 초콜릿 맛 젤라토를 전문으로 하는 젤라테리아이다. 밀크, 화이트, 다크, 헤이즐넛, 민트 등 다양한 초콜릿 맛 젤라토를 즐길 수 있으며 딸기, 멜론, 바나나, 레몬 등 과일 맛 젤라토도 인기가 있다. 콘을 선택하면 콘 안에 진한 액상 초콜릿을 넣어주는데 화이트, 밀크, 다크 중 하나를 고를 수 있다. 여러 가지 맛을 조합해놓은 고메콘Coni Gourmet을 주문할 수도 있고 원하는 맛을 골라 주문할 수도 있다. 추천하는 맛은 장미 맛&화이트 초콜릿 맛인 로사 알 초콜라토와 상큼한 레몬 맛의 리모네이다. 밀라노 중심에는 3개의 지점이 있으며 카타르, 몰타 등 해외 지점도 있다.

두오모에서 도보 2분 | Via San Raffaele 6, 20121 Milano | +39 02 8909 3820
월~금요일 09:00-22:00, 토~일요일 08:30-23:30 | 고메콘 €5.5~7.5

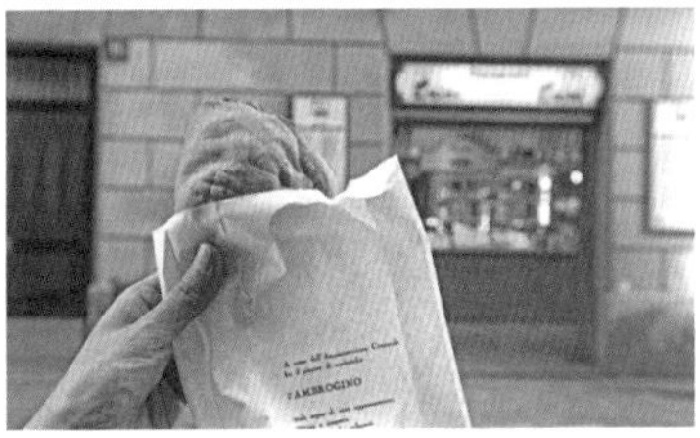

두오모 Luini | 판체로티 |

1949년에 문을 연 판체로티 전문 빵집으로 밀라노를 방문하는 관광객에게는 꼭 들러야 하는 명소가 되었다. 판체로티는 반달 모양의 밀가루 반죽 속에 살라미, 채소, 치즈 등을 넣어 튀겨낸 것으로 고소하고 바삭한 맛이 일품이다. 토마토소스와 모차렐라 치즈를 넣어 튀긴 기본적인 맛 Luini Classico이 가장 인기 있는데 튀긴 피자의 맛과 비슷하다. 오븐에 구운 판체로티와 달콤한 맛의 판체로티도 있으며 달콤한 디저트 빵도 판매한다. 오후에는 관광객들이 몰려 주문하기 위해 줄을 길게 서야 하는 경우가 많다.

두오모에서 도보 3분 / Via Santa Radegonda 16, 20121 Milano
+39 02 8646 1917 / 월~토요일 10:00-20:00(시즌에 따라 상이), 일요일 휴무 / € 판체로티 €2.9

두오모 Pizzeria Spontini | 조각 피자 |

1953년 밀라노의 Via Spontini에 처음으로 문을 연 후 지금까지 최고의 인기를 누리고 있는 피자리아이다. 스폰티니의 피자는 도우가 매우 두껍고 적은 종류의 토핑과 치즈만 올려 화덕에 구워낸 시칠리안 피자로 도우가 얇은 피자를 좋아하는 사람의 입맛에는 맞지 않을 수도 있다. 피자가 워낙 커서 조각으로 판매하는데, 한 조각만 먹어도 든든하다. 밀라노에 여러 개의 지점이 있으며 그중 두오모 근처에 있는 지점이 가장 유명하다.

두오모에서 도보 3분
Via Santa Radegonda 11, 20121 Milano
+39 02 8909 2621 / 11:00-23:00 / € 조각 피자 €5.5~7

두오모 Starbucks Reserve Roastery | 커피 |

이탈리아의 높은 커피 문화 장벽을 뚫고 1호점이란 명패를 단 밀라노 스타벅스 리저브 로스터리에서는 스타벅스의 커피 소싱과 로스팅에 대한 접근 방식을 경험할 수 있다. 메인 바, 스프리츠 등 다양한 술을 판매하는 아리비아모 바, 이탈리아 베이커리 명가 프린치 바 등 다양한 공간은 오감을 자극한다. 메뉴가 다양해 홈페이지 www.roastery.starbucks.it/menus에서 확인하고 가는 것이 좋으며 상징성만큼이나 인기가 많아 이른 시간에 방문하는 것을 추천한다.

두오모 광장에서 도보 4분
Piazza Cordusio 3, 20123 Milano
39 02 9197 0326 / 07:30-22:00
€ 골든 폼 콜드 브루 톨 €6, 스모크 버터스카치 라테 톨 €6, 아포가토 €8~9

비아 토리노 **Nerino Dieci Trattoria** | 밀라노식 커틀릿 |

현지인과 관광객에게 모두 인기 있는 트라토리아로 저녁 시간에는 예약을 하고 가는 것이 좋다. 좌석에 앉으면 빵과 함께 상쾌한 아페리티프가 먼저 제공되어 입맛을 돋운다. 계절별로 메뉴가 조금씩 바뀌는데 영어 메뉴판이 있어 주문이 어렵지 않다. 추천 메뉴는 밀라노식 쇠고기 커틀릿인 Milanese Cutlet이며 다양한 종류의 파스타와 3가지 맛의 티라미수도 맛있다.

- 두오모 광장에서 Via Torino를 따라 도보 9분 | Via Nerino 10, 20121 Milano | +39 02 3983 1019
- 월~금요일 12:30-14:30, 19:30-23:00, 토요일 19:30-23:00, 일요일 휴무
- € 안티파스토 €14~24, 프리모 피아토 €16~26, 세콘도 피아토 €20~26

중앙역 인근

Ginmi | 한식당 |

1985년에 문을 연 한식당으로 인기가 많아 예약하고 가는 것이 안전하다. 깔끔한 분위기에서 한국과 흡사한 퀄리티의 한식을 적당한 가격에 먹을 수 있다. 진미에서 좀 더 떨어진, 람프라테 Lambrate역 근처 누들 하우스Noodle House 한 식당도 추천한다. 두 곳 모두 한국인이 운영하는 곳이다.

- 메트로 1, 2호선 Loreto역에서 도보 8
- Via Giovanni Paisiello 7, 20131 Milano
- +39 02 2951 6394
- 월요일 12:00-15:00, 화~토요일 12:00-15:00, 18:30-23:30, 일요일 휴무
- € 전채(전, 떡볶이, 잡채 등) €8~16, 식사류(찌개, 탕, 비빔 냉면 등) €13~18

비아 토리노 **San Maurì** | 퓨전 이탤리언 |

두오모 광장에서 멀지 않은 곳에 있는 모던하고 캐주얼한 분위기의 비스트로이다. 이탈리아 각 지역의 신선한 재료들로 창의적이고 새로운 스타일의 퓨전 요리를 선보인다. 셰프 Paul Bertin과 그의 팀이 만들어내는 요리들은 보기도 좋고 맛도 좋다. 직원들의 친절한 서비스도 인기에 한몫한다.

- 두오모 광장에서 Via Torino를 따라 도보 7분
- Via San Maurilio 4, 20123 Milano
- +39 02 890 0588
- 월~토요일 12:00-15:00, 19:00-23:00, 일요일 휴무
- € 프리모 피아토 €16~18, 세콘도 피아토 €18~24

MILANO SPECIAL

나빌리오 운하에서 아페리티보 즐기기

13세기부터 롬바르디아 지역의 물자를 배로 실어 나르는 수로 역할을 담당해 온 나빌리오 운하Naviglio Grande는 밀라노의 두오모 건설에 사용된 칸돌리아Candoglia 대리석을 비롯하여 여러 석재와 목재를 마조레 호수에서 밀라노까지 운반하는 데 중요한 역할을 담당한 곳이다. 지금은 운하를 따라 맛있는 레스토랑과 분위기 좋은 바, 개성 있는 상점들이 줄지어 늘어선 핫 플레이스가 되었는데 특히 정해진 시간(해피 아워Happy Hour) 동안 칵테일, 스파클링 와인, 맥주 등의 식전주를 주문하면 €10 내외의 음료 가격으로 간단한 뷔페를 즐길 수 있는 '아페리티보Aperitivo'를 제공하는 레스토랑이 많다. 대부분의 레스토랑이 오후 5시 이후에 문을 열기 때문에 오후에 방문하는 것이 활기찬 분위기를 제대로 느낄 수 있으며 해가 지면 은은한 조명이 반짝이는 운치 있는 운하의 모습을 감상할 수 있다. 메트로를 이용할 수도 있지만 트램을 타고 가면 좀 더 여유로운 기분을 만끽할 수 있다.

- 메트로 2호선 P.ta Genova역에서 도보 5분 / 두오모 앞 Via Torino에서 트램 2번을 타고 일곱 번째 정류장인 P.ta Genova나 여덟 번째 정류장인 Via Valenza Alzaia Nav. Grande 정류장 하차

나빌리오 운하 **El Brellin** | 밀라노 전통 요리, 아페리티보 |

맛있는 저녁 식사나 아페리티보를 즐기며 운치 있는 저녁 시간을 보내기 좋은 나빌리오 운하의 대표적인 맛집이다. 호박꽃 튀김과 밀라노식 쇠고기 커틀릿 등 맛있는 전통 이탈리아 요리를 판매하며 가격대는 좀 높은 편이다. 국내의 TV 프로그램에 소개된 후 우리나라 관광객이 많이 찾는다.

- 메트로 2호선 P.ta Genova역에서 도보 8분
- Vicolo dei Lavandai, AlzaiaNaviglio Grande 14, 20144 Milano
- +39 02 5810 1351
- 매일 12:30-15:00, 19:30-23:00(여름 시즌 휴무 있음)
- € 안티파스토 €14~18, 세콘도 피아토 €22~33

HOT TIP

아페롤 스프리츠 Aperol Spritz

이탈리아의 와인을 베이스로 한 칵테일로 프로세코, 알코올 도수 11도의 오렌지 향 리큐어 아페롤, 탄산수를 이용하여 만든다. 이탈리아 북부에서 아페리티보를 즐길 때 마시는 대표적인 칵테일이며 달콤 쌉싸래한 맛이 입맛을 돋운다.

Shopping

10 Corso Como

이탈리아 보그 편집장 출신인 까를라 소짜니Carla Sozzani가 1990년 밀라노 코르소 코모 10번지의 차고를 개조하여 오픈한 세계 최초의 편집 매장이다. 밀라노 본점은 숍, 카페, 레스토랑, 서점, 호텔, 전시 공간, 정원 등이 한데 어우러진 복합 식문화 공간으로 전시회, 쇼핑, 식사, 숙박을 한번에 다 해결할 수 있는 곳이다. 1층에는 이국적 분위기의 카페와 개성 있고 독특한 아이템이 가득한 편집 숍이 넓게 자리 잡고 있으며 2층에는 서점과 갤러리, 기념품 숍, 3층에는 호텔이 있다. 서울을 비롯해 해외에도 여러 지점이 있다.

- 밀라노 포르타 가리발디Milano Porta Garibaldi 기차역 및 메트로 2, 5호선 Garibaldi FS역에서 도보 5분
- Corso Como 10, 20154 Milano
- +39 02 2900 2674
- 목~화요일 10:30-19:30, 수요일 휴무
- www.10corsocomo.com

Ferrari Flagship Store Milano

럭셔리 스포츠카 '페라리'가 패션 비즈니스 진출을 선언하면서 오픈한 매장이다. 다양한 패션 제품은 물론 F1 관련 상품, 미니카, 유아 카시트 등을 판매하며 영상 체험 코너도 있다. 티셔츠는 €85~250, 미니카는 €300선이다

- 비토리오 에마누엘레 2세 갤러리에 있는 프라다 매장에서 도보 1분
- Via Giovanni Berchet 2, 20121 Milano
- +39 02 4949 0815
- 10:00-20:00

Wok Store

2007년에 들어선 편집 숍으로 많은 예술가 및 디자이너와 협업하고 있어 무난하면서 세련된 아이템부터 개성 넘치는 제품까지 잘 구비되어 있다. 나빌리오 지구에 있어 위치가 약간 멀다.

- 두오모 광장 근처에서 3번 트램을 타고 P.za Ventiquattro Maggio역에서 하차하면 도보 5분
- Viale Col di Lana 5a, 20136 Milano
- +39 351 163 6423
- 월, 화, 목, 금요일 15:30-19:30, 수, 토~일요일 휴무(오픈 요일 및 시간 수시로 변동)

Clan Upstairs

25년 이상 브레라 지구를 지켜온 콘셉트 스토어로 창시자인 Fabio Bisogno는 독특하면서도 사적인 느낌의 공간을 연출하고자 했다. 600㎡에 이르는 공간은 세련미와 빈티지한 매력이 공존하며 이졸라 마라스, 세드릭 샬리에, 필로소피 디 로렌조 세라피리, 메사제리에, 파올로 페코라 등의 브랜드를 만날 수 있다.

- 브레라 미술관에서 도보 3분
- Via Pontaccio 15, 20121 Milano
- +39 02 875759
- 10:00-19:30 (월, 일요일 10:30에 오픈)

Design Supermarket

밀라노 리나센테 백화점 지하에 2009년 문을 연 디자인 제품 전문 숍이다. 2000㎡의 넓은 공간에 다양한 브랜드의 가구, 조명 기기, 주방 용품, 여행용 가방과 용품, 문구, 사무 용품, 북유럽 디자인 제품 등을 판매한다. 디자인으로 유명한 브랜드와 신생 브랜드의 제품이 섞여 있는데 혁신적인 디자인과 기발한 아이디어가 돋보이는 제품이 많아 특별히 구매할 것이 없다고 해도 이것저것 구경하다보면 1~2시간은 훌쩍 지나간다. 에스컬레이터 옆에는 카페도 있어 구경하다가 지치면 잠시 쉬어 갈 수도 있다.

- 두오모 옆 리나센테 백화점 지하
- Piazza del Duomo, 20121 Milano
- 월~토요일 09:00-20:00, 일요일 10:30-13:30, 14:30-19:00(시즌에 따라 변동)

Il Mercato del Duomo

비토리오 에마누엘레 2세 갤러리에 있는 복합 쇼핑 공간이다. 1928년에 오픈한 카페 모타Motta, 와인 바, 테라스 바, 베이커리, 카페, 레스토랑 등이 모여 있다. 2층(이탈리아 1층)에 있는 테라스 바, 테라짜 아페롤Terrazza Aperol은 두오모를 바로 앞에서 감상하며 아페롤 스프리츠를 마실 수 있는 곳으로 유명하며 4층(이탈리아 3층)의 스파지오 레스토랑에서는 이탈리아 스타 셰프인 니코 로미토Niko Romito의 창의적인 요리를 맛볼 수 있다.

- 메트로 1, 3호선 Duomo역에서 도보 1분
- Galleria Vittorio Emanuele II, 20121 Milano
- 영업시간 표 참고
- @ www.ilmercatodelduomo.it

Il Mercato del Duomo 카페, 바, 레스토랑 영업시간

4층	SPAZIO NIKO ROMITO	런치 12:30-14:30(화~토요일) 디너 19:30-22:00(월~토요일)
3층	OLD WILD WEST	일요일~금요일 11:30-23:00, 토요일 11:30-24:00
2층	SAPORÈ	월, 금, 토, 일요일 11:30-16:00, 18:30-20:00
	TERRAZZA APEROL	월~금요일 11:00-23:00, 토요일 11:00-24:00
1층	MOTTA MILANO 1928	매일 07:00-23:00

MILANO SPECIAL

세계 패션의 중심 밀라노의 명품 거리

몬테 나폴레오네 거리

Via Monte Napoleone

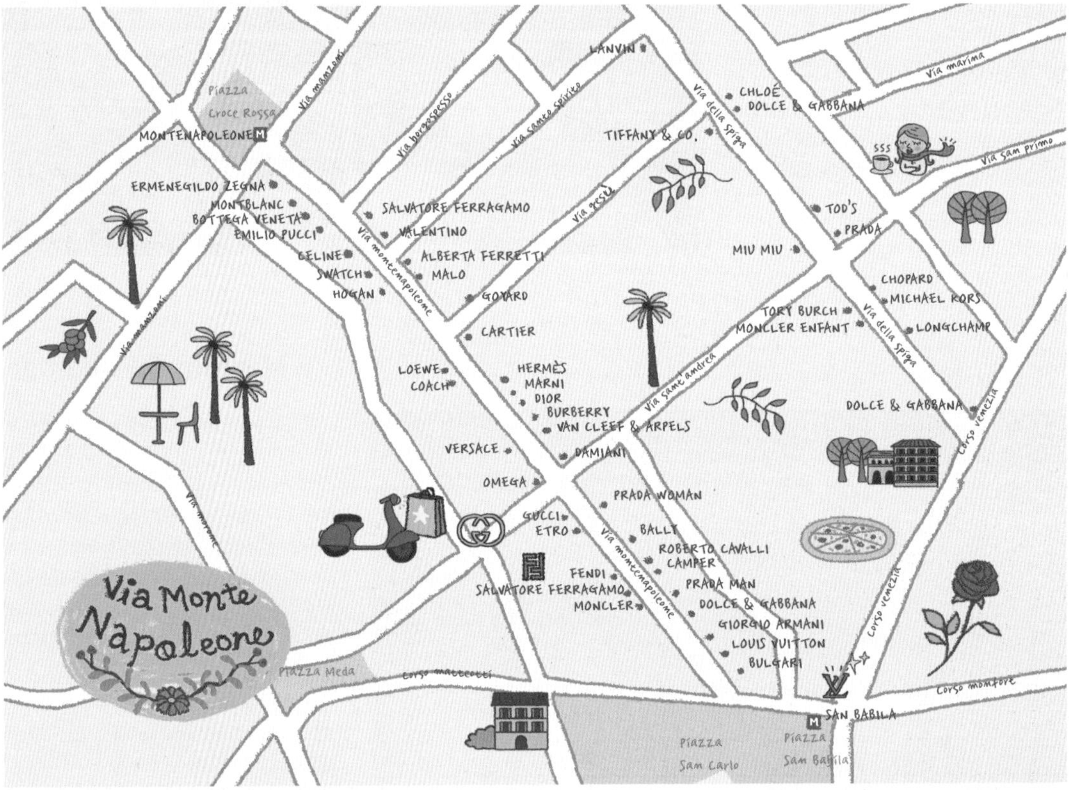

패션의 도시 밀라노의 대표적인 명품 쇼핑 거리인 몬테 나폴레오네 거리는 럭셔리하고 우아한 명품 숍이 즐비하게 늘어선 곳이다. 몬테 나폴레오네 거리뿐만 아니라 주변의 스피가 거리Via della Spiga, 만초니 거리Via Manzoni, 코르소 베네치아Corso Venezia가 만나 만들어지는 사각형 모양의 패션 지구는 '콰드릴라테로 델 라 모다Quadrilatero della moda'라고 불리는데 이 안에 프라다, 베르사체, 에르메스, 발렌티노, 구치, 돌체 앤 가바나, 루이비통, 버버리 등의 명품 패션 브랜드뿐만 아니라 카르티에, 롤렉스, 티파니 앤코 등 시계, 보석 명품 브랜드들이 모두 모여 있다. 패션에 관심이 있는 사람이라면 꼭 쇼핑을 하지 않아도 쇼윈도와 거리의 패션 피플을 구경하는 것만으로도 충분히 재미있는 시간을 보낼 수 있다.

메트로 3호선 Montenapoleone역에서 도보 1분

밀라노 추천 숙소

포시즌스, 아만, 불가리, 파크하얏트 등 럭셔리 호텔을 살레트래블을 통해 예약하시면 특별한 혜택이 주어집니다. 자세한 혜택과 정보는 88p 참고.

Portrait Milano

★★★★★

피렌체, 로마에 이어 밀라노에 오픈한 룬가르노 호텔 컬렉션으로 유럽에서 가장 오래된, 1565년에 지어진 신학교를 세심하게 보수 공사하여 페라가모의 세계를 선보이고 있다. 도서관의 책부터 호텔 로고, 가죽 문 손잡이, 욕실의 카레라 대리석에 이르기까지 모든 것에 이탈리아의 럭셔리와 현대적 감각을 담고 있다. 베네치아 거리 11번가에 자리한 바로크 양식의 문을 통과하면 열주로 둘러 싸인 광장이 나오며 이곳은 호텔의 빛나는 보석과 같은 역할을 한다. 호텔을 뛰어넘어 역사, 문화, 엔터테인먼트의 중심지로 주목받는 곳이다.

Corso Venezia 11, 20121 Milano

+39 02 3679 95800

@ www.lungarnocollection.com/portrait-milano-hotel

Armani Hotel Milano

★★★★★

조르지오 아르마니가 직접 참여한 세심하고 감각적인 인테리어가 돋보이는 럭셔리 호텔이다. 미슐랭 스타 레스토랑과 완벽한 스파 시설, 직원들의 프라이빗한 서비스로 고객 만족도가 매우 높다. 밀라노의 대표적인 명품 쇼핑 거리인 몬테 나폴레오네 거리 근처 패션 지구에 위치한다.

Via Manzoni 31, 20121 Milano

☎ +39 02 8883 8888

@ www.armanihotelmilano.com

Excelsior Hotel Gallia

★★★★★

1932년에 문을 연 역사 깊은 호텔로 럭셔리하고 고풍스러운 외관과는 달리 내부는 현대적으로 완벽하게 리노베이트되었다. 다양한 레스토랑과 시세이도 스파까지 갖춘 편리한 시설, 넓고 쾌적한 객실, 풍성하고 맛있는 조식 뷔페, 친절하고 프로페셔널한 서비스 등 나무랄 것 없이 완벽하다. 밀라노 중앙역 바로 앞에 있어 위치도 좋다.

Piazza Duca d'Aosta, 9, 20124 Milano

☎ +39 02 67851

@ www.excelsiorhotelgallia.com

Bulgari Hotel Milano

★★★★★

불가리 호텔 밀라노를 선택했다면 하루 정도는 밀라노를 뒤로하고 고급스러운 식사, 화려한 정원, 럭셔리 스파 트리트먼트를 즐기며 오롯이 불가리의 세계에 빠져보는 것을 추천한다. 검은 대리석과 티크 및 오크 나무, 크림 컬러의 리넨 벽지, 패션 사진 액자, 불가리 주얼리 스케치 등이 조화를 이루며 시대를 초월한 현대적 디자인으로 마음을 사로잡는다.

Via Privata Fratelli Gabba 7B, 20121 Milano

☎ +39 02 805 8051

@ www.bulgarihotels.com/en_US/milan

Mandarin Oriental, Milan

★★★★★

만다린 오리엔탈 밀라노는 18세기의 우아한 4개의 건물에 들어서 있으며 스칼라 극장에서 도보 3분 거리에 위치해 있다. 세계적으로 유명한 디자이너이자 건축가 안토니오 시테리오가 디자인한 36개의 스위트룸을 포함하여 104개 객실, 미슐랭 2스타 Seta 레스토랑, 900m² 규모의 스파 시설 등은 숙박의 즐거움을 더해준다.

Via Andegari 9, 20121 Milano

☎ +39 02 8731 8888

@ www.mandarinoriental.com/en/milan/la-scala

Room Mate Giulia

★★★★

디자인 호텔로 유명한 Room Mate Hotels에서 2016년 초에 오픈한 개성 있는 디자인 호텔이다. 호텔 전체가 빈티지하면서도 세련되게 장식되어 있는데 각각 핑크, 그린, 블루 톤으로 꾸며진 객실은 유니크한 아름다움을 뽐낸다. 비토리오 에마누엘레 2세 갤러리 옆 두오모 바로 앞에 위치한다.

- Via Silvio Pellico 4, 20121 Milano
- +39 02 8088 8900
- @ room-matehotels.com/en/giulia

Starhotels Anderson

★★★★

밀라노 중앙역 옆에 있는 스타일리시한 디자인 호텔이다. 블랙과 레드로 꾸며진 강렬한 느낌의 라운지와 미니멀한 디자인의 객실을 가지고 있으며 넓은 객실과 욕실에는 모든 편의 시설이 갖추어져 있어 매우 편리하다. 시내의 관광지나 이탈리아의 다른 도시로 이동하기에도 편하다.

- Piazza Luigi di Savoia 20, 20124 Milano
- +39 02 669 0141
- @ www.starhotels.com/en/our-hotels/anderson-milan

Residenza delle Città

★★★★

중앙역 왼쪽에 있는 아파트먼트 호텔로 주방 시설이 완비되어 있다. 패밀리 아파트먼트는 퀸베드 하나와 소파 베드 하나가 있어 4인까지 숙박이 가능하며 주차장, 운동기구들이 있는 헬스클럽, 세탁기와 건조기가 있는 세탁실이 있어 장기 숙박에도 좋다. 아침 식사는 제공되지 않는다.

- Via Mauro Macchi 79, 20124 Milano
- +39 02 667 001
- @ www.residenzadellecitta.com/en/

iQ Hotel Milano

★★★★

밀라노 중앙역에서 도보 4~5분 거리에 있어 접근성이 좋으며 객실은 스몰 더블부터 4인실까지 갖추고 있으나 크기가 큰 편은 아니다. 자정까지 오픈하는 루프탑 바는 외부 투숙객도 이용할 수 있으며 아담한 짐과 웰니스 시설도 갖추고 있다.

- Via Giovanni Battista Pirelli 5, 20124 Milano
- +39 02 8498 0810
- @ www.iqhotelmilano.it/en/

Hotel Milano Castello

★★★

4층 건물에 군더더기 없이 깔끔한 30개의 객실은 18 m^2의 싱글 객실부터 40m^2의 스위트까지 다양하다. 여름 시즌에는 프라이빗 가든에서 아침 식사를 제공하며 두오모, 스칼라 극장, 스포르체스코 성 모두 도보 10분 미만 거리에 있어 관광하기 편리하다. 메트로 1호선 Cairoli역과 Corduio역 사이에 있으며 두 역에서 모두 도보 3분 소요된다.

- Via S. Tomaso 2, 20121 Milano
- +39 02 3824 1026
- @ www.hotelmilanocastello.com

Gran Duca di York

★★★

19세기의 역사적 건물에 자리 잡고 있는 클래식한 분위기의 호텔로 두오모에서 도보 6분 거리에 있다. 33개의 단정한 객실과 깔끔한 시설, 알찬 아침 식사, 친절한 서비스로 인기가 높다. 로비에 무료로 먹을 수 있는 물, 과일, 쿠키 등이 있다.

- Via Moneta 1, 20123 Milano
- +39 02 874863
- @ www.ducadiyork.com

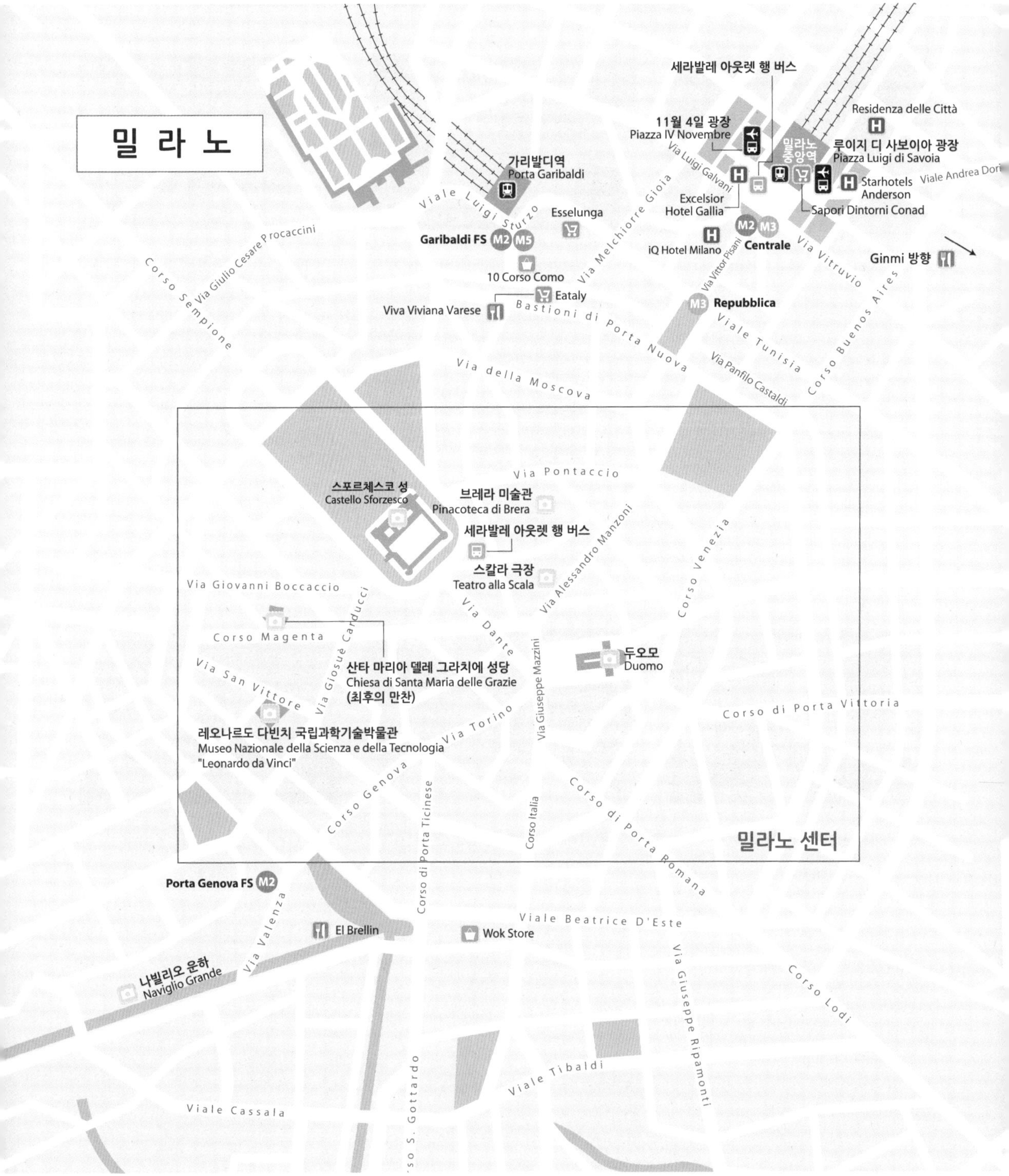

밀 라 노
가리발디역
Porta Garibaldi
Garibaldi FS M2 M5
Esselunga
10 Corso Como
Eataly
Viva Viviana Varese
세라발레 아웃렛 행 버스
11월 4일 광장
Piazza IV Novembre
밀라노 중앙역
Residenza delle Città
루이지 디 사보이아 광장
Piazza Luigi di Savoia
Starhotels Anderson
Viale Andrea Dori
Excelsior Hotel Gallia
Sapori Dintorni Conad
iQ Hotel Milano
M2 M3 Centrale
M3 Repubblica
Ginmi 방향
Viale Luigi Sturzo
Via Luigi Galvani
Via Melchiorre Gioia
Via Vittor Pisani
Via Vitruvio
Corso Buenos Aires
Viale Tunisia
Via Panfilo Castaldi
Via Giulio Cesare Procaccini
Corso Sempione
Bastioni di Porta Nuova
Via della Moscova
Via Pontaccio
스포르체스코 성
Castello Sforzesco
브레라 미술관
Pinacoteca di Brera
세라발레 아웃렛 행 버스
스칼라 극장
Teatro alla Scala
Via Alessandro Manzoni
Corso Venezia
Via Giovanni Boccaccio
Corso Magenta
Via Giosuè Carducci
Via Dante
Via San Vittore
산타 마리아 델레 그라치에 성당
Chiesa di Santa Maria delle Grazie
(최후의 만찬)
Via Giuseppe Mazzini
두오모
Duomo
Corso di Porta Vittoria
레오나르도 다빈치 국립과학기술박물관
Museo Nazionale della Scienza e della Tecnologia
"Leonardo da Vinci"
Via Torino
Corso Genova
Corso di Porta Ticinese
Corso Italia
Corso di Porta Romana
밀라노 센터
Porta Genova FS M2
Via Valenza
El Brellin
Wok Store
Viale Beatrice D'Este
나빌리오 운하
Naviglio Grande
Via Giuseppe Ripamonti
Corso Lodi
Viale Tibaldi
Viale Cassala
Corso S. Gottardo

밀라노 지하철 & 교외선 노선도

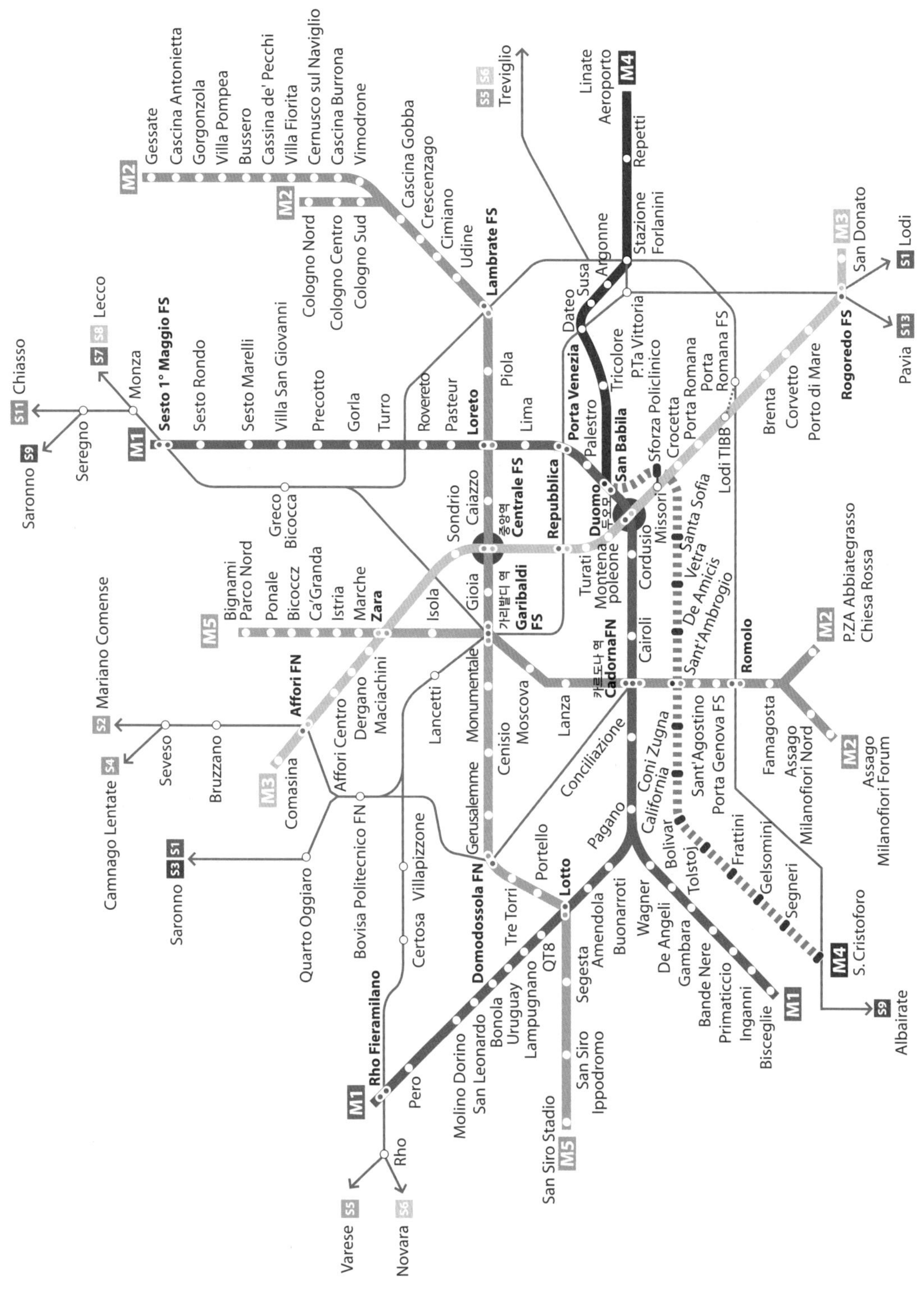

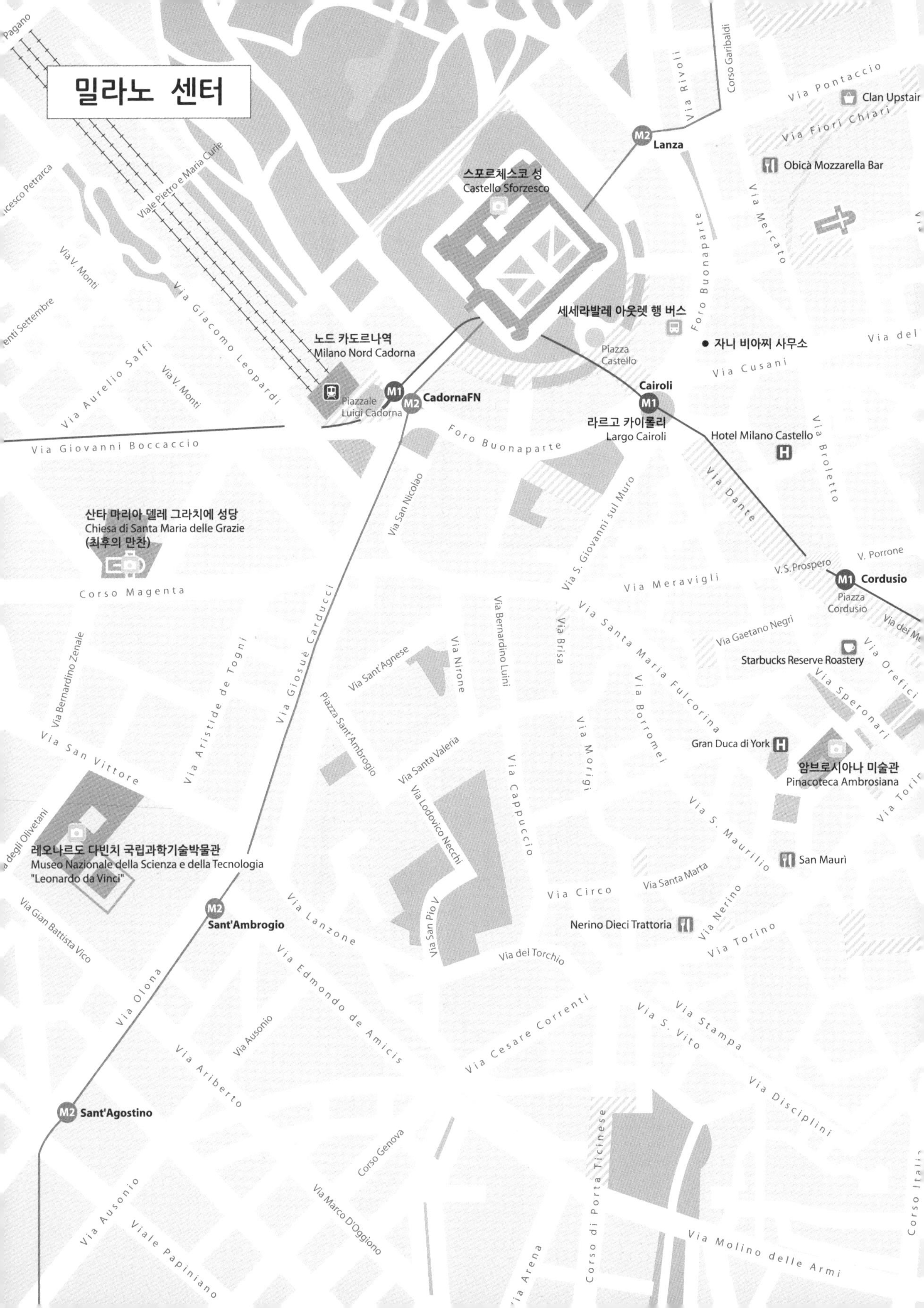
밀라노 센터
Pagano
Corso Garibaldi
Via Rivoli
Via Pontaccio
Clan Upstair
Via Fiori Chiari
M2 Lanza
Obicà Mozzarella Bar
스포르체스코 성
Castello Sforzesco
Viale Pietro e Maria Curie
Francesco Petrarca
Via Mercato
Via V. Monti
Via Giacomo Leopardi
Foro Buonaparte
세세라발레 아웃렛 행 버스
XX Settembre
노드 카도르나역
Milano Nord Cadorna
Via Aurelio Saffi
Piazza Castello
자니 비아찌 사무소
Via Cusani
Via del
M1 Cairoli
M1 M2 CadornaFN
Piazzale Luigi Cadorna
라르고 카이롤리
Largo Cairoli
Hotel Milano Castello
Via Giovanni Boccaccio
Foro Buonaparte
Via Broletto
Via Dante
Via San Nicolao
산타 마리아 델레 그라치에 성당
Chiesa di Santa Maria delle Grazie
(최후의 만찬)
Via S. Giovanni sul Muro
V. Porrone
V.S. Prospero
M1 Cordusio
Piazza Cordusio
Corso Magenta
Via Meravigli
Via dei Mercanti
Via Bernardino Luini
Via Brisa
Via Gaetano Negri
Via Santa Maria Fulcorina
Starbucks Reserve Roastery
Via Orefici
Via Bernardino Zenale
Via Aristide de Togni
Via Giosuè Carducci
Via Sant'Agnese
Via Nirone
Via Borromei
Via Speronari
Via San Vittore
Piazza Sant'Ambrogio
Via Morigi
Gran Duca di York
암브로시아나 미술관
Pinacoteca Ambrosiana
Via Santa Valeria
Via Cappuccio
Via Torino
Via degli Olivetani
Via Lodovico Necchi
Via S. Maurilio
레오나르도 다빈치 국립과학기술박물관
Museo Nazionale della Scienza e della Tecnologia
"Leonardo da Vinci"
San Maurì
Via Santa Marta
Via Circo
Via Gian Battista Vico
M2 Sant'Ambrogio
Via Lanzone
Via San Pio V
Via Nerino
Nerino Dieci Trattoria
Via Torino
Via del Torchio
Via Edmondo de Amicis
Via Olona
Via Cesare Correnti
Via S. Vito
Via Stampa
Via Ausonio
Via Ariberto
Via Disciplini
M2 Sant'Agostino
Corso Genova
Corso di Porta Ticinese
Corso Italia
Via Ausonio
Via Marco D'Oggiono
Viale Papiniano
Via Arena
Via Molino delle Armi

Via Fatebenefratelli
Via Palestro
Viale Luigi Majno
Palestro
M1
브레라 미술관
Pinacoteca di Brera
Via Borgonuovo
Via dei Giardini
Armani Hotel Milano
Montenapoleone
M3
ulgari Hotel Milano
Via Monte di Pietà
Mandarin Oriental, Milan
Orso
Via Alessandro Manzoni
몬테 나폴레오네 거리 Via Monte Napoleone
Via Borgospesso
Via Santo Spirito
Via Gesù
Via della Spiga
Via Senato
Via S. Primo
Corso Venezia
Via Cappuccini
Via Sant'Andrea
폴디 페촐리 박물관
Museo Poldi Pezzoli
스칼라 극장
Teatro alla Scala
Portrait Milano
Via San Damiano
스칼라 광장
Piazza Scala
Via Pietro Verri
Corso Giacomo Matteotti
Piazza
S. Babila
San Babila
Corso Monforte
Viale Bianca Maria
Via S. Dalmazio
비토리오 에마누엘레 2세 갤러리
Galleria Vittorio Emanuele II
Ferrari Flagship Store Milano
Via Silvio Pellico
Pizzeria
Spontini
Luini
Via Agnello
Design
Supermarket
Room Mate Giulia
Il Mercato
del Duomo
Cioccolati Italiani
리나센테 백화점
Corso Vittorio Emanuele II
Duomo
M1
Camparino
두오모 광장
Piazza
del Duomo
두오모
Duomo
Corso Europa
Via Uberto Visconti di Modrone
Museo
del Novecento
Palazzo Reale
Via Cesare Battisti
Corso di Porta Vittoria
Via Fontana
Via Giuseppe Mazzini
Missori
Via Larga
Via Paolo da Cannobio
Via della Guastalla
Via Luciano Manara
Via Francesco Sforza
Via San Barnaba
Via Pace
Viale Regina Margherita
Corso di Porta Romana
Via Santa Sofia
Via Alfonso Lamarmora
Crocetta
메트로
보행자 전용 도로

Cinque Terre

친퀘테레

이탈리아어로 '5개의 땅'이라는 뜻의 친퀘테레는 이탈리아 북부 리구리아 주 해안 절벽에 있는 5개의 어촌 마을인 몬테로소, 베르나차, 코르닐리아, 마나롤라, 리오마조레를 일컫는 말이다. 이 다섯 마을은 투명한 바다와 깎아지른 절벽, 그 위에 옹기종기 모여 있는 알록달록한 집들이 어우러진 드라마틱한 절경으로 전 세계 여행자들의 마음을 사로잡고 있다. 기차 선로가 놓이기 전 마을 사이를 연결하는 유일한 길이었던 산책로들은 친퀘테레의 로맨틱한 경치를 가장 잘 감상할 수 있는 뷰 포인트로 유명하다. 다섯 마을을 포함하여 주변의 친퀘테레 국립공원 모두가 1997년 유네스코 세계 문화유산에 등재되었다.

친퀘테레 여행 정보 | www.cinqueterre.it

• 찾아가기 •

기차

밀라노 중앙역 → 인터시티 직행열차로 약 3시간 소요 → 몬테로소역

피렌체 산타 마리아 노벨라역 → 레지오날레 열차로 약 2시간 30분 소요 → 라 스페치아 중앙역 → 친퀘테레 익스프레스 열차로 각각 7분/ 22분 소요 → 리오마조레역 또는 몬테로소역

HOT **TIP**

친퀘테레 카드 Cinque Terre Card

친퀘테레 다섯 마을을 기차와 산책로를 이용하여 돌아본다면 Cinque Terre Treno MS Card를 구입하자. 이 카드는 레반토-친퀘테레-라 스페치아 구간을 운행하는 기차의 2등석을 무제한으로 이용할 수 있으며 친퀘테레 국립공원의 모든 산책로 입장, 마을 내 버스 이용, 공원 내 Hot Spot에서의 Wi-Fi 이용 등의 혜택을 누릴 수 있다. 기차를 타지 않고 산책로만 따라서 이동한다면 기차 이용이 포함되지 않은 Cinque Terre Card를 구입하면 된다. 라 스페치아와 레반토 기차역, 친퀘테레 다섯 마을의 기차역에 있는 Cinque Terre Point에서 구입할 수 있다.
자세한 정보는 www.cinqueterre.eu.com 또는 www.parconazionale5terre.it 참고.
€ Cinque Terre Treno MS Card 1일권 €18.2(11월 초~3월 중순 무료), Cinque Terre Trekking Card 1일권 €7.5

몬테로소 Monterosso

친퀘테레에서 가장 큰 마을. 언덕 위에 위치한 구시가에는 14세기 고딕 양식의 산 조반니 바티스타 성당Chiesa di San Giovanni Battista, 포데스타 궁전Palazzo del Podestà, 카푸친 수도회 수도원과 교회 등이 있다. 기차역 아래쪽에는 여름철이면 예쁜 파라솔이 줄지어 늘어서는 인기 해변이 있으며 해변의 끝부분 거대한 거인상이 테라스를 받치고 있는 곳은 19세기 말에 세워진 빌라 몬탈레Villa Montale이다. 몬테로소는 레몬으로 유명해 다양한 레몬 관련 제품을 구입할 수 있으며 5월에는 레몬 축제로 구시가의 거리가 온통 노랗게 물든다.

밀라노에서 직행열차로 약 3시간 / 피사에서 직행열차로 약 1시간 10분 / 라 스페치아에서 친퀘테레 익스프레스 열차로 22분

베르나차 Vernazza

친퀘테레 다섯 마을 중 가장 매력적인 곳으로 손꼽히는 마을. 작은 항구를 둘러싸고 있는 알록달록한 집들에는 레스토랑과 카페, 바, 젤라테리아들이 자리 잡고 있으며 항구 바로 앞에는 팔각형 종탑이 있는 산타마르게리타 디 안티오키아Santa Margherita di Antiochia 성당과 아담한 마르코니 광장Piazza Marconi이 있다. 중세 시대 해적의 공격에서 마을을 보호하기 위해 지은 도리아 성Castello dei Doria의 벨포르테 탑Torre Belforte에 오르면 푸른 바다와 몬테로소까지 연결된 해안선, 베르나차 마을의 눈부시게 아름다운 파노라마 풍경을 감상할 수 있다.

몬테로소에서 친퀘테레 익스프레스 열차로 3분, 유람선으로 15분, 산책로를 따라 도보로 2시간

코르닐리아 Corniglia

친퀘테레 다섯 마을의 중심에 위치한 마을. 100m 높이의 절벽 위에 자리 잡고 있는 마을로 다섯 마을 중 유일하게 바다와 바로 맞닿아 있지 않은 곳이다. 기차역에서 마을까지는 라르다리나Lardarina라 불리는 377개의 벽돌 계단을 오르거나 기차역 윗길인 스타지오네 거리Via Stazione에서 마을까지 운행되는 녹색 셔틀버스를 타야 한다. 마을에는 아기자기한 골목길과 컬러풀한 집이 가득하며 마을 중심의 활기찬 라르고 타라지오Largo Taragio 광장과 14세기에 지어진 고딕 제노베네 스타일의 산 피에트로 성당Chiesa Di San Pietro 등이 유명하다.

베르나차에서 친퀘테레 익스프레스 열차로 3분, 산책로를 따라 도보로 1시간 30분

마나롤라 Manarola

포도밭으로 둘러싸인 해안 절벽 위에 자리 잡고 있는 마을. 친퀘테레에서 가장 포토제닉하고 로맨틱한 마을로 알려져 있다. 친퀘테레 엽서에 자주 등장하는 마나롤라의 풍경은 에메랄드빛 바다를 마주한 검은 바위 절벽 위에 알록달록한 집들이 빽빽하게 들어서 있는 인상적인 모습으로, 이 낭만적인 풍경은 항구 오른쪽으로 나 있는 해안 산책로에서 감상할 수 있다. 마나롤라에서 코르닐리아에 이르는 1시간 거리의 해변 산책로는 경치가 아름답기로 유명하지만 보수공사를 이유로 통제되고 있다.

코르닐리아에서 친퀘테레 익스프레스 열차로 3분, 산책로를 따라 도보로 1시간

리오마조레 Riomaggiore

친퀘테레의 가장 동쪽에 있는 마을. 기차역 앞 광장에서 왼쪽에 있는 계단을 올라가면 세상에서 가장 로맨틱한 산책로로 불리는 '비아 델 아모레Via dell'Amore'로 향할 수 있는데 아쉽게도 보수공사로 몇 년째 통제되어 있다. 역에서 오른쪽으로 터널을 지나가 오르막길로 올라가면 마을이 나오고 'Marina'라는 표지판을 따라 계단을 내려가면 색색의 보트들이 정박되어 있는 항구로 갈 수 있다. 항구 왼쪽으로 나 있는 산책로에서는 빛바랜 파스텔 톤 집들이 옹기종기 모여 있는 그림엽서 같은 리오마조레의 전경을 감상할 수 있다.

라 스페치아에서 친퀘테레 익스프레스 열차로 7분 / 포르토베네레에서 유람선으로 30분 / 마나롤라에서 친퀘테레 익스프레스 열차로 2분, 유람선으로는 15분

HOT **TIP**

친퀘테레 유람선 여행

봄, 여름 시즌에는 포르토베네레Portovenere, 레반토Levanto 등 주변 항구 도시들에서 친퀘테레까지 매일 여러 편의 유람선이 운행되며 이 유람선들은 코르닐리아를 제외한 친퀘테레의 네 마을에 각각 들르므로 원하는 마을에서 내릴 수 있다. 친퀘테레 내에서만 유람선을 이용하려면 가격이 조금 더 저렴한 친퀘테레 일일권 또는 구간권을 구입하자. 유람선 운행 시간표과 요금은 www.navigazionegolfodeipoeti.it 참고.

€ 친퀘테레 일일권 €40

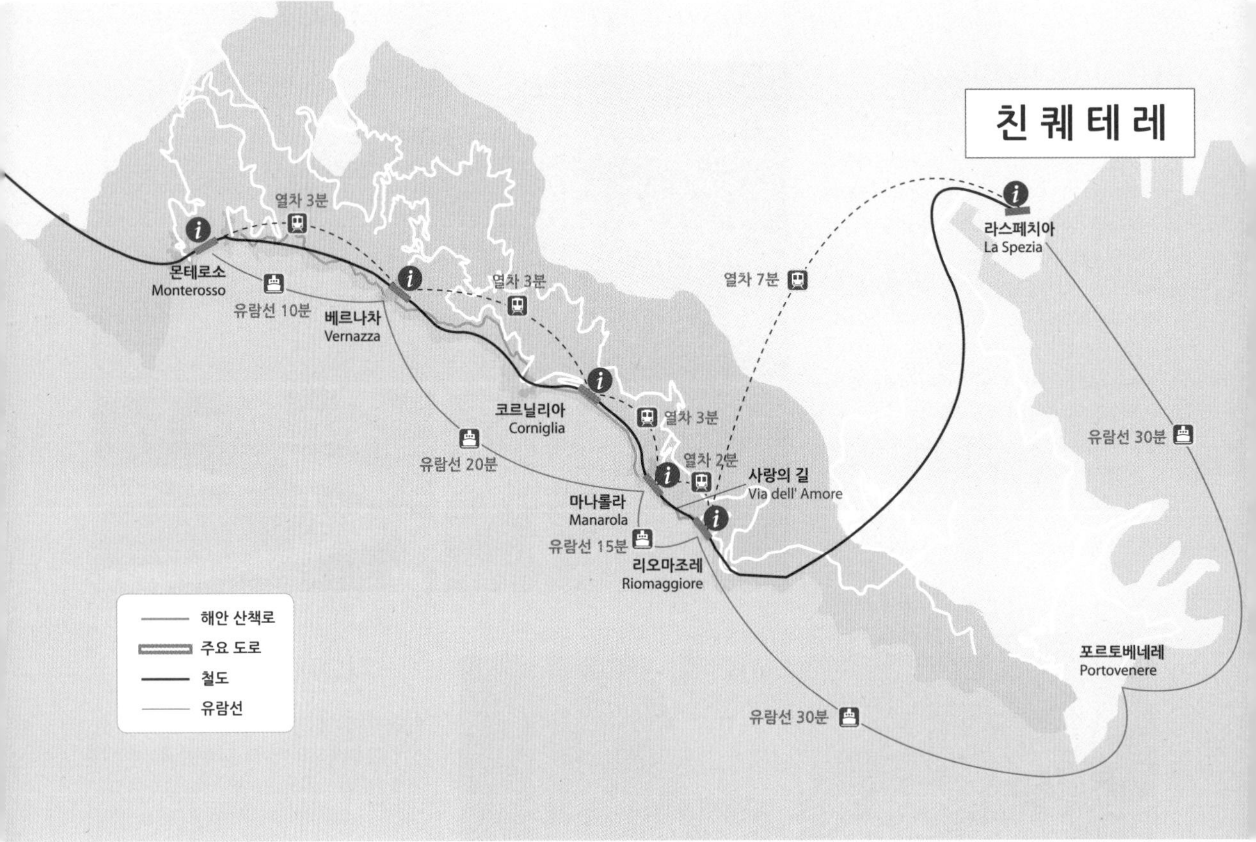
친 퀘 테 레
열차 3분
몬테로소
Monterosso
유람선 10분
베르나차
Vernazza
열차 3분
코르닐리아
Corniglia
열차 3분
유람선 20분
열차 2분
사랑의 길
Via dell' Amore
마나롤라
Manarola
유람선 15분
리오마조레
Riomaggiore
열차 7분
라스페치아
La Spezia
유람선 30분
포르토베네레
Portovenere
유람선 30분
해안 산책로
주요 도로
철도
유람선

이탈리아 전도

오스트리아
헝가리
스위스
슬로베니아
크로아티아
프랑스
보스니아
헤르체고비나
트렌티노 알토
아디제
트렌토
프리울리
베네치아
아오스타
발레다 오스타
밀라노
롬바르디아
베네토
트리에스테
베네치아
토리노
피에몬테
에밀리아 로마냐
제노바
리구리아
볼로냐
산마리노 공화국
피렌체
안코나
토스카나
마르케
페루자
움브리아
라퀼라
코르시카
아브루초
로마
라치오
몰리세
캄포바소
풀리아
바리
나폴리
캄파니아
포텐차
바실리카타
사르데냐
칼리아리
칼라브리아
카탄차로
팔레르모
시칠리아
알제리
튀니지
주 구분선
주도

한눈에 보는 이탈리아 기본 정보

국가명 | 이탈리아 공화국(Repubblica Italiana)
수도 | 로마(Roma)
언어 | 이탈리아어
면적 | 30만 1340㎢
위치 | 프랑스, 스위스, 오스트리아, 슬로베니아와 접경한 남부 유럽
인구 | 약 6000만 명
종교 | 가톨릭 88.6%, 기타 종교 2.6%, 무교 8.8%
통화 | 유로(EUR, €)
국가 번호 | 39
홈페이지 | www.italia.it

시차	한국보다 8시간(Summer Time 기간에는 7시간) 느림
비행시간	로마 직항 기준 약 13시간
전압	220V / 50Hz, 우리나라 전자 기기 사용 가능하나 핀 간격이 달라 어댑터 필요
비자	무비자 90일 체류 가능(여권 유효기간 6개월 이상)
환전	가장 많이 사용하는 €10, €20, €50 지폐로 환전

여행 경비	하루 1인 약 7~10만 원, 경비의 30% 현금, 70% 신용카드 사용 추천
여행 최적기	4~6월과 9~11월
영업시간	**은행** 월~금요일 08:30-13:30, 15:00-16:30 (오후 영업시간은 도시마다 다름) **우체국** 월~금요일 08:30-17:00, 토요일 08:30-13:00 **상점** 월~토요일 09:00-13:00, 15:00-19:30, 일요일, 공휴일 휴무 **레스토랑** 12:00-14:30, 19:00-23:00, 일요일 또는 월요일 휴무

이탈리아 교통

이탈리아 들어가기

1 | **항공** 현재 우리나라에서 이탈리아로 가는 직항 노선을 운항하는 항공사로는 대한항공, 아시아나항공이 있으며 에어프랑스, KLM, 루프트한자, 핀에어 등의 유럽 항공사나 케세이퍼시픽, 싱가포르항공 등의 아시아 항공사를 이용해도 한 번만 경유하면 이탈리아의 주요 도시로 이동할 수 있다. 밤에 출발하는 항공편을 원할 경우에는 터키항공이나 에미레이트항공, 에티하드항공, 카타르항공 등을 이용하면 된다.

인천 출발, 이탈리아 주요 도시 직항 노선		
	로마	밀라노
대한항공	월, 화, 수, 목, 토, 일요일 (성수기에는 주 7회로 증편)	수, 금, 일요일
아시아나항공	화, 목, 토, 일요일 (성수기에는 주 6~7회로 증편)	대한항공 공동 운항편 이용 가능

2 | **기차** 유럽의 여러 나라를 함께 여행한다면 기차를 이용하여 이탈리아에 입국하는 경우가 많다. 프랑스 파리에서 밀라노까지 이른 오전이나 오후에 출발하는 직행 열차를 이용할 경우 6시간 40분~7시간 남짓 소요된다. 파리에서 바젤까지는 약 3시간, 밀라노에서 취리히는 약 3시간 20분 걸린다. 야간 열차 운행은 많이 축소되었으며 비엔나-베네치아, 뮌헨-밀라노(Milano Rogoredo), 잘츠부르크-밀라노(Milano Rogoredo) 야간 열차는 운행하며 사전 예약이 필수다. 야간열차 시간 검색 및 예약은 www.nightjet.com 혹은 www.obb-italia.com/it/ 에서 할 수 있다.

나라별 국영 철도 홈페이지 | 이탈리아 www.trenitalia.com / 독일 www.bahn.de / 오스트리아 www.oebb.at / 스위스 www.sbb.ch

이탈리아 기차 여행

이탈리아는 전체 국토를 연결하는 광범위한 철도망을 자랑하는 나라로 대부분의 여행자들이 기차를 이용하여 이탈리아를 여행한다. 이탈리아 기차의 95%는 국영 철도 회사인 트렌이탈리아Trenitalia가 운행하며 그 밖에 이탈리아의 제2철도 회사인 NTV(Nuovo Trasporto Viaggiatori)사에서 운행하는 초고속 열차 이딸로Italo, 이탈리아의 각 주 내에서만 운행되는 지역 사철들이 있다. 이탈리아만 여행한다면 이탈리아 패스보다 구간별로 표를 구입하는 것이 더 이익인 경우가 많지만 장거리 이동이 많거나 패스 할인 프로모션을 활용하여 저렴하게 구입할 경우, 패스를 구입하는 것이 더 이익일 수도 있으니 잘 따져보고 자신의 일정에 맞게 선택하자. 또한, 인기 구간, 장거리 구간 및 성수기에는 서둘러 예약해야하며 미리 예약할수록 요금이 저렴해진다.

기차 종류

레 프레체 Le Frecce | 트렌이탈리아의 초고속 열차로 시속 200~360km의 속도를 자랑한다. 프레차로싸Frecciarossa, 프레차르젠토Frecciargento, 프레차비안카Frecciabianca가 있으며 트렌이탈리아 홈페이지에서도 표를 구입할 수 있고 예약이 필수이다.

인터시티Intercity | 이탈리아의 주요 도시를 연결하는 트렌이탈리아의 급행열차로 레 프레체가 운행하지 않는 지역과 역들 사이를 운행한다. 트렌이탈리아 홈페이지에서 표를 구입할 수 있으며 성수기에는 예약을 하는 것이 좋다.

레지오날레Regionale | 소도시를 비롯한 이탈리아의 모든 도시를 연결하는 트렌이탈리아의 완행열차로 모든 역에 다 정차하기 때문에 이동 시간이 많이 소요되지만 대신 가격이 저렴하다. 예약이 필요 없고 구매한 날짜부터 2개월간 유효하므로 유효기간 내에는 다른 날, 다른 시간에 탑승해도 된다.

이딸로Italo | 이탈리아 제2철도 회사인 NTV사의 초고속 열차로 밀라노, 볼로냐, 베네치아, 피렌체, 로마, 나폴리 등 이탈리아의 주요 대도시를 운행한다. 이탈리아의 전설적인 스포츠카 페라리를 닮은 붉은색의 유선형 외형 때문에 '페라리 열차'라는 별명을 가지고 있다. 홈페이지(www.italotreno.it)에서 다양한 프로모션을 진행하니 트렌이탈리아와 가격을 비교해보는 것도 좋다.

기차 시간 검색 및 기차표 예약

트렌이탈리아(www.trenitalia.it)나 이딸로(www.italotreno.it)의 기차 시간 검색 및 예매는 각각의 홈페이지에서 할 수 있으며 스마트폰 앱을 다운로드받아 가면 이동 중 기차 스케줄을 바로 검색할 수 있어 매우 편리하다. 만약 일정이 유동적이라면 장거리를 이동하는 예약 필수 구간만 출발 전 한국에서 예약하고 나머지 구간은 현지 기차역에서 이동하기 전날 예매하는 것이 좋다.

HOT TIP

트렌이탈리아 홈페이지에서 기차표 예매하기

1

트렌이탈리아 www.trenitalia.com에 접속하여 회원 가입 및 로그인 언어에서 영어로 바꾼 후 Customer area에서 Register를 눌러 회원 가입을 한다. 회원 가입 후 로그인해서 진행해야 오류가 생길 경우 확인하기에 편리하다.

2

기차 시간표 조회 출발역, 도착역, 날짜, 시간, 인원수 등을 입력하고 SEARCH를 눌러 조회한다. 왕복으로 할 경우 Return에 표시하고 진행하면 된다.

3

원하는 시간과 요금 선택 조회된 여러 시간 중 원하는 시간을 선택 및 요금이 표시된 곳의 + 버튼을 눌러 예약하고 싶은 티켓을 선택한다. Super Economy는 환불, 변경, 다른 기차 탑승이 전혀 불가능하고 Economy는 환불은 안 되지만 출발 전 날짜와 시간을 한 번 변경할 수 있으며 Base는 출발 전 환불과 변경이 자유롭다. 여행 일정이 확정되었다면 가능한 한 일찍 예매하여 가장 저렴한 Super Economy Ticket을 구입하는 것이 비용을 아낄 수 있는 방법이다.

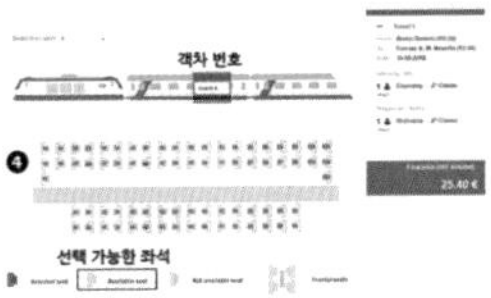

4

좌석 선택을 원하는 경우 요금의 종류를 선택한 후 'Choose the seat'를 체크하고 다음 단계로 넘어가면 좌석 평면도가 나와 원하는 좌석을 직접 고를 수도 있다. 좌석 선택을 하지 않은 경우 임의대로 배정된다.

5

결제 및 티켓 확인 결제는 신용카드나 Paypal 등으로 할 수 있으며 결제가 정상적으로 완료되면 전자 티켓이 회원 가입 시 입력한 이메일에 PDF 파일 형태로 첨부되어 오는데 이 파일을 출력하여 가져가거나 바코드를 스마트폰에 다운로드받아 가면 된다. 결제까지 정상적으로 완료되었는데도 이메일이 오지 않으면 예매 완료 화면에 있는 PNR(Booking Code)이나 Ticket Code를 적어두었다가 트렌이탈리아 홈페이지에서 조회해볼 수 있다.

* 트렌이탈리아 현지 사이트에서 예매하는 것이 부담스럽다면 트렌이탈리아 한국 총판(www.trenitalia.kr)에서 예약할 수도 있다. 이 경우 요금에 발권 수수료가 포함되고 좌석 지정이 안 된다는 점, 특별 프로모션 요금을 이용할 수 없다는 점 등의 단점이 있다.

표 검사

기차표 검사는 플랫폼에 들어가는 개표구와 기차 내에서 이루어지는데 기차 내에서 검사할 때 각인Validation이 필요한 기차표 소지자가 각인을 하지 않았을 경우 벌금을 내야 한다. 유레일 패스, 이탈리아 패스 등의 교통 패스는 반드시 표 검사 전에 개시가 이루어져야 하며 연속 사용하는 패스가 아니라면 반드시 검표 전에 캘린더 박스에 사용 날짜를 적어야 한다.

기차표 각인

홈페이지에서 예매한 전자 티켓은 개표구와 기차 내에서 검표 직원에게 보여주기만 하면 되지만, 현지에서 구입한 기차표 중 좌석 예약을 하지 않은 인터시티나 레지오날레 기차표는 기차에 타기 전에 반드시 기차역 내나 플랫폼에 있는 기계에 표를 넣고 각인을 해야 한다. 각인을 하면 표에 날짜와 시간, 각인한 역 이름이 찍혀 나온다.

이탈리아 렌터카 여행

이탈리아의 대도시들은 차가 많고 길이 복잡하며 주차하기도 어려워 도시 내에서는 차를 세워두고 대중교통을 이용하여 관광하는 것이 나으며 도시 간 이동에만 렌터카를 이용하는 것이 좋다. 렌터카 여행을 할 계획이라면 출국 전 국제 운전면허증을 준비해야 하며 출국 시 우리나라 면허증도 함께 가져가야 한다. 이탈리아 렌터카 여행에 필요한 기본 정보는 아래와 같으며 좀 더 자세한 정보는 www.aci.it/laci/driving-in-italy를 참고하자.

기본 법규

이탈리아 도로에서는 오른쪽 차선(2차선)으로 진행하는 것이 원칙이며 왼쪽 차선(1차선)은 추월 차선이므로 추월한 후에는 바로 오른쪽 차선으로 돌아와야 한다. 안전벨트의 경우 앞좌석은 물론 뒷좌석까지 의무적으로 매야 한다. 도로별 제한속도는 고속도로 130㎞/h(안내 표지가 있는 일부 구간은 150㎞/h), 일반 주도로 110㎞/h, 도로 및 지방 도로 90㎞/h, 도심 및 주거지역 50㎞/h(안내 표지가 있는 일부 구간은 70㎞/h)이다. 일반 도로에서는 차폭등과 하향등은 항상 켜두어야 하며 특히 도심에서는 일몰 30분 후부터 켜는 것이 법규로 규정되어 있다.

도로 표지

- 초록색 : 고속도로 방향 표지
- 파란색 : 일반 도로 방향 표지
- 흰색 : 공항, 호텔 등 지역 내 특정 장소 방향 표지
- 노란색 : 도로 공사 등으로 인한 우회로 등 임시 방향 표지
- 갈색 : 문화 유적지, 관광지, 자연보호 구역, 캠핑장 등 방향 표지
- 검은색 : 외곽 지역 공장, 산업 단지, 쇼핑센터 방향 표지
- 오렌지색 : 택시나 스쿨버스 주정차 구역 표지

ZTL Zone

이탈리아에서 운전할 때 가장 주의해야 할 것이 ZTL Zone이다. ZTL은 Zona Traffico Limitato의 약자로 통행 제한구역 정도로 번역할 수 있는데 정해진 시간 동안 사전에 등록된 차가 아닌 일반 차는 통행이 금지된 구역을 뜻한다. 정해진 시간 외에는 통행이 가능하지만 대부분 이른 아침이나 늦은 저녁이라 관광객에게는 해당되지 않는 경우가 많으며 도시와 마을마다 시간이 달라 직접 가보지 않고는 통행 가능한 시간을 알기 어렵다. 대도시의 경우 ZTL Zone으로 들어가는 길과 나오는 길에 감시 카메라가 있으며 ZTL Zone 내에 잘못 진입하거나 주차해서 경찰의 단속에 걸리면 €80~300의 벌금을 내야 하므로 ZTL Zone 표지판이 보이면 절대 진입하지 말아야 한다. 이탈리아의 모든 도시와 마을의 구시가들은 ZTL Zone으로 지정되어 있으므로 차량은 호텔이나 구시가 밖의 주차장에 세우고 도보나 대중교통을 이용하여 구시가로 들어가야 한다. 만약 숙박할 호텔이 ZTL Zone 내에 있을 경우 주차에 문제가 없는지 사전에 꼭 확인해야 한다.

주차

렌터카 여행을 할 때는 약간 외곽에 위치했더라도 주차장이 있거나 주차장 근처에 있는 호텔을 선택하는 것이 좋다. 도심으로 관광을 나가면 사설 주차장이나 공영 주차장 중 한 곳에 주차해야 하는데 일반적으로 사설 주차장이 좀 더 가격은 비싸지만 안전하다는 장점이 있다. 공영 주차장은 대부분 차도 옆에 있는 노면 주차장인데 파란색, 흰색, 노란색의 3가지 색 선으로 종류가 구분된다. 파란색은 주차 요금을 선불로 지불하는 주차 구역으로 먼저 주차 구역에 있는 주차 미터기(동전만 가능)에 요금을 지불하고 주차권을 차 앞 유리창 안쪽 대시보드 위에 잘 보이게 놓아두어야 한다. 이런 주차장에는 과금 시간과 시간당 주차 요금이 적힌 표지판이 있으니 잘 확인해두자. 흰색은 무료 주차가 가능한 구역을 뜻하는데 인접한 표지판에 시간제한이 적혀 있다. 이 구역에 주차할 때는 차를 세운 시간을 표시하여 대시보드 위에 놓아두어야 한다. 마지막으로 노란색은 장애인, 관용차 등 특별 차를 위한 구역이므로 일반 차는 주차할 수 없다.

주유

이탈리아 주유소는 셀프 주유 및 직원이 넣어 주는 방식이 있다. 주유소에 들어가면 Servizio와 Self로 나뉘며 직원이 넣어 주는 것을 선호하면 Servizio 구역에 정차하면 되지만 가격이 비싸다. 셀프 방식은 유종을 확인하고 해당 주유기로 주유한 후 금액과 주유기 번호를 확인한다. 이후 상점에 주유기 번호를 말하고 계산하면 된다. 이탈리아에서 디젤은 DISEL로 표기하지만 간혹 Gasolio라고 쓰는 곳도 있어 휘발유로 착각할 수 있으니 주의해야 한다. 휘발유는 Senza Piombo, Super Senza Piombo(Super PB), Benzia 등으로 적혀 있다. 헷갈린다면 주유기 색으로 구분하자. 휘발유는 녹색, 디젤은 노란색이나 검은색을 사용한다. 무인 주요소는 €100~150 정도 가승인 후 주유한 금액만큼 청구된다. 예를 들어 주유한 금액이 €70이면 영수증에 €170이 나오고 €100는 취소된다. 현금은 잔돈을 거슬러 주지 않아 정확한 금액을 넣어야 하니 가급적이면 카드를 사용하자. 무인 주요소는 고장 난 주유기도 많은 편이고 사용법도 다양해 헷갈릴 수 있어 가급적 이용하지 않는 것을 추천한다.

고속도로

이탈리아의 고속도로는 초록색 표지판으로 표시되는데 주요 대도시 사이를 가장 빠르게 이동할 수 있는 방법이다. 단, 고속도로는 이용료를 지불해야 하는데 이탈리아 톨게이트는 우리나라와 비슷하기 때문에 걱정할 필요는 없다. 우리나라의 하이패스에 해당되는 노란색 표지의 Telepass 차선, 흰색 표지에 손, 지폐, 동전 등이 그려져 있는 현금 차선, 파란색 표지에 Carte라고 쓰여 있는 신용카드 차선으로 나뉘는데 현금 또는 신용카드 차선 중 한 곳으로 통과하면 된다. 과속 감시 카메라가 곳곳에 있기 때문에 제한속도(130㎞/h)를 잘 지켜야 한다. 또한, 고속도로에는 200개가 넘는 주유소가 있어 고속도로를 달리는 중에 이용하면 더 편리하다. 이탈리아 고속도로에 대한 좀 더 자세한 정보는 www.autostrade.it/en/home 참고.

내비게이션

최근에는 구글맵을 많이 이용하며 아직은 과속 단속 카메라 정보가 지원되지 않아 보조로 내비게이션 앱이나 전문 내비게이션을 추가하면 좋다. 앱은 웨이즈 Waze, 시직Sygic, 맵스미MapsMe 등이 있으며 전용 내비게이션은 가민 Garmin, 톰톰 Tomtom 등이 있다. 여행 중에 생길 수 있는 돌발 상황(인터넷 연결 불안정 등)을 대비해 구글 오프라인 지도를 꼭 미리 받아두자.

라운드어바웃

이탈리아의 교차로는 대부분 서클 안에 들어가서 돌다가 원하는 진행 방향으로 나가면 되는 라운드어바웃, 즉 회전 교차로 방식으로 되어 있다. 이 방식은 우리나라 운전자에게는 다소 생소할 수 있는데 서클 안에 진행하고 있는 차에 무조건 우선순위가 주어지며 진입 전에 우선 정지의 의무가 있다. 진입 전 표지판에서 자신이 나갈 출구가 몇 번째인지 확인하고 들어가면 출구를 쉽게 찾을 수 있다. 만약 나가는 출구가 확실치 않다면 몇 번이고 다시 돌면서 맞는 출구를 찾아 나가면 된다.

이탈리아 출입국 정보

입국

입국 카드는 작성하지 않으며 입국 심사도 대부분 질문 없이 간단히 진행된다. 입국 심사대가 EU National과 Non EU National로 구분되어 있으므로 Non EU National 쪽으로 줄을 선다. 입국 심사대를 통과한 후 수하물을 찾고 본인의 휴대품이 아래의 입국 시 통관 규정을 넘지 않을 경우 세관 신고서를 따로 작성하지 않고 그냥 밖으로 나오면 된다.

출국

이탈리아의 주요 공항들은 모두 시내에서 대중교통 수단을 이용하여 쉽게 이동할 수 있는 위치에 있다. 일반적으로 출발 2시간 전에 공항에 도착하면 되지만 부가가치세(VAT) 환급을 받아야 한다면 늦어도 출발 3시간 이전에는 공항에 도착해야 한다. 특히 로마 레오나르도 다빈치 공항에서 출국할 경우, 세관 신고를 하려면 대기시간이 무척 길기 때문에 가능하면 일찍 공항으로 이동하는 것이 좋다. 낯선 공항에서 세관 신고를 하고 VAT를 환급받는 과정은 자칫 복잡하게 느껴질 수 있으나 크게 '택스 리펀 서류(영수증 포함), 세관 확인, 택스 리펀 회사에 서류 제출'을 기억하면 된다.

HOT **TIP**

이탈리아 입국 시 여행자 휴대품 통관 규정

주류 알코올 함량 22% 이상 주류 1ℓ 또는 알코올 함량 22% 이하 주류 2ℓ

담배 담배 200개비(시가릴로는 100개비, 시가는 50개비, 기타 담배는 250g)

외국환 1만 유로

* 이 외의 품목은 공항 또는 항만 이용 시 €430, 육로 이용 시 €300까지 면세로 반입 가능

로마 레오나르도 다빈치(피우미치노) 공항 VAT 환급 절차

부가가치세 환급 VAT Refund

이탈리아에서는 EU 회원국이 아닌 국가의 여행자가 한 상점에서 €154.95(VAT 포함) 이상의 물건을 구입했을 경우, 상품 가격에 포함된 부가가치세(구매 금액에 따라 11.6~15.5%)를 환급받을 수 있다.

부가가치세를 환급받으려면 상품을 구입한 상점에서 세금 환급 서류를 받아 작성하고 출국 전 반드시 세관에 관련 서류와 구입한 물건을 보여주고 확인 절차를 밟아야 한다. 세관 신고 후에는 공항 내 환급 창구에서 현금으로 바로 받거나 신용카드로 나중에 돌려받는 것 중 하나를 선택할 수 있다. 환급 절차는 아래를 참고하자.

택스 리펀 가맹점에서 일정 금액(한 상점에서 €154.95) 이상 구매
(3개월 이내 출국 시 환급 가능)

↓

결제 시 여권, 신용카드 준비하여 택스 리펀 요청 →
- 매장에서 선환급 받는 경우 공항 키오스크(대부분 한국어 지원)에서 최종 환급 절차 완료하기
- 선환급 서류를 공항 키오스크에서 스캔한 후 화면에 승인(초록색 O)이 나오면 완료, 미승인(빨간색 X)이 나오면 세관에서 확인

↓

택스 리펀 서류와 영수증 내용 확인 후 보관 → 만일을 대비해 사진 찍어 저장

↓

공항에서 체크인 수속 진행 혹은 미리 모바일 체크인 수속 →
- 부치는 수하물에 물품이 있는 경우 직원에게 말하고 배기지 태그 Baggage Tag 붙인 후 수하물 돌려받기(택스 리펀 절차 완료 후 수하물 부치기)
- 모바일 체크인 수속을 한 경우 구매 물품을 가지고 VAT Refund 구역으로 바로 이동

↓

공항에서 'VAT Refund', 'Customs' 구역으로 이동

↓

세관에서 스탬프(전자 혹은 실물) 받기
(항공권, 여권, 쇼핑한 물건, 택스 리펀 서류 준비)

↓

글로벌 블루, 택스 리펀드, 프리미어 택스 프리 등 해당 택스 리펀 회사 부스로 이동하여 직원에게 서류 제출 (여권, 택스 리펀 서류 준비) →

현금 또는 신용카드 중 선택
- 현금으로 환급받으면 한 건당 €3 정도의 수수료 부과
- 신용카드로 돌려받는 경우 카드 회사에 따라 환급 시간 소요 (2주~몇 개월)
(카드 번호 잘못 적은 경우 환급되지 않을 수도 있으니 주의)

* 귀국하기 전, 다른 EU 국가를 방문할 예정이라면 마지막 출국하는 EU 국의 세관에서 최종 확인을 거쳐야 한다. EU 국이 아닌 국가에서 최종 출국할 경우 미리 환급받을 수 있는 곳을 확인하자. 예를 들어 스위스에서 출국하는 경우 EU 국에서 쇼핑한 것에 대한 환급은 바젤 공항, 제네바 공항(출국 당일 가능), 바젤역, 제네바역 등에서 세관 확인을 받을 수 있다. 단, 역에 근무하는 세관은 자리를 비우는 경우도 있으니 참고하자.

알아두면 편리한 이탈리아 실용 정보

로마 최고 · 최저 기온

로마

월	1월	2월	3월	4월	5월	6월	7월	8월	9월	10월	11월	12월
최고기온	12.0	14.0	16.0	19.0	24.0	29.0	32.0	32.0	27.0	23.0	17.0	13.0
최저기온	3.0	3.0	6.0	8.0	12.0	17.0	19.0	19.0	15.0	12.0	7.0	4.0

이탈리아 기상청 사이트 www.meteo.it

전화와 인터넷

대부분의 숙소에서 무료 Wi-Fi를 사용할 수 있으며 이동 중에도 인터넷을 이용하려면 일행이 같이 이용할 수 있는 포켓 Wi-Fi 기기를 대여해가는 것이 좋다. 이탈리아 국내 전화와 인터넷을 모두 사용하려면 Tim, Wind, Vodafone 등의 선불 SIM 카드를 구입하자.

	로밍	SIM 카드	e-SIM	포켓 Wi-Fi
장점	기존 한국 번호 그대로 사용 SIM 카드나 라우터 기기 불필요	로밍 대비 저렴한 가격 및 다양한 데이터 선택 가능	기존 한국 번호 그대로 사용 가능 SIM 카드 파손 및 분실 걱정 없음	여러 명(3~5인)이 저렴하게 사용 가능
단점	타 상품 대비 비교적 비싼 요금	한국 번호 사용 불가 SIM 카드 분실 및 파손 우려	지원하는 기종이 한정적이며 오류 가능성 있음	여러 명 동시 접속 시 속도 저하 및 휴대와 충전의 번거로움 성수기에 여행 시 예약 필수
유용점	국내와 지속적으로 연락을 해야 하는 상황이 많은 경우	한국 번호로 전화, 문자를 이용할 필요가 없거나 데이터 사용량이 많은 경우	한국 번호로 연락이 필요한 경우 및 가성비와 편리함을 추구하는 경우	여러 명이 대용량 데이터를 로밍 및 유심보다 저렴하게 사용할 경우

물가

우리나라와 비슷하거나 조금 더 비싼 수준이다. 여행 필수품인 물이나 음료수는 타바키나 바에서 구입하면 가격이 2배 이상 비싸므로 슈퍼마켓에서 미리 구입해두는 것이 좋다.

유용한 어플

구글 지도, 번역 앱인 파파고, 렌터카 여행 시 유용한 WAZE, 택시 호출 앱(잇택시 itTaxi, 프리나우 Freenow, 우버 UT 등), 기차 조회 및 파업, 지연 정보 확인 등을 할 수 있는 트렌잇 Trenit 등이 있다. 구글 지도에서 여행 도시의 오프라인 지도를 여행 전에 받아두면 인터넷이 안 되거나 불안정한 곳에서 유용하다.

공휴일(2024년 기준)

1월 1일 : 새해 첫날, Capodanno
1월 6일 : 주현절, Epifania
3월 31일 : 부활절, Pasqual(해마다 변동)
4월 1일 : 부활절 다음 월요일, Pasquetta(해마다 변동)
4월 25일 : 해방 기념일, Festa della Liberazione
5월 1일 : 노동절, Festa del Lavoro
6월 2일 : 공화국 선포 기념일, Festa della Repubblica Italiana
8월 15일 : 성모 승천 대축일, Ferragosto
11월 1일 : 만성절, Ognissanti
12월 8일 : 성모 수태일, Immacolata Concenzione
12월 25일 : 성탄절, Natale
12월 26일 : 성 스테파노 축일, Santo Stefano

현지 연락처

- 주 이탈리아 대한민국 대사관

Via Barnaba Oriani 30, 00197 Roma
+39 06 802 461
근무시간 외 긴급 연락처 : +39 355 185 0499
월~금요일 09:30-12:00, 14:00-16:30
ita.mofa.go.kr

유용한 전화번호

경찰 112, 113 / 구급차 118 / 화재 115
해상 구조대 1530

여행 시 유용한 이탈리아어

숫자

0	Zero	제로
1	Uno	우노
2	Due	두에
3	Tre	뜨레
4	Quattro	꽈뜨로
5	Cinque	친퀘
6	Sei	세이
7	Sette	세떼
8	Otto	오또
9	Nove	노베
10	Dieci	디에치
100	Cento	첸토

요일 및 시간

월요일	Lunedi	루네디
화요일	Martedi	마르테디
수요일	Mercoledi	메르꼴레디
목요일	Giovedi	지오베디
금요일	Venerdi	베네르디
토요일	Sabato	사바토
일요일	Domenica	도메니까
공휴일	Ferie	페리에

달

1월	Gennaio	젠나이오
2월	Febbraio	페브라이오
3월	Marzo	마르조
4월	Aprile	아프릴레
5월	Maggio	맛죠
6월	Giugno	쥬노
7월	Luglio	룰리오
8월	Agosto	아고스토
9월	Settembre	세뗌브레
10월	Ottobre	오또브레
11월	Novembre	노벰브레
12월	Dicembre	디쳄브레

음식

물	Acqua	아쿠아
탄산수	Acqua frizzante	아쿠아 프리짠테
식전주	Aperitivo	아페리티보
와인	Vino	비노
맥주	Birra	비라
샐러드	Insalata	인살라타
수프	Zuppa	추파
튀김	Fritto	프리토
쇠고기	Manzo	만초
송아지	Vitello	비텔로
돼지	Porco	포르코
닭	Pollo	폴로
오리	Anatra	아나트라
양	Agnello	아니엘로
해산물	Frutti di mare	푸르티 디 마레
생선	Pesce	페셰
홍새우	Gambero	감베로
랑구스틴	Scampi	스캄피
랍스터	Aragosta	아라고스타
게	Granchio	그란키오
연어	Salmone	살모네
참치	Tonno	톤노
앤초비	Acciuga	아치우가
굴	Ostrica	오스트리카
홍합	Cozze	코체
오징어	Calamari	칼라마리
문어	Polpo	폴포
버섯	Funghi	풍기
토마토	Pomodoro	포모도로
송로버섯	Tartufo	타르투포
사프란	Zafferano	차페라노
아티초크	Carciofo	카르초포
아스파라거스	Asparago	아스파라고
호박꽃	Fiori di zucca	피오리 디 추카

교통 및 기타 표현

입구	Entrata	엔트라타
출구	Uscita	우쉬타
역, 정류장	Stazione	스타찌오네
플랫폼	Binario	비나리오
출발	Partenza	파르텐짜
도착	Arrivo	아리보
표	Biglieto	빌리에또
요금	Tariffa	따리파
편도	Sens unico	센소 우니코
왕복	Andata e ritorno	안다타 에 리토르노
개점	Aperto	아페르토
폐점	Chiuso	키우조
세일	Saldi	살디
계산서, 영수증	Conto	콘토
화장실	Bagno	바뇨
	Toilette	토일레떼
사용 중	Occupato	오꾸파토
비어 있음	Libero	리베로
은행	Banca	방카
ATM 인출기	Bancomat	반코맛
약국	Farmacia	파르마치아
병원	Ospedale	오스페달레
대사관	Ambasciata	암바샤타
경찰서	Stazione di polizia	스타찌오네 디 뽈리찌아

간단 회화

안녕	Ciao	차오
안녕하세요	Buongiorno	본 조르노
안녕하세요(저녁)	Buona sera	보나 세라
고맙습니다	Grazie	그라찌에
천만에요	Prego	쁘레고
실례합니다	Scusi	스꾸지
죄송합니다	Mi scusi	미 스꾸지
건배	Salute/Cin Cin	살루떼/친친
맛있어요	E Molto Buono	에 몰토 부오노
예	Si	씨
아니오	No	노

샬레트래블북

ITALIA
이탈리아

초판 발행 2017년 3월 1일
개정 1판 발행 2018년 9월 10일
개정 2판 발행 2019년 9월 1일
개정 3판 발행 2023년 10월 18일

글 | 김문희, 우지선
사진 | 정소현, 강승희
펴낸곳 | ㈜샬레트래블앤라이프
펴낸이 | 강승희 강승일
출판등록 | 제 313-2009-66
주소 | 서울시 마포구 서교동 어울마당로 5길 26. 1~5F
전화 | 02-323-1280
판매문의 | 02-336-8851 shop@chalettravel.kr
내용문의 | travelbook@chalettravel.kr
디자인 | 최윤선
지도 일러스트 | 김선애

ISBN 979-11-88652-30-3(13920)

값 18,000원

CHALET Travel Book은 ㈜샬레트래블앤라이프의 출판브랜드입니다.

www.chalettravel.kr